COLLECTION « VÉCU »

DU MÊME AUTEUR
Chez le même éditeur

BLONDS ÉTAIENT LES BLÉS D'UKRAINE (1989)

MARIE GAGARINE

LE THÉ
CHEZ
LA COMTESSE

ÉDITIONS ROBERT LAFFONT
PARIS

Avant-propos

Le destin n'existe pas, disait Maupassant, le destin c'est le reflet de notre personnalité. Certes les événements qui bouleversent le monde ne dépendent pas de notre volonté. Mais, à part les cas de force majeure, nous traçons nous-mêmes les voies de notre vie.

Si je n'avais pas eu le courage de traverser la dangereuse frontière de la Russie, toute ma vie aurait été différente, ou se serait arrêtée à dix-sept ans.

Je songe souvent à ce long parcours semé d'embûches, mais aussi de jours de gloire et de bonheur, qui se termine dans un havre de paix. Je regarde en arrière sans amertume. Au contraire, je crois que je suis née sous une bonne étoile.

La première étape dans ma fuite vers l'Occident a été Czernowitz, la charmante capitale de la Bucovine annexée par le traité de Versailles à la Roumanie en 1919.

Cette ville autrichienne située sur une colline dominant le Prut, affluent du Danube, était un centre religieux et commercial important, avec son université, son académie théologique, son opéra et son conservatoire de musique. Le palais de l'Evêché était entouré d'un parc magnifique qui descendait de terrasse en terrasse, jusqu'aux méandres du Prut.

Dernier bastion du monde libre face à l'Empire soviétique, Czernowitz était peuplé de races différentes : Autrichiens, Allemands, Juifs, Polonais, Hongrois, Ukrainiens, Roumains, tous étaient attachés à leur ville et l'appelaient « *Klein Wien* » (petite Vienne), ce qui pour eux était le meilleur compliment. Vienne restait, comme du temps de l'empereur François Joseph, leur vraie capitale et l'allemand leur langue maternelle.

C'est à Czernowitz, devenu Cernauti, que nous nous établîmes, mon frère Emmanuel et moi, pour continuer nos études.

Je garde un souvenir charmant des trois années de notre vie à Cernauti. L'université, nos camarades, nos soirées estudiantines, nos promenades et excursions, les grands cafés avec leur musique, tout cela était nouveau pour nous et passionnant. C'est vrai que le souci de notre famille restée en Russie et dont nous n'avions pas de nouvelles assombrissait notre vie.

Parmi les rescapés de la révolution russe, nous étions, du point de vue matériel, des privilégiés. Le fondé de pouvoir de notre grand-mère, Me Tomachevsky, avocat et propriétaire lui-même, avait réussi à sauver une petite part de notre fortune et nous versait une pension.

Un beau jour, alors que nous y pensions le moins, arriva notre sœur cadette Ella. Une de nos lettres confiées à la Croix-Rouge internationale était parvenue à nos parents.

Comme nous, elle avait traversé le Dniestr avec des contrebandiers et était arrivée à Czernowitz à pied.

Pauvre Ella, elle était dans un état épouvantable, couverte de boutons et de crasse. Les contrebandiers l'avaient cachée dans un grenier et à peine nourrie pendant une semaine en attendant le moment propice pour lui faire traverser le fleuve.

Après l'avoir soignée et habillée, je la présentai à la Securitate et demandai pour elle un permis de séjour en Roumanie. On me l'accorda sans difficulté.

Trois mois plus tard, les jumelles Madeleine et Angeline arrivèrent à leur tour accompagnées d'un couple de paysans. L'homme, ancien soldat, avait rejoint des bandits et était à présent recherché pour crimes et meurtres par la milice. Nos sœurs nous racontèrent leur angoisse pendant la traversée. L'homme voulait les noyer pour supprimer des témoins de sa fuite. La femme le retint en lui rappelant que Madeleine et Angeline avaient un frère et une sœur à Czernowitz qui pourraient les aider auprès des autorités roumaines. Ce que nous fîmes en effet.

L'exode de notre famille ne s'arrêta pas là. Au cours du même été, nos parents suivirent le même chemin. Cette fois, c'est le prêtre du village frontalier où ils arrivèrent qui me fit savoir que nos parents étaient chez lui et attendaient mon arrivée pour les prendre en charge.

Je dois dire qu'Emmanuel, pourtant mon aîné, ne participa jamais à ces opérations de sauvetage. C'était toujours moi qui faisais toutes les démarches et procurais tous les permis.

A présent nous étions tous réunis à Cernauti dans la maison de notre logeuse Frau Beill. Mais nos deux pièces, à Emmanuel et moi, ne pouvaient suffire pour héberger sept personnes. De toute façon, nos parents ne voulaient pas rester à Cernauti où ils n'avaient rien à faire. Ils partirent pour la Bessarabie et s'installèrent à Hotine dans la maison qui appartenait à grand-mère.

On décida que les jumelles iraient à Bucarest et se présenteraient au concours d'admission aux Beaux-Arts.

Elles y réussirent brillamment, Madeleine surtout qui fut classée première sur trois cents candidats.

Mais timides, effrayées par le monde qu'elles ne connaissaient pas et ne parlant pas roumain, elles étaient désemparées et perdues. Nous décidâmes qu'Emmanuel et moi nous irions nous aussi nous installer à Bucarest.

Notre père, ayant tout perdu en Russie (devenue l'Union soviétique), fut à nouveau ruiné par les réformes agraires imposées à la Roumanie après la Première Guerre mondiale. Il ne pouvait pas nous entretenir tous à Bucarest. Nous dûmes donc résoudre nos problèmes nous-mêmes. Emmanuel trouva un poste de comptable dans une banque, les jumelles se mirent à décorer des vases et des poudriers pour une usine de faïence et je me plaçai moi-même au pair dans une famille comme professeur de français et d'allemand. J'avais une petite chambre et mes repas assurés et après en avoir terminé avec mes élèves, deux charmants gamins de neuf et sept ans, j'avais le temps de donner d'autres cours en ville.

J'étais, il faut bien le dire, un professeur improvisé, car je n'avais aucune formation professionnelle. Mais je réussissais très bien, et j'avais beaucoup d'élèves.

J'avais une grande amie à Bucarest qui s'appelait Mary Wadbolsky. Son père, le prince Wadbolsky, décédé, avait été militaire. Sa mère était roumaine, fille d'un petit propriétaire moldave. Mary vivait à Bucarest chez des cousins et travaillait comme secrétaire dans une administration. Je la voyais souvent et nous sortions ensemble au théâtre, à l'opéra, au restaurant. Nous chantions toutes les deux à l'église russe de Bucarest.

A cette époque, ni Mary ni moi n'avions d'histoire sentimentale. Mary rêvait d'un ami d'enfance qui vivait à Rome et ne manifestait aucune intention de venir en Roumanie. Quant à moi, j'étais amoureuse depuis l'âge de dix ans d'un des cousins germains de mon père, de vingt ans plus jeune que lui. Il avait été enseigne de vaisseau de la marine de guerre de la mer Noire et vivait maintenant en France, je ne savais pas où.

A vrai dire, je n'y pensais pas souvent. Mes rêves étaient ailleurs : voir le monde, voyager. Mon père comprenait ce désir et m'offrit un voyage à Berlin.

J'y arrivai avec de vagues projets cinématographiques, quelques adresses utiles et beaucoup d'illusions. La capitale allemande me parut formidable et l'était sans doute à l'époque où je l'ai connue. Les pays qui perdent la guerre s'épanouissent toujours avec un élan accru. Mais je ne profitais pas du renouveau général, n'appartenant pas à la vie du pays. Sans projet bien déterminé, sans métier ni profession, je restais entre ciel et terre.

Une des adresses dont j'étais munie et qui ne concernait pas le cinéma s'avéra être bien plus utile. La femme d'un éminent professeur d'université, Frau Greta Helm, proposa de m'héberger pendant quelque temps. Je devais, en compensation, parler français à ses deux enfants.

L'idée du cinéma trottait toujours dans ma tête et, profitant de mon temps libre, je m'inscrivis au cours d'art dramatique du metteur en scène Paulsen qu'une amie de Frau Helm m'avait recommandé.

Ce Herr Paulsen promettait à ses élèves un engagement certain à condition de persévérer et de continuer le cours, en d'autres termes de payer. Je n'avais pas beaucoup d'argent mais j'étais prise dans l'engrenage et voulais à tout prix rester à Berlin. Or le départ à la mer des Helm approchait. Je me mis à lire les annonces dans les journaux avec l'espoir de tomber sur une proposition qui pourrait me tirer d'affaire.

Je trouvai ainsi celle de Frau Hinze qui habitait avec son mari et sa fille à Lichterfelde Ost, banlieue résidentielle de Berlin. Une fois encore, il s'agissait de parler français, cette fois avec une jeune fille de dix-huit ans. Je me rendis à l'adresse indiquée et fus agréée par la famille Hinze. J'y serais sans doute restée plus longtemps si mon élève Hildtraut ne s'était pas fiancée peu de temps après mon arrivée. Très amoureuse de son fiancé, elle ne pensait qu'à lui et à son prochain mariage. Mon séjour dans la maison n'avait plus de raison d'être. Je décidai de retourner en Roumanie au moins pour quelque temps. D'autant plus que le cours de Herr Paulsen avait cessé pour la période de vacances. Mes espoirs cinématographiques s'évanouirent ainsi à jamais. Qui eût dit que bien plus tard ma fille Macha les réaliserait ?

Les petites villes de province ont certes beaucoup de charme et la vie y est paisible et facile, malheureusement on s'y ennuie.

Une des cousines de mon père s'était établie à Bruxelles. Comme tant de dames russes pendant la Première Guerre mondiale, elle avait suivi des cours pour être infirmière et soigner les blessés. A présent réfugiée et sans ressources, elle put, grâce à son diplôme, obtenir un poste à l'hôpital municipal de Bruxelles.

Entre-temps mon père réussit à obtenir une certaine compensation de la part du gouvernement roumain pour l'expropriation de ses forêts. Prévoyant d'autres bouleversements dans les pays de l'Est, il décida d'acheter une maison soit en Belgique, soit en France. Sachant que j'étais prête à partir, il me chargea de prospecter pour lui dans les environs de Bruxelles où vivait ma cousine et aussi dans le midi de la France.

Cette fois, je partis avec mon amie Mary Wadbolsky, qui, comme moi, souhaitait quitter la Roumanie.

Quand nous y arrivâmes, Bruxelles nous frappa par son mauvais climat. Je compris dès l'abord que ce n'était pas dans ce pays que mes parents voudraient se fixer.

Nous descendîmes, Mary et moi, dans un couvent qui recevait des hôtes payants sur recommandation. C'était un genre d'hôtel dirigé par des religieuses. Nous y vécûmes plusieurs semaines jusqu'au jour où Mary trouva une situation au pair dans une famille d'industriels très riches qui vivait à La Hulpe près de Bruxelles ; moi, suivant les instructions de mon père, je partis dans le midi de la France.

J'avais échangé des lettres avec nos cousins qui vivaient à Nice et à Antibes.

12

Vladimir Gagarine et son frère aîné Anatole avaient fui la Russie bolchevique dès le début de la révolution. J'appelais Vladimir Gagarine oncle Odik, bien qu'il fût mon cousin selon la coutume russe, parce qu'il était mon aîné de dix-sept ans.

Au moment de la guerre civile, il se trouvait en mer sur un croiseur de guerre faisant partie de l'escadre commandée par l'amiral Khomenko. Voyant ce qui se passait en Russie, l'amiral fit entrer son escadre à Toulon et, à la place du drapeau russe, à présent sans objet, fit hisser le drapeau français allié. L'équipage quitta le navire et n'y remonta jamais plus. Abandonné en rade de Toulon, le croiseur rouilla doucement pendant plusieurs années.

Mon cousin Odik, comme les autres, commença une nouvelle vie en France. Il avait acheté une petite propriété à Antibes et proposa de m'héberger.

C'est lui qui m'attendait à la gare quand j'arrivai de Paris.

Oncle Odik était veuf depuis un an et vivait seul avec son petit garçon de six ans. La maison était tenue par une amie, grosse personne de soixante-cinq ans, joviale et excellente cuisinière. Elle m'accueillit de façon amicale et m'installa dans la chambre d'ami.

Oncle Odik avait une voiture, vieille Renault achetée d'occasion, et proposa de me conduire dans les environs pour visiter des villas et des mas. Yourik, son gamin, nous accompagnait toujours.

Je ne trouvai pas de villa pour mon père, mais je trouvai un mas pour moi. Car j'épousai mon cousin et restai à Antibes.

Nous y vécûmes dix ans. Le bonheur était là, sinon le succès matériel de nos activités horticoles. C'est bien pour cela que nous acceptâmes une situation au Maroc. Il s'agissait de créer une plantation d'orangers dans le Gharb sur l'oued Sebou.

La guerre emporta notre bonheur. Mon beau-fils tomba au champ d'honneur deux semaines avant l'armistice.

Mon mari mourut au cours de son pèlerinage sur la tombe de son fils. J'appris en même temps la déportation en Sibérie de toute ma famille et la mort de mes parents.

Écrasée par le chagrin et tout d'un coup sans ressources, je devais réagir. Je réussis à obtenir une situation de traductrice au service de la Jeunesse et des Sports de Rabat où je restai trois ans.

Mais je croyais que l'avenir de mes enfants était en France et je décidai de rentrer. Je fis un échange d'appartements, système qui se pratiquait beaucoup à l'époque, et arrivai avec mes trois filles à Paris.

C'est avec le sourire que je raconte dans les pages qui suivent les épisodes les plus cuisants et angoissés de ma vie en Occident.

Marie GAGARINE

Bruxelles. Bois de la Cambre.
Un vignettiste découpa mon profil.
C'était très à la mode.

1924. HOTINE. Roumanie.
Le traité de Versailles (1919) prévoyait l'annexion de la Bessarabie et de la Bucovine à la Roumanie, à la condition que les terres soient redistribuées. Le fondé de pouvoir de ma grand-mère paternelle réussit à sauver quelques biens de l'expropriation de nos terres et acheta cette maison pour la famille. C'est là que nous nous sommes tous réunis après la fuite de la Russie. Comme je le raconte dans « Blonds étaient les blés d'Ukraine », je fus la première à m'enfuir en traversant le Dniestr avec des contrebandiers. Je fis passer mon frère et mes sœurs par le même aventureux chemin quelque temps après. Mes sœurs risquèrent même d'être noyées par le passeur qui en voulait à leurs éventuels bijoux. Nous fûmes sans nouvelles de nos parents pendant quatre ans, puis, grâce à mes démarches, ils purent nous rejoindre enfin en passant la frontière clandestinement, eux aussi. Quelques semaines plus tard, le rideau de fer s'abaissait et il eût été impossible de les sauver.

En haut : *dans le jardin de la maison de Hotine, mon père, ma mère, mon frère Emmanuel, mes sœurs jumelles, Madeleine et Angeline, Ella et moi. Maman, incertaine de l'avenir, insista beaucoup pour que nous fassions cette photo tous ensemble.*

En bas : *mon frère Emmanuel, moi, Anatole, le futur mari de Madeleine, et Angeline.*

Sur la plage, au bord du Pruth.

*J'étais étudiante en philosophie à l'univer-
sité de Czernovitz. Je n'étais pas trop mal
habillée grâce aux toilettes de mes tantes et
de ma grand-mère trouvées dans des malles
sauvées des pillages.*

Nous nourrissions plusieurs chats dans la maison de Hotine, meublée avec le mobilier rescapé de plusieurs propriétés de la famille. On retrouva même un buffet très ancien, flottant dans une rivière. Mes parents purent encore vivre en paix des années dans ce havre à l'abri du communisme. Ils furent déportés avec mes sœurs en Sibérie en 1940, au moment de l'invasion de la Roumanie par Staline.

La Promenade des Anglais, avec le Casino de la jetée sur pilotis qui fut démoli par les Allemands en 1942. Envoyée par mon père qui souhaitait acheter une villa sur la Côte d'Azur, je retrouve mon cousin Vladimir Gagarine, dont j'étais amoureuse depuis l'âge de dix ans. Il avait été enseigne de vaisseau de la marine de guerre de la mer Noire, il était devenu horticulteur dans une petite propriété près d'Antibes où il me reçut... (Cl. Roger-Viollet). Ci-dessus : une promenade aux îles de Lérins. De gauche à droite : Mania (gouvernante du petit Michel Raïevsky (trois ans), Zora Raïevsky (une amie), moi, Tatiana Gagarine (douze ans), sa mère, la princesse Tatiana Gagarine (ma future belle-sœur), le prince Vladimir Gagarine (mon futur mari) et son fils Yourik, né d'un premier mariage.

1
Le thé chez la Comtesse

Les invités

La comtesse Natalie, cinquante-cinq ans. Maîtresse de céans.
avant : dame d'honneur de l'impératrice. Propriétaire d'un domaine en Volynie. Épouse du comte de S. colonel de la Garde impériale.
maintenant : veuve, infirmière, garde-malade, vendeuse de lingerie faite à la main.

Le baron Eric von K, soixante-cinq ans.
avant : officier de carrière, colonel de la Garde impériale. Propriétaire foncier en Estonie. Vieux garçon.
maintenant : employé dans une agence de voyages à Nice.

Princesse Mara G, quarante-cinq ans.
avant : jeune Pétersbourgeoise riche et choyée, épouse du prince G. lieutenant de la Garde impériale, fusillé par les bolcheviks.
maintenant : veuve accablée de soucis, mère de trois garçons, toujours à la recherche de moyens d'existence.

Comtesse Emilie, vingt-huit ans.
avant : jeune fille de bonne famille de Saint-Pétersbourg.
maintenant : secrétaire, vendeuse, mannequin dans une boutique russe.

Prince Nicolas G., quarante-huit ans.
avant : chevalier-garde de Sa Majesté l'empereur de Russie. Propriétaire foncier.
maintenant : employé aux Galeries Lafayette.

Comtesse Barbara, cinquante ans.
avant : propriétaire d'un grand domaine en Ukraine. Veuve du comte K., mort au champ d'honneur.
maintenant : cuisinière de son petit restaurant à Nice.

Colonel Granov, cinquante-cinq ans.
avant : militaire de carrière. Noble sans fortune.
maintenant : bricoleur, fermier en miniature près de Biot.

Pierre de R, quarante-cinq ans.
avant : lieutenant des hussards de la Garde impériale. Richissime propriétaire foncier du centre de la Russie.
maintenant : commis dans une agence d'assurances.

La comtesse Natalie était une des cousines de mon père. Les événements qui avaient suivi la Première Guerre mondiale avaient dispersé les familles et interrompu les contacts. Nous réussîmes cependant à retrouver la trace de certains de nos parents, de ceux en particulier qui s'étaient établis en France.

Ayant abandonné mes projets cinématographiques à Berlin, j'arrivai à Nice, chargée par mon père de prospecter sur la Côte d'Azur en vue de l'achat d'une villa. Je ne tardai pas à retrouver la comtesse Natalie et à lui rendre visite.

Sans le savoir, je tombai sur son « jour », quand elle recevait ses amis pour « une tasse de thé », comme à Saint-Pétersbourg. Je ne savais pas comment vivaient mes compatriotes à l'étranger et ce qu'ils y faisaient. J'écoutai donc avec curiosité les propos que tenaient les invités de la comtesse. Je les rapporte ici fidèlement.

La comtesse Natalie disposa les tasses sur une petite table carrée recouverte d'une toile cirée usée. Les tasses étaient toutes différentes et de taille inégale.

— Sept, compta la comtesse, il en manque une, comme toujours.

Elle promena les yeux autour d'elle. Derrière un vieux paravent près du lavabo, une bouilloire chantait doucement sur un petit réchaud installé sur un guéridon. Sous le miroir terni et taché, une étroite tablette en verre supportait les articles de toilette, tels que brosses à dents fichées dans un gobelet en plastique en compagnie d'un tube de dentifrice tordu, des flacons de taille diverse, des boîtes effilochées et d'autres objets indéfinissables. Le tout accumulé depuis longtemps et rarement épousseté. Des deux côtés de la cuvette s'entassaient des cartons, des paquets, des ballots remplissant toute la place disponible. Une valise était poussée sous le guéridon, des vêtements pendaient le long du paravent.

Le regard de la comtesse glissa avec indifférence sur ces objets familiers et s'arrêta sur le gobelet.

— Non, fit-elle après réflexion, il n'est pas très appétissant. Et il y a ce dépôt au fond qu'on ne peut pas enlever. Je crois d'ailleurs qu'il est fêlé.

Ses yeux continuèrent leur inspection. Un petit bouquet de marguerites agonisait sur la console de la cheminée dans un gros bol.

— Voilà, pensa la comtesse Natalie, je peux, je crois, jeter ces marguerites. Un bol c'est quand même plus indiqué.

Le bol déménagea sur la table où il domina par ses dimensions les tasses disparates.

— Je le donnerai au baron, se dit-elle, il aime le thé et en redemande toujours. Et la tasse ébréchée, je la garderai pour moi-même.

Les sièges étaient aussi hétéroclites que les tasses. A côté d'un vieux fauteuil bas et effondré, une chaise de cuisine faisait un contraste tragi-comique. Un tabouret de piano au siège mobile voisinait avec un pouf bosselé.

— Je vais m'asseoir sur le lit, décida la comtesse, c'est très commode et tout près de la cuisine.

Le terme de « cuisine » qu'elle donnait à son réchaud n'était nullement ironique.

— J'espère qu'ils ne seront pas en retard comme l'autre

fois et que Vérotchka tiendra parole et m'apportera le pain russe pour les tartines.

Elle regarda le réveil placé sur la cheminée.

— Elle devrait être déjà là...

Il était près de 5 heures, mais la chaleur commençait à peine de tomber, car on était à Nice, en plein juillet. La chambre se trouvait au rez-de-chaussée d'une vieille villa dont le jardin mal clôturé et laissé à l'abandon dépérissait de soif. Les propriétaires habitaient au premier et ne l'entretenaient pas, pas plus que les locataires du rez-de-chaussée. La débâcle appelant la débâcle, le jardin se transforma avec le temps en dépotoir.

La comtesse Natalie habitait la villa depuis « le début », ce qui pour les Russes en exil signifiait le début de l'émigration. La villa, jadis coquette et bien entretenue, appartenait à des compatriotes qui l'avaient achetée au temps de l'opulence. Ce pied-à-terre des années révolues représentait depuis l'exode leur unique fortune qu'ils essayaient d'exploiter. Ils ne réussissaient qu'à remplir la maison d'amis insolvables.

Il était 5 heures et demie quand la comtesse entendit grincer le gravier : Vérotchka enfin ! Sa fille entra sans frapper.

— Bonjour, Mamma, tu vas bien ? dit-elle en embrassant sa mère et sans attendre de réponse, elle reprit : Voilà ton pain. Et fais tes tartines tout de suite, il est 5 heures passées.

— Ce n'est pas moi qui suis en retard... hasarda sa mère.

— Mamma, je t'en prie ! J'ai sacrifié une heure de plage pour te rendre service.

— Je sais, je sais, je t'en remercie. Je te donnerai une tasse de thé tout de suite.

— Non, non, je n'ai pas le temps. J'aime autant m'en aller avant l'arrivée de tes amis. Vos conversations, tu sais, ne m'intéressent pas tant que ça. Ce qui m'importe, c'est l'avenir, le mien surtout, et non pas votre passé.

— Nous ne parlons pas toujours de notre passé, protesta la comtesse d'un ton piqué. Et si tu veux savoir, c'est plus le présent qui nous préoccupe. Tu as tort de toujours vouloir nous ridiculiser.

— Vous avez tous le complexe d'avoir perdu votre splendeur.

— Et vous, celui de ne pas l'avoir connue.

Tout en parlant, Natalie coupait des tranches de pain, les beurrait et les couvrait de confiture.

— C'est vrai, se dit-elle quand sa fille eut disparu derrière la porte, nos enfants ne peuvent pas nous comprendre. La situation précaire de leurs parents n'éveille pas chez eux de sentiment de solidarité ou de sympathie, mais bien plus celui de l'antagonisme, même du dédain. C'est comme s'ils voulaient se désolidariser de la génération qui a fait faillite et souligner qu'EUX ne sont pas des réfugiés. Et cependant, sont-ils sans complexes ? Avec nous, ils affectent des airs critiques, mais avec leurs amis, ils ne peuvent s'empêcher de se prévaloir de leurs origines. Ah, mais voilà le baron, je reconnais son pas.

Comme toujours, le baron était le premier, presque à l'heure ou en retard d'un quart d'heure seulement. L'inconscience du temps est profondément enracinée dans l'âme russe, même quand ce Russe est un Balte.

Le baron Eric s'inclina sur la main de la comtesse Natalie avec une courtoisie parfaite, prononça les mots qu'il fallait et, sur l'invitation de son hôtesse de prendre un siège, se dirigea résolument vers la chaise de cuisine.

Il était grand, mince et sec, ses traits réguliers, ses gestes précis dénotaient bien le Balte de bonne famille toujours correct et soigné. Il occupait un petit poste dans une agence de voyages et s'acquittait de son travail avec conscience et ponctualité.

Militaires irréprochables, fonctionnaires honnêtes,

citoyens loyaux, les barons baltes en Russie impériale représentaient un élément précieux. Par manque d'esprit d'initiative, la plupart d'entre eux ne réussirent pas très brillamment en émigration, mais aucun ne sombra dans la débâcle morale et matérielle.

Le baron Eric but son thé avec méthode et mangea une tartine sans se salir les doigts avec la confiture.

— Comment ça va à l'agence ? demanda la comtesse.

— J'ai eu dernièrement un visiteur original, raconta le baron. Quand je l'ai vu entrer, je me suis dit : « Voilà un cosaque du Don. » A mon grand étonnement il se présenta comme comte du Chapeau. Ce nom étrange lié à un fort accent qui ne trompe pas, m'intrigua et je ne pus m'empêcher de lui demander s'il n'était pas russe. « Vous l'avez deviné... ? soupira mon visiteur. Il y a quelque chose qui me trahit toujours ! Bon, parlons russe si vous voulez. J'avoue que j'ai un peu modifié mon nom. — Comment vous appelez-vous en réalité ? lui demandai-je. — Eh bien, mon nom en réalité est Chapochnikov. Je l'ai traduit en français : ''du Chapeau''. — Et le titre ? — Je l'ai ajouté croyant que cela pourrait me servir et ne ferait de tort à personne. » Mais c'est là qu'il se trompe, conclut le baron, car ça fait du tort et notamment aux émigrés.

— Oui, dit la comtesse, mais chez votre cosaque l'imposture crève les yeux et n'est que grotesque. Il faut malheureusement constater que, parmi les membres authentiques de notre société, il s'en trouve qui font un très mauvais usage de leur titre et de leur renommée.

— Les titres russes sont très à la mode en ce moment, remarqua le baron. Les mariages avec les héritières étrangères se pratiquent beaucoup comme moyen de se caser. Que d'Américaines, d'Argentines, de Péruviennes affichent nos couronnes de façon tapageuse !

— J'ai fait récemment la connaissance d'une comtesse frais émoulue qui racontait à qui voulait l'entendre que le palais de son mari figurait dans un film américain sur la Russie impériale. Or nous savons tous que la famille de son mari n'avait pas de fortune et encore moins de palais. Celui qu'elle avait vu dans le film était en papier mâché et ne se trouvait pas à Pétersbourg, mais dans les studios de Los Angeles.

— Le système matrimonial pour l'acquisition d'un titre est tout de même légal, observa le baron, même s'il est regrettable dans certains cas. Malheureusement, certains de nos jeunes gens excellent sur un autre terrain, bien plus condamnable. Le jeune Léon R., par exemple, s'est spécialisé dans le rôle de lion des plages. Beau garçon et bien tourné, il repère des étrangères fortunées qu'il s'applique à séduire. Actuellement il courtise une Suédoise de quarante ans qui lui a déjà commandé un costume, dit-on.

— Et Victor S. s'est fait une mine d'or dans la branche des fiançailles. Il « tombe amoureux » de quelque jeune fille riche et naïve, se fait accepter comme futur mari, gagne l'affection et la confiance de la famille et se fait confier des sommes d'argent. Quand il juge le moment venu, il joue une scène de jalousie, provoque une dispute et s'éclipse « le cœur brisé ». Avec la disparition de ses illusions, la jeune fille constate souvent celle de quelques bijoux.

— Ah, mais toutes les étrangères qui évoluent sur la Côte d'Azur ne sont pas aussi naïves ! s'exclama le baron. Tenez, on m'a raconté l'autre jour que la célèbre Mrs. Cook, cette vieille Américaine richissime qui bouleverse nos casinos, ne perd jamais le nord. Elle ne rend pas la vie facile à ses gigolos ! Le marché est conclu à l'avance : 1 000 francs la nuit. Mais... son billet, elle le coupe en deux : une moitié avant, l'autre après et seulement si elle estime que le contrat a été bien rempli.

— Minna C. ne manque pas de jugeote, elle non plus. Elle a choisi le casino de Monte-Carlo comme champ de bataille. Comme tout le monde sait, Monte-Carlo a été jadis presque un fief de nos compatriotes amateurs de la roulette qui y laissaient des fortunes. Minna s'y est introduite grâce à son glorieux passé. Au départ, elle ne joue pas elle-même, n'ayant pas le sou, mais observe les joueurs et repère les chanceux. La réussite rend généreux et l'argent gagné sur un coup de chance perd momentanément sa valeur. Minna guette cet instant psychologique, se compose un visage tragique et mendie quelques billets. Aussitôt l'argent en main, elle se met à jouer et perd tout. De sorte que sa situation reste toujours la même.

— Pour notre société émigrée, il en est comme pour tout le reste de l'humanité, observa le baron. Les épreuves se chargent de séparer le grain de l'ivraie. Mais ne nous désolons pas : après avoir sévèrement fustigé le vice et l'inconduite, louons le courage et la vertu. Réjouissons-nous en constatant que la plus grande partie de notre émigration s'est montrée à la hauteur et a gardé toute sa dignité. Certains de nos compatriotes travaillent très dur sans se laisser décourager par la médiocrité des résultats.

— Ce qui manque le plus à notre noblesse, c'est selon moi le sens des affaires, dit la comtesse. Je connais des Russes qui auraient pu très bien réussir dans leurs entreprises si seulement ils avaient aimé un peu plus l'argent.

— Et s'ils pouvaient comprendre ce que veut dire le TEMPS ! ajouta le baron en jetant un regard sur le réveil qui indiquait clairement qu'il était 6 heures.

A ce moment, la porte s'ouvrit devant Mara. Mara était petite, menue, alerte. Son veuvage, ses trois fils et ses quarante-cinq ans n'étaient pas parvenus à détruire son exubérance et son exaltation. Un peu naïve. Elle parlait de ses expériences avec emphase, d'un ton toujours démesurément animé. Éternellement aux prises avec la réalité et les problèmes de l'existence, elle donnait l'impression de perpétuellement sombrer dans un naufrage et d'être sauvée de justesse par un miracle.

— Que faites-vous en ce moment ? demanda la comtesse Natalie avec le sentiment de toucher à un explosif.

— Je chante ! s'exclama Mara. Imaginez-vous, je chante !

— Où donc, Mara ? demanda la comtesse avec inquiétude.

— Mais à l'Hôtel Provençal de Juan-les-Pins !

— Pas possible !

— Mais si, mais si. L'hôtel vient de s'ouvrir et il n'y a pas encore beaucoup de clients. La direction a décidé de lancer des attractions.

— Et vous pensez, chère princesse... — le baron cherchait ses mots.

— Je me suis dit que pour quelques gros banquiers en vacances, quelques parvenus ignorants... Enfin, j'ai chanté des romances russes.

— Je parie qu'elles ont beaucoup plu, dit le baron avec délicatesse.

— Je n'en sais rien. J'ai d'ailleurs un autre emploi à l'Hôtel Provençal : je suis préposée au vestiaire.

— Au vestiaire ! s'exclama la comtesse. Mais, en somme, pourquoi pas ? Il n'y a pas de sot métier.

— Ça doit être gênant, cette question de pourboires... murmura le baron.

— Je n'en ai pas souvent l'occasion. Les clients de l'hôtel sortent de leurs chambres en maillots de bain et vont directement à la plage. On me laisse parfois une ombrelle ou un maillot trempé. Hier, on m'a confié un caniche.

— J'espère que vous avez un fixe ? demanda la comtesse.

— Oui, mais minime. Le gérant prétend qu'on s'enrichit au vestiaire.

— Pauvre Mara !

On disait toujours « pauvre Mara », ce qui ne voulait pas dire qu'on ne l'estimait pas, au contraire. Tout le monde savait qu'elle se débattait avec ses dernières forces pour subsister avec ses trois fils. Son mari avait été fusillé par les bolcheviks et elle avait fui la Russie avec deux bambins et un troisième en perspective.

— Comment avez-vous eu l'idée d'aller au Provençal ? demanda la comtesse.

— C'est Mrs. Willcox qui en a eu l'idée. Elle m'a pour ainsi dire imposée au gérant de l'hôtel. Dieu merci, j'ai, moi aussi, mon Américaine !

Beaucoup de Russes à cette époque étaient tirés d'affaire par des amis riches et influents retrouvés à l'étranger. Certains avaient renoué avec d'anciennes connaissances qui les aidèrent à s'orienter. Il y eut aussi des retrouvailles décevantes. La princesse Sophie D. par exemple, dont les parents avaient jadis reçu et comblé de gentillesses la fille de l'ambassadeur de France, se réjouit fort en apprenant que cette amie de jeunesse était à présent la femme d'un diplomate en vue. Aussi lui écrivit-elle une lettre amicale dès son arrivée en France. Bernique ! Elle ne reçut même pas de réponse.

Il était 18 heures passées quand arrivèrent la comtesse Emilie et la baronne Barbara suivies du prince Nicolas. Le baron se leva et après l'échange de compliments d'usage ne reprit plus sa chaise, voyant que la place manquait. Il y avait bien un espace libre à côté de la maîtresse de céans sur le lit, mais le baron estimait qu'il n'était pas correct de s'asseoir sur le lit d'une dame. Il préféra s'installer sur le rebord de la fenêtre.

La baronne Barbara était forte et imposante. Ses cinquante ans l'avaient alourdie. Ceux qui l'avaient connue jeune débutante aux bals de Saint-Pétersbourg se lamentaient sur ce changement. Elle-même semblait attacher peu d'importance à son physique, plongée comme elle l'était dans son activité, qui, à vrai dire, n'exigeait pas beaucoup de grâce. C'est qu'elle avait fait une découverte : elle possédait sans doute possible un incontestable don culinaire. Ayant commencé par une modeste table d'hôte dans son propre logement, elle n'arrêta plus d'élargir son affaire. A présent, elle avait un petit restaurant toujours bourré de compatriotes. Avec simplicité et bonne humeur, elle avouait n'avoir jamais été aussi heureuse.

Grâce à sa position de restauratrice, elle était toujours au courant de tout ce qui se passait dans la colonie russe.

— On tourne ! annonça-t-elle à peine assise. C'est *Notre-Dame de Paris*.

Tout le monde comprit : il y avait de l'embauche pour la figuration.

— Non merci, pas de thé, mais si vous permettez, je vais fumer. Eh bien oui, on tourne. Plusieurs de nos amis ont déjà été engagés. La pauvre vieille princesse Anna M. a été prise pour représenter une mégère échevelée qui doit se pencher d'une fenêtre en agitant les bras. Cette fenêtre est aménagée dans une façade en papier mâché construite pour le film. Pour accéder à son poste, Anna doit grimper au sommet d'une échelle adossée aux échafaudages. Or vous savez qu'elle boite et se déplace avec une canne. Elle a cependant si bien rempli son rôle que le metteur en scène l'a remarquée. « Gardez pour demain la vieille sorcière, a-t-il dit à son assistant, elle est parfaite ! »

— Est-ce qu'on embauche encore ? demanda le prince Nicolas.

— Je crois. C'est comme d'habitude, rue Gioffredo. Mais il faut y aller tôt, il y a foule. Vous savez ce qui est arrivé au vieux M. Rachevsky ? Il a eu une chance inespérée : on lui a donné un petit rôle, une apparition avec quelques mots à prononcer. Ça s'appelle un « sujet », paraît-il. Eh bien, l'expérience lui est montée à la tête, je tiens le renseignement de sa femme. « Depuis que mon mari a eu ce rôle, m'a-t-elle dit, il se prend pour un "sujet", nous traite de haut et ne veut plus rien faire. »

34

— Les cavaliers sont toujours recherchés, dit le prince Nicolas. Certes, ça dépend du film que l'on tourne. Tous nos cosaques de La Bocca ont à un moment ou à un autre galopé sous les caméras. Ah, mais voilà un de nos cavaliers émérites de la Garde !

Le nouveau venu, Pierre de R., baisa les mains des dames en commençant par celle de la maîtresse de maison, accepta une tasse de thé et, sur son invitation, prit place auprès d'elle sur le lit.

— Eh bien, fit la baronne de sa voix sonore, quoi de neuf, Piotr Andéévitch ?

— Rien de spécial sauf que le pauvre Anatole a de nouveau des ennuis avec son chef de rayon.

Les cousins de Pierre, Anatole et Serge, travaillaient aux Galeries Lafayette, le premier comme livreur, le second comme chauffeur.

— Anatole embrouille tout, reprit Pierre, c'est sans espoir. Hier encore, il a reçu une réprimande pour avoir déposé un paquet contenant du savon noir et de la lessive Saint-Marc destiné à la boucherie « Au bon bœuf » à l'adresse d'une cliente de l'Hôtel Negresco. Le boucher par contre a reçu un carton de produits de beauté.

— Pauvre Anatole, soupira Emilie, je me rappelle qu'à Pétersbourg il m'envoyait toujours des fleurs le jour de la Sainte-Catherine.

A ce moment entra le colonel Granov. Petit, trapu, l'air énergique et vert malgré ses cinquante-cinq ans. Le colonel était aimé et respecté de tous ceux qui le connaissaient. Bien des Russes lui devaient un généreux coup d'épaule à un moment difficile. Il louait un lopin de terre avec une bicoque dans les environs d'Antibes où, aidé de deux camarades de régiment, il fabriquait du yogourt, art appris en Bulgarie où il avait passé quelque temps après l'exode.

Le yogourt à l'époque n'était pas universellement connu comme il l'est de nos jours. Le colonel et ses amis croyaient à ses vertus et voulaient le propager. Ils construisirent un four spécial selon les méthodes bulgares, se procurèrent des cuves et d'autres ustensiles nécessaires et se lancèrent dans l'entreprise. Les petits pots alignés dans des caisses étaient transportés à bicyclette à Nice, Cannes et Antibes pour être confiés aux magasins gastronomiques russes. Parallèlement, le colonel Granov avait une clientèle personnelle dans les campagnes où de nombreux compatriotes s'étaient fixés. Il arrivait souvent qu'en se rendant compte à quel point ceux-ci tiraient le diable par la queue, le colonel ne pût s'empêcher d'offrir ses yogourts gratuitement. Son associé Michel Léonov était connu pour sa piété extrême. Le caractère financier de l'entreprise lui échappait complètement. Les petits pots confiés à ses soins n'étaient pas une source de revenus.

L'entrée en scène du colonel évoqua tout naturellement le yogourt.

— Comment vont vos petits pots ? demanda la baronne Barbara qui s'intéressait à tout ce qui était alimentaire.

Le colonel soupira.

— Et votre ami Léonov, demanda la comtesse Natalie, toujours aussi pieux ?

— Michel m'aide beaucoup, répondit le colonel vivement, car il ne voulait pas qu'on associât la piété excessive de son camarade au manque de succès de son affaire.

Pour éviter des questions gênantes, il passa aussitôt à un autre sujet.

— Il paraît qu'on tourne un film à la Victorine. Ça pourrait peut-être servir quelques amis actuellement en chômage. J'en ai eu sept hier à déjeuner.

— Je ne vous comprends pas ! s'exclama le baron. Ces gens-là se nourrissent du travail d'autrui, car ce sont des fainéants. Et vous leur cédez votre déjeuner !

— Et que faire ? Je ne puis pas refuser un morceau de pain à des affamés.

— Toutes vos provisions y passent et ils comptent bien là-dessus, croyez-moi.

— Le colonel est trop bon, dit la comtesse Natalie, et on en abuse.

— Vous ne ferez pas fortune, dit le prince Nicolas.

— Et vous ? fit le colonel en clignant de l'œil.

— Moi, je n'entreprends aucun commerce, connaissant mon manque d'aptitude dans ce domaine.

— Et votre frère avec ses cultures de fleurs à Antibes ?

— Andrik travaille comme un nègre, mais il faut bien l'avouer, les résultats laissent fort à désirer. Ah, en parlant de chômeurs ambulants, il en reçoit largement sa part.

— Bien sûr, remarqua Pierre, ils font le tour des fermes car c'est là qu'il y a le plus de chances de s'attabler. Tout le monde n'a pas l'intransigeance du capitaine Gladkov qui a accroché un écriteau sur son portail : « Le capitaine Gladkov et sa famille vivent de leur travail. Prière de ne pas les déranger ».

— Et qu'est devenu Flotov ? demanda la comtesse Natalie. Toujours plongé dans ses rêves religieux ?

— Flotov est très musicien, dit Mara. Je l'ai entendu jouer du piano chez les Borovsky.

— Le piano est son violon d'Ingres, dit le prince Nicolas. La base de tout pour lui est la religion.

— Flotov est un bigot, dit la baronne Barbara. L'autre jour, quand je lui offrais à déjeuner...

— Ah, vous aussi ! rit le colonel Granov. Ne critiquez donc pas mes petites agapes fraternelles. Je suis sûr que vous en faites autant et plus.

— Moi, voyez-vous, c'est différent, je suis « dans la nourriture » et parfois, vraiment, il m'en reste.

— Alors Flotov ? demanda le baron.

— Eh bien, il m'a confié en mangeant son borchtch que l'idée de la vie future, et par conséquent de la mort, ne quittait jamais son esprit.

— Même en mangeant votre bon borchtch ?

— Encore plus à ce moment-là, car il s'en veut d'aimer autant la vie. Un véritable chrétien selon lui doit penser à la mort jour et nuit. Pour l'avoir toujours présente à l'esprit, il a décidé d'acheter un cercueil et de le garder dans son appartement.

— Aucun danger ! s'exclama Nicolas en réponse au « Oh ! » horrifié général. Pour commencer, Flotov n'a pas d'appartement. Ensuite, il n'a pas le premier sou pour acheter ce cercueil.

— Où est-il en ce moment ? demanda Pierre. Je sais que les Linden l'ont hébergé pendant un certain temps. Mais je crois qu'il n'est plus chez eux.

— Flotov a trouvé une place, c'est mon frère qui l'a casé.

— Quelle place ? demanda le baron, incrédule.

— Ah, c'est une histoire peu banale qui vaut la peine d'être racontée. La propriété voisine de celle d'Andrik appartient à un avocat parisien, Me Anglois. Les propriétaires n'y passent que les vacances d'été, le reste du temps la propriété est confiée à un fermier italien. Me Anglois a une belle-mère, Mme Robert, commerçante de bonneterie à Marseille. Et voilà que l'idée vint à cette dernière de lancer une basse-cour modèle sur la propriété de son gendre. Elle n'a pas l'intention de s'en occuper elle-même, mais seulement de la diriger d'en haut. Il lui faut donc un basse-courier. Poste peu reluisant en soi et empiré par l'avarice de Mme Robert, qui offre un salaire minime. En compensation, elle propose la jouissance d'une petite chambre adossée au poulailler et une paire d'œufs par jour comme prime d'encouragement.

— Une situation plus que modeste, remarqua le colonel. Et Flotov a accepté ?

— Il serait plus exact de dire que Mme Robert a accepté Flotov, non sans hésitation, faut-il ajouter.

— Elle avait peut-être appris ses dispositions macabres.

38

— Je ne crois pas qu'elle l'ait su. Mais c'est une femme perspicace qui sait juger les gens.

— Et elle a dû se dire qu'un candidat plus efficace n'aurait pas été tenté par le poste qu'elle offrait.

— Evidemment. L'affaire fut conclue et Flotov entra en fonctions. Mme Robert de son côté retourna à Marseille. Tout avait l'air de marcher et le basse-courier improvisé se déclarait satisfait, son emploi lui laissant beaucoup de temps pour la méditation et la prière. Mais deux semaines plus tard les choses commencèrent à se gâter. Pour une raison incompréhensible, les dindonneaux se mirent à crever. Mme Robert ne tarda pas à l'apprendre et, alarmée, accourut sur les lieux.

« N'ayant pu obtenir de réponse cohérente de la part de son employé, elle décida de mener son enquête elle-même. Et en cela elle fut grandement aidée par Mme Robelin. Maintenant, il faut vous dire qu'il y a une petite maison à la lisière même de « La Clairière », propriété de mon frère, tout près de la propriété Anglois. Cette maisonnette de quatre pièces sans le moindre confort appartient à notre ami Rozanov et c'est mon frère qui s'en occupe. Mme Robelin est une des locataires de ce petit bâtiment et sa fenêtre donnant sur les poulaillers de Mme Robert lui permet d'observer à loisir l'activité du basse-courier et la vie des volailles enfermées dans leur enclos. Mme Robelin est une veuve exubérante, excessivement curieuse et bavarde. Elle n'aime rien autant que les commérages et c'est avec joie et enthousiasme qu'elle communiqua à Mme Robert le résultat de ses observations. C'est grâce à elle que s'expliqua la découverte faite par cette dernière au cours de ses investigations. Sur les cages des couveuses et les abris pour les poussins, elle découvrit des plats de pâtée moisie, des sacs de grain et de farine desséchés. M. Flotov se trouva incapable d'expliquer pour quelle raison ses nourritures avaient échoué là. Or Mme Robelin avait vu de ses yeux comment se faisait la distribution de la pitance dans les poulaillers. M. Flotov apparaissait au milieu de l'enclos en tenant dans les mains un récipient ou un sac. Paraissant insensible au caquetage impatient qui l'entourait, il avait l'air d'être plongé dans un rêve. Les yeux levés vers le ciel, il élevait aussi les bras. La charge qu'il portait l'empêchant de se signer, il la déposait sur le premier objet à sa portée. Et rempli de béatitude et de recueillement, l'y oubliait. Car pour continuer sa prière il rentrait dans sa chambre et ne réapparaissait plus. Mme Robelin est persuadée que sa méditation se transformait en sommeil. Les volailles par contre restaient dans la cour et leur agitation et leur caquetage trahissaient la déception et la faim.

— Croyez-vous que Flotov soit sérieusement piqué ? demanda le colonel Granov.

— Je pense qu'il est tout à fait guérissable, mais Mme Robert ne veut pas s'en charger.

— Mais elle le garde malgré tout à son service ?

— Plus maintenant. L'histoire de la dinde a mis fin à la carrière de Flotov comme basse-courier.

— Oh, racontez-nous ça ! s'exclama Barbara, qui connaissait bien Flotov et l'avait souvent aidé.

— Eh bien, un soir, alors que Flotov transportait une jeune dinde pour la replacer dans l'enclos duquel elle s'était sauvée, il entendit frapper à la porte. Un instant hésitant, il prit la décision dont allait dépendre son destin : il alla ouvrir la porte avant d'avoir lâché la dinde. Il se trouva en face de deux jeunes gens qu'il connaissait à peine, mais assez pour regretter leur visite imprévue. Mais en bon chrétien il maîtrisa ces mauvais sentiments et accueillit ses visiteurs avec douceur.

« Pourquoi étaient-ils venus ? Flotov ne le sut jamais, car la vue de la dinde avait dû changer le cours de leurs idées. Ils se jetèrent sur l'infortuné oiseau et le tirèrent si fort qu'il faillit y laisser ses pattes. Abasourdi, horrifié,

Flotov lâcha prise tandis que les deux voyous disparaissaient en emportant l'oiseau.

« Il fallut avouer le rapt à Mme Robert et elle le prit très mal. Pour apaiser sa colère, Flotov cita la parole évangélique : « A celui qui demande, donne ! — Mais pas le bien d'autrui ! aurait répondu Mme Robert. — Je remplacerai la dinde ! déclara Flotov. — En attendant je vous remplacerai vous-même ! » aurait répondu Mme Robert.

— Que fit Flotov après cet incident ? demanda le baron qui visiblement comprenait la décision de Mme Robert.

— Il alla trouver ma belle-sœur Natacha et lui raconta le drame. La perte de sa place, assura-t-il, l'avait moins peiné que la dureté d'âme de Mme Robert.

« Natacha croit que Flotov se réfugie dans ces maniaqueries par complexe. C'est un homme cultivé, musicien et pas bête du tout, mais étrangement subjugué par un déséquilibre psychique. Pour le sortir de cet état d'âme, elle a décidé de le secouer. Il se présentait justement une occasion de le mettre en contact avec le monde extérieur : le bal annuel de la Maison russe de Cannes. Vous savez comment se déroulent ces soirées. Des numéros de danse exécutés par les élèves de Mme Sédova, récitation de poésies, romances chantées à la manière d'antan, buffet avec des zakouski et de la vodka. Et un bal pour terminer la fête. Andrik et Natacha avaient décidé d'y aller. Andrik trouve que Natacha ne se distrait pas assez et Natacha veut arracher Andrik, au moins pour une soirée, à ses préoccupations florales. L'occasion de produire Flotov leur parut excellente. Mais auparavant il fallait, autant que possible, moderniser son apparence. Flotov n'a que trente-trois ans, il est beau et bien planté, mais sa tête hirsute, sa barbe noire énorme et ses vêtements débraillés le font ressembler à l'homme des cavernes.

« Après de longues discussions, Natacha réussit enfin à lui arracher la promesse de couper ses cheveux et de réduire le volume de sa barbe. Andrik lui prêta une chemise et une cravate. La cause semblait être gagnée.

« La suite n'eut qu'un seul témoin, Flotov lui-même, mais comme il rapporta les faits avec une franchise spontanée, on peut les considérer comme exacts. Rentré dans sa chambre et encore tout bouleversé par l'engagement qu'il venait de prendre, Flotov entreprit la transformation de sa coiffure. Il plongea les ciseaux dans son épaisse chevelure, tira, coupa, arracha quelques mèches rebelles. Puis, ne constatant aucune amélioration, abandonna sa tête pour passer à sa barbe. Son petit miroir de poche le guidait mal, ne reflétant qu'une partie de son menton. Il en était encore à sa première moitié, que tout d'un coup la terreur le saisit. Incapable de continuer, il capitula. Non ! il n'irait pas à ce bal ! Avait-il été fou de se laisser convaincre ? Qu'avait-il de commun avec une pareille réunion ? Une foule de gens sans intérêt, le vacarme, les bavardages insipides, une exhibition de vanité ! Une perte de temps précieux qu'on pouvait consacrer à la prière !

« Tandis qu'il restait là les bras ballants et l'âme troublée, retentit le klaxon de la vieille Renault d'Andrik, signal du départ. Flotov tressaillit. Il revit en imagination Natacha l'attendant dans la voiture, Andrik au volant... Il imagina les reproches, les explications... Sans savoir ce qu'il faisait, il se rua vers la porte et courut vers la voiture qui était déjà dans l'allée. Il allait dire qu'il ne pouvait pas aller avec eux... qu'il s'était trompé...

« — Ah, vous voilà enfin ! s'exclama Natacha, montez vite, nous partons.

« Flotov s'engouffra machinalement dans la voiture et se blottit dans un coin obscur du siège arrière sans prononcer un mot. Il courba la tête comme sous le choc du destin et demeura dans une attitude d'impuissance voisine de léthargie. C'est alors qu'il se rendit compte qu'il avait oublié de mettre sa cravate. Il eut le sentiment de s'être jeté à l'eau.

« Andrik entre-temps donna un nouveau coup de klaxon pour prévenir Babakine et Perespelov qui se rendaient, eux aussi, à ce bal.

— Je les connais, dit le colonel Granov.

— Moi pas, dit la comtesse Natalie. Qui est-ce ?

— Babakine est peintre et apiculteur.

— Et que fait-il chez Andrik ?

— Il n'est pas chez Andrik, mais habite, comme Mme Robelin, la maison Rozanov. Cette maison, comme je l'ai déjà dit, n'a pas de confort ; par contre, elle offre des avantages exceptionnels aux locataires tels que Babakine qui a vingt ruches à loger. Il profite également du terrain vague qui entoure la maison. L'étendue importante de ce terrain couvert d'herbes folles lui permet de mettre une distance suffisante entre les ruches et ses voisins pour rassurer les personnes susceptibles craignant l'évolution des abeilles. Babakine les emmène tous les étés à la montagne pour la saison des fleurs et les ramène en automne pour l'hivernage. Le reste du temps, il peint. Il parcourt la région à bicyclette à la recherche d'endroits pittoresques et les immortalise sur ses toiles. Ce mode de transport convient le mieux à sa bourse toujours maigre, car le miel rapporte peu et la peinture rien. Babakine est originaire du Don mais n'a rien de commun avec les cavaliers intrépides qu'évoque ce nom. Son physique n'est pas reluisant, mais il possède des qualités solides : il est travailleur, opiniâtre, sobre et pratique. Il adore son art, ses abeilles, la nature et Dieu. Il a beaucoup de talent et en est le premier conscient. Il ne perd jamais courage et est toujours en action. Il vient souvent voir Natacha et lui tient des discours sur des thèmes élevés. S'il se rendait au bal ce soir-là, ce n'était pas pour se distraire, il n'en a aucun besoin, mais pour exposer quelques tableaux dans le hall de la Maison russe. Il avait d'ailleurs l'intention de s'y tenir, à l'écart de la foule qu'il méprise.

« Le dernier passager de la Renault était Alexis Perespelov, jeune homme névrosé, tourmenté par tous les complexes imaginables. A vingt-trois ans, il est foncièrement aigri et déçu de la vie. Son aventure à la Légion étrangère, où il s'était fourré sur un coup de tête après une querelle familiale, l'a cruellement marqué. Son père, le colonel Perespelov, a eu toutes les peines du monde à l'en tirer sous prétexte d'un déséquilibre mental. En rentrant au bercail, Alexis constata que rien n'avait changé et qu'il ne pouvait pas supporter sa famille tout comme avant. Il quitta Paris pour chercher fortune sur la Côte d'Azur.

« Il se présenta un jour chez Andrik et lui proposa ses services contre table et logement. Andrik en principe a besoin d'une paire de bras supplémentaire, mais il se méfie des travailleurs improvisés qui s'attaquent à tous les métiers sans en connaître un seul. Le garçon cependant paraissait sérieux et rempli de bonne volonté. Justement dans la maison Rozanov il y avait une chambre disponible. Andrik décida de la donner au jeune Perespelov. Quant à Natacha, elle fit un peu la grimace : avoir deux fois par jour un étranger à table est assez gênant. Elle subissait déjà les visites trop fréquentes des « amis » qui apparaissaient sans avertissement à l'heure du déjeuner. Mais ceux-là, au moins, n'étaient pas quotidiens. Elle accepta malgré tout de nourrir le jeune légionnaire défroqué, espérant qu'il soulagerait son mari de ses trop nombreux travaux.

— De quoi a-t-il l'air, ce Perespelov ? demanda Mara.

— Il est gentil, se tient bien et a l'esprit très élevé.

— Ah, lui aussi !

— Il écrit des vers. Assez bizarres, il est vrai, et peu compréhensibles. Natacha m'en a lu quelques-uns, ceux que le poète lui avait dédiés.

— Je parie que votre Perespelov est déjà amoureux de votre belle-sœur ? dit Mara d'un ton ironique.

— Probablement.

— Et alors, ce bal ? demanda le baron.

— Ah oui, reprit le prince Nicolas. Ils sont donc partis et arrivèrent à Cannes sans panne, ce qui est assez exceptionnel. Dans le vestibule de la Maison russe, Natacha jeta un coup d'œil sur ses protégés avant d'entrer dans la salle au bras de son mari. Dans la pénombre de la voiture, elle ne les avait pas bien examinés. Babakine avait gardé son costume quotidien assez fatigué et s'affairait déjà autour de ses tableaux sans prêter attention à la fête. Perespelov avait fait un peu plus de frais vestimentaires mais semblait dégoûté à l'avance et tout prêt à battre en retraite. Quant à Flotov... Natacha poussa un « oh ! » consterné : le col de sa chemise bâillait scandaleusement sous sa barbe dont une moitié était nettement plus courte que l'autre. Il hésitait visiblement entre la porte d'entrée et celle de la sortie et Natacha souhaita presque qu'il choisît la dernière.

— Bien fait pour Natacha, dit Mara d'un ton sévère. Elle n'a qu'à s'occuper de ce qui la regarde, au lieu de jouer le mentor auprès de tous ces détraqués.

— Attendez, attendez, l'interrompit Nicolas, écoutez la fin de l'histoire ! A mesure que se déroulait la fête, les choses changeaient. Quand après les attractions Andrik et Natacha passèrent au buffet, ils y trouvèrent leurs trois amis verre à la main et faisant honneur aux victuailles. Ces verres ne devaient pas être les premiers à en juger d'après leur attitude qui avait profondément changé. Babakine déversait des flots d'éloquence sur la vie des abeilles et en développait une théorie applicable à l'humanité. Le jeune Perespelov entouré de jeunes filles décrivait avec emphase ses exploits à la Légion. Et Flotov, magnifique et enthousiaste, expliquait l'importance de l'amour chrétien. Il avait un succès fou. Une des jeunes filles lui avait noué un foulard autour du cou et finit par l'entraîner sur la piste où elle le fit danser un *cake-walk* endiablé.

« Quand vers 3 heures Andrik et Natacha décidèrent de rentrer et cherchèrent leurs amis pour les ramener à Antibes, ceux-ci refusèrent de quitter la fête. Ils ne rentrèrent qu'à l'aube et fortement éméchés.

— Tout cela prouve, dit le baron Eric, qu'il ne faut jamais se fier aux apparences ni jurer de rien.

— Je maintiens mon point de vue, dit Mara, ce n'est pas convenable pour la princesse G. de se mêler de la manière de vivre de ces messieurs et de se poser en éducatrice de gens qui ne lui sont rien. Aller jusqu'à surveiller la barbe d'un Flotov !

— Pourquoi pas s'il n'en est pas capable lui-même ? rit le colonel Granov.

— Ça finira par provoquer des cancans. Par considération pour son mari, Natacha devrait y réfléchir.

— C'est curieux comme il y a beaucoup de personnes bizarres parmi nos émigrés, dit Barbara. Surtout parmi les hommes. Les femmes tiennent mieux le coup.

— Remarquez que ceux qui travaillent ne sont pas bizarres, dit le baron.

— Certains ont une sensibilité exagérée, dit Pierre. Je trouve absurde le geste du vieux prince T. Son cousin est secouru par des amis américains qui lui envoient des colis. Il eut l'idée d'offrir un panier de vivres à son vieux cousin à l'occasion des fêtes de Noël. Imaginez sa contrariété quand le paquet lui revint accompagné de ce petit mot : « Je ne suis pas un mendiant. »

— Oui, les Russes, on ne sait pas comment les prendre, soupira Natalie.

— En parlant de types piqués, dit le colonel Granov, vous me faites penser à Enochévitch. Que devient-il, celui-là ?

— Enochévitch n'est pas piqué, dit Nicola, il est même très malin. Mon frère en a eu l'expérience.

— Un autre amoureux de Natacha ? demanda Barbara en riant.

— Non, Enochévitch est accompagné d'une… amie. Il ne songe d'ailleurs pas aux amours, c'est un alcoolique invétéré. Je crains qu'il ne finisse un jour à l'hôpital.

— Quelle expérience a eue Andrik ?

— Enochévitch est un ancien camarade d'école de mon frère. Pendant de nombreuses années, ils s'étaient perdus de vue et se retrouvèrent par hasard à Peïra-Cava dans les Alpes-Maritimes. Andrik le présenta à Natacha, et Enochévitch, ravi de la rencontre, présenta à son tour sa compagne. Lili est une grande fille plus très jeune, l'air usé et assez minable malgré ses tentatives désespérées de se refaire une beauté par un maquillage exagéré. Elle prétend être une chanteuse et possède, en effet, une voix puissante. Ils se trouvaient tous les deux à Peïra-Cava dans un but lucratif. Lili chantait des romances dans les hôtels à l'heure du dîner et Enochévitch pinçait vaguement la guitare. Ils passaient ensuite entre les tables armés d'un plateau. Quand il y avait peu de monde, ils employaient le système « perce-muraille » qui consistait à lancer des airs d'opéra avec une force particulière capable d'atteindre les clients dans leurs chambres ou ceux qui se trouvaient en dehors de l'hôtel. Ces airs tonitruants amenaient quelquefois des curieux. Le plateau au départ était garni d'un billet de 50 francs servant d'amorce. Ce billet provenait de la bourse des musiciens, mais finit par échouer à l'épicerie. Il fallait à tout prix le remplacer et Enochévitch s'adressa à Andrik, qui ne put refuser. C'est ainsi que commencèrent leurs relations musicales.

— Quelles relations musicales ? s'exclama le baron. Vous n'allez pas me dire que votre frère et votre belle-sœur ont participé à ces exhibitions ?

— Non, pas dans ce sens. Mais c'est grâce à la musique qu'Enochévitch et Lili trouvèrent le chemin de « La Clairière ».

— Ils viennent chanter ?

— Non, manger. Le prétexte est la musique. Enoché-vitch a vite compris où se trouvait le talon d'Achille de Natacha. Etabli depuis quelque temps avec son amie à Antibes, il a repéré tous les Russes de la région, ceux surtout qui se sont installés à la campagne et qui, par conséquent, ont des poules, des légumes et des fruits.

— Je suis au courant de la stratégie, dit le colonel Granov en riant. Il n'y a pas qu'Enochévitch qui compte sur nos produits fermiers, ils sont assez nombreux. Certains ont établi un genre de calendrier pour la semaine. Chez moi, ils arrivent tous les mardis.

— Dans quel sens la musique a servi dans cette manœuvre ? demanda Mara.

— Enochévitch a trouvé dans une salle des ventes un vieux piano délabré et a su persuader Natacha de l'acheter. Les marchands de bric-à-brac chez qui ce piano à queue occupait beaucoup de place ont été ravis de s'en défaire, ils l'auraient donné pour rien, j'imagine. Ils l'ont peut-être fait... Enochévitch s'est occupé de la transaction. Mais son stratagème ne s'arrêtait pas là, il voyait plus loin. Le piano tel qu'il était n'émettait pas plus de son qu'une casserole. Il fallait l'accorder. Il jura qu'il en était capable et, si Andrik restait sceptique, Natacha l'a cru. L'idée d'avoir enfin un piano la bouleversait aux larmes. Enochévitch s'attaqua à la tâche et, pour ne pas perdre un temps précieux, ne quittait pas les lieux aux heures des repas. Ou plus exactement tapait jusqu'à ce qu'Andrik et Natacha l'appellent à table.

« Il passait la journée à cogner sur la table d'harmonie qui, disait-il, était entièrement à réviser car le feutre des marteaux était mité, les attrapes des chevalets cassés et l'échappement des marteaux défectueux. Il signalait d'un ton grave que les souris, profitant de l'abandon de l'instrument, s'étaient installées sous les cordes et y avaient laissé des traces malodorantes. Il lui fallait, assurait-il, se procurer des matériaux et des pièces de rechange qu'on ne pouvait trouver que dans les magasins spécialisés de Nice. Aussi fit-il de nombreux voyages dans cette ville, aux frais d'Andrik, bien entendu. Il paraît que les frais de la restauration du piano ont dépassé de loin le prix de l'achat.

« Tandis qu'Enochévitch cognait, grattait, serrait et desserrait les vis et les chevilles, tapait sur le clavier en écoutant d'un air expert la résonance des cordes, Lili attendait, installée dans un fauteuil. Remplie de sollicitude pour son compagnon, elle ne pouvait, confia-t-elle à Natacha, le laisser sans surveillance. Il pourrait céder à la tentation et s'égarer dans quelque bistrot. Elle préférait l'accompagner. Elle arrivait une demi-heure avant le déjeuner et ne partait qu'après le dîner en emmenant son ami.

« Les travaux durèrent plusieurs semaines et les enfants finirent par appeler Enochévitch « le monsieur du piano ».

— Est-ce qu'on peut employer ce piano comme instrument de musique ? demanda le baron.

— Non, mais il a belle allure et rappelle l'époque de Chopin. C'est vrai que ce mérite ne doit rien à l'accordeur.

— Pourquoi votre frère n'a-t-il pas arrêté cette comédie ?

— Andrik est très bon. Au début, il a pensé que Natacha pourrait tout de même jouer sur ce piano et il voulait lui laisser cette joie. Bien sûr, il avait compris qu'Enochévitch abuserait de la situation, mais c'est un ancien camarade et, en somme, un pauvre type. Et Lili avec ses prétentions naïves, ses efforts éperdus de paraître une dame, ses vêtements fripés, son linge sale inspire plus la pitié que le mépris.

— Andrik va un peu loin en mettant à sa table une demi-mondaine, remarqua Mara non sans dédain.

— Oh, demi-mondaine... A présent, elle ne l'est plus. Et puis Andrik a horreur de faire le juge. Il les plaint tous les deux, voilà tout. Il a bien ri en surprenant la question inquiète que posait Lili à Enochévitch à voix basse : « C'est déjà fini ? — Chut... répondit celui-ci, je puis le faire durer encore... »

— Mais tout ça s'est tout de même terminé ? demanda Natalie.

— Oui, et Enochévitch avec son amie sont réduits aux visites hebdomadaires.

— Il n'a pas trouvé un autre piano à accorder ?

— Non, mais un autre filon. On a pu lire un jour dans *L'Eclaireur de Nice* une annonce originale : « Club sportif international pédestre polyglotte. »

— Qu'est-ce que c'est que ce galimatias ?

— Enochévitch et son ami Mouraviev ont fondé un club visant principalement les hôtes étrangers de la Côte d'Azur, américains de préférence. N'ayant pas le premier sou pour louer un local, ils ont inventé un système original : les clients seraient cueillis directement à leur hôtel et emmenés faire un tour à pied en conversant dans la langue choisie, français, anglais ou allemand.

— Et en russe ?

— Le russe n'est pas proposé. Cette langue est réservée aux discussions confidentielles entre directeurs.

— Et ces excursions pédestres polyglottes ont déjà eu lieu ?

— Une, je crois. On a trouvé un Américain avec lequel on est allé à pied jusqu'au premier bistrot où le client et les deux directeurs se sont enivrés tous les trois. L'expérience a tout de même été probante, car c'est l'Américain qui a réglé l'addition.

— Et que devient M. Lévitzky ? demanda Barbara. Il s'est établi à Antibes, je crois, dans le voisinage de « La Clairière ».

— Oui, lui aussi vit dans la maison Rozanov. Il élève des poules Leghorn, vous savez, ces poules blanches qui mangent peu et pondent beaucoup. Chez certains éleveurs du moins.

— Et il marche, son élevage ?

— Il vaut mieux ne pas lui poser cette question. Il est très susceptible.

— Il est toujours aussi morose ?

— Plus que jamais. Il ne supporte aucune critique et n'écoute aucun conseil.

— En voilà un qui ne s'est pas adapté à la vie occidentale ! s'exclama le colonel Granov. Il n'a jamais pu apprendre le français. Les quelques mots indispensables qu'il lui arrive de prononcer, il les dit de façon incompréhensible et sur un ton rogue. Ce qui n'éveille pas la sympathie.

— Qu'est-ce qui lui a donné l'idée de s'occuper de poules ? demanda Pierre.

— M. Lévitzky est ancien professeur de mathématiques et n'a jamais su faire autre chose. Il vivotait à Cannes en donnant quelques leçons à des enfants russes retardataires lorsqu'il tomba malade : un ulcère à l'estomac qui l'a longtemps tenu dans ses griffes et ne l'a pas tout à fait lâché. La convalescence a été longue. Au cours des mois de son inactivité forcée, il a fait des projets ou plus exactement il a développé et mis au point celui qu'il avait formé dès le début : s'occuper d'un élevage de volailles. En vrai professeur de mathématiques, il calcula tout avec minutie, les dimensions des poulaillers, le nombre exact des planches qu'il lui faudrait pour les construire, la superficie des enclos, le métrage de grillage, la hauteur des perchoirs, la disposition des cages des poules pondeuses, celles des poussins. Bref, le plan complet était prêt. Pour le réaliser, il ne manquait qu'un seul détail — l'argent.

« Pendant longtemps, M. Lévitzky dut se contenter d'un poulailler sur papier. Et soudain le rêve devint réalité. M. Lévitzky rencontra son Américaine ! Tout à fait par hasard, chez des amis. On peut affirmer que ce n'est pas lui qui fit le premier pas ; au contraire, selon son habitude, il s'enferma dans le mutisme et prit un air bourru.

« L'attitude hostile, les regards sombres, les phrases hachées de M. Lévitzky firent sur Gladys Miller une profonde impression. Ils devaient, pensa-t-elle, provenir de la fierté blessée. Son manque de civilité même lui sembla prouver son grand genre. Elle hasarda quelques questions avec des précautions infinies et se contenta de répliques brèves lâchées comme à regret. La conversation n'alla pas loin, mais en personne expérimentée et pratique, Mrs. Miller comprit l'essentiel : M. Lévitzky avait besoin d'argent. Elle ne fut pas longue à découvrir l'existence du projet d'élevage et en fut bouleversée. Vous devinez le reste.

— Et où se trouve cet élevage ? demanda le baron qui aimait la précision.

— Au même endroit où se trouvent déjà les abeilles et les tableaux. La propriété Rozanov est décidément le point névralgique des environs.

— La veuve Robelin, qui, avez-vous dit, est si curieuse, peut faire des comparaisons entre les élevages de M. Lévitzky et celui de Mme Robert. En quels rapports est-elle avec son voisin si peu sociable ?

— Les remparts que M. Lévitzky élève autour de lui n'auraient pas arrêté Mme Robelin si, en l'apercevant, il ne lui tournait pas le dos. Elle s'est plainte à Andrik de son humeur morose : « Dès qu'il voit que je veux blaguer, il fiche le camp ! » Il ne lui reste donc qu'à acheter des œufs. Tous les matins on entend sa voix stridente : « Monsieur Lévitzky ! Monsieur Lévitzky ! » Une fenêtre s'entrouvre et une voix irritée répond : « Qu'est-ce que c'est ? »

— M. Lévitzky a d'autres clients que Mme Robelin, j'imagine, dit Barbara. Comment vend-il ses œufs ?

— Il les porte au marché d'Antibes. Il s'installe dans l'allée des marchands non professionnels sur un petit pliant, son panier d'œufs à ses pieds. Il arrive qu'une ménagère lui pose la question habituelle : « Ils sont frais, vos œufs ? — Non, répond M. Lévitzky d'un ton bourru, ils sont pourris. » La cliente, confuse de sa question stupide, s'empresse d'acheter.

— Je vois qu'en ce qui concerne les œufs, ça a l'air de marcher, dit le colonel.

— Oui, mais ça a moins bien marché avec les poussins, reprit Nicolas. Le printemps tardif de cette année a provoqué quelques complications. Le froid a surpris les poussins alors qu'ils étaient encore très fragiles. Il y en a eu qui ne l'ont pas supporté. Pour sauver les survivants, M. Lévitzky a entrepris des mesures énergiques : il les a transférés dans sa chambre.

— Dans sa chambre ! s'exclama Natalie. C'est pas croyable !

— Rassurez-vous, ils sont enfermés. M. Lévitzky a construit une couveuse qui n'occupe que la moitié de la chambre. C'est un système très astucieux qu'il a exécuté d'après un plan soigneusement étudié. Il a placé un petit poêle en fonte dans un coin et fait partir la cheminée en zinc horizontalement au-dessus d'une grande caisse plate fixée sur des pieds. Cette cheminée a été recouverte d'une vieille couverture et les poussins installés dans la caisse. Genre de chauffage central, si vous voulez. Mais cette installation avait un petit défaut : le poêle fumait et dégageait de la suie. Les poussins de jaune tendre devinrent noirs. Et certains rendirent l'âme.

Tout le monde rit.

— Chez Constantin, reprit Nicolas, le phénomène a été inverse, si on peut faire un parallèle entre poussins et asparagus. Car, chez lui, il s'agit d'asparagus.

— Et alors ? fit Emilie. Je connais bien Constantin et Sophie, mais il y a longtemps que je ne les ai vus.

— Vous savez donc que Constantin cultive l'asparagus. Après ses tentatives assez décevantes avec les roses, les œillets et les primeurs, il s'est lancé dans l'asparagus. Vous savez qu'il a été à Grignon et connaît par conséquent l'horticulture. Aussi a-t-il commencé son exploitation d'après toutes les règles de l'art. L'asparagus est une plante délicate qui craint le froid. Or le printemps cette année a été rigoureux. Pour éviter les accidents, Constantin installa des poêles dans sa serre et, la nuit tombée, se mit à chauffer. La température dehors avait baissé jusqu'à moins deux et Constantin, aidé de son fidèle homme à tout faire, le cosaque Prikhlébine, a chauffé jusqu'à l'aube. Les deux hommes montrèrent à cette occasion une endurance et un courage exemplaires, car la fumée, au lieu de sortir par la cheminée improvisée, s'obstinait à s'étaler par terre et piquait cruellement les yeux. Le jour venu, on put aérer la serre et on fit une triste découverte : l'asparagus de vert foncé était devenu blanc !

— On m'a raconté cette mésaventure, dit le colonel Granov. Tenez, l'autre jour encore Kalita m'en avait parlé.

— Qui est Kalita ? demanda Pierre.

— Kalita est un nouveau venu et non seulement dans notre région, mais également en France. Un beau matin, Constantin arriva à « La Clairière » en compagnie d'un inconnu en qui mon frère reconnut tout de suite un Petit-Russien. Son air buté et malin, son accent et son nom trahissaient nettement ses origines ukrainiennes. De toute sa personne, assez peu attrayante, se dégageait... — comment m'exprimer ? — un air « sans foi ni loi ». Et c'est là peut-être que gît le lièvre.

— Que voulez-vous dire ? demanda le baron qui n'aimait pas les énigmes. Qui est ce Kalita ?

— Je ne sais comment vous répondre. Le passé de Kalita est recouvert de mystère. On sait seulement qu'il veut se fixer en France pour devenir cultivateur. Avec l'aide de Constantin il a trouvé une petite ferme près de Vallauris et compte y planter des légumes.

— Il s'y connaît ? demanda le baron sceptique.

— Qui de nous connaissait quoi que ce soit en débutant ? dit Barbara, conciliante. L'essentiel est la bonne volonté, le savoir s'acquiert. Alors votre Kalita ?

— Le savoir justement lui manque encore très nettement. Il ne connaît pas un mot de français, ce qui l'empêche d'entretenir des relations utiles avec les voisins ou de se renseigner. Son amour-propre par ailleurs le pousse à se vanter des quelques connaissances qu'il possède dans le domaine de la culture des champignons, ainsi que de l'asperge, inapplicables sur la Côte d'Azur.

— Comment connaît-il ces cultures ? s'étonna le baron. Il ne me fera pas croire qu'il les a apprises en Ukraine !

— Non, il ne le prétend pas. C'est en Allemagne qu'il les a apprises. Et c'est là qu'on touche du doigt à l'énigme. Comment s'est-il trouvé chez ce fermier bavarois dont il tient ces connaissances ? Pourquoi l'a-t-il quitté, s'il en est encore si fier ? Kalita, s'il aime s'étendre sur les méthodes maraîchères de son patron allemand, est très avare de détails sur son propre passé. Andrik a compris malgré ses réticences que Kalita avait été mercenaire. Mais enfin, quand un pays est bouleversé, comme l'était alors l'Ukraine, on ne sait plus exactement où est la trahison.

— Si je comprends bien, dit Pierre, ton Kalita sait mieux manier une carabine qu'une pelle ou un râteau.

— C'est certain. Il est aussi excellent cavalier comme tous les partisans ukrainiens. Les Allemands ont dû prendre en considération ces qualités guerrières. Mais tout ça n'est plus que le passé. Kalita n'est plus un guerrier, mais un paisible maraîcher. N'ayant au monde que son chien, il lui arrive de se sentir très seul. Andrik avec sa bonté et son tact a su gagner son cœur. Ainsi souvent, tandis que mon frère arrose ses œillets, Kalita, les yeux fixés sur le jet d'eau qui remplit les rigoles, raconte ses épreuves, dont la dernière est sentimentale et tragique. Une personne de petite vertu, rencontrée dans le port de Nice, flaira les avantages qu'il y avait à tirer de l'occasion qui se présentait. Ukrainienne comme lui, elle sut gagner sa confiance et le séduire. Elle abandonna le port et s'installa chez lui dans sa modeste demeure. L'idylle ne dura pas longtemps et se termina en drame. La coquine s'empara de toutes les économies de Kalita et décampa sans prendre congé. Pour l'empêcher de la poursuivre et lui enlever tout crédit, l'indélicate personne se mit à répandre des bruits dangereux sur les antécédents de Kalita. Dans l'abandon de l'intimité, le pauvre homme avait lâché ses plus compromettants secrets. Andrik l'assura que le danger était imaginaire et que personne en France ne lui demanderait de comptes sur sa vie passée. Ce qui est touchant dans l'affaire, c'est le chagrin authentique de cet homme rude et aguerri. Ce n'est ni la perte de son argent ni le danger d'être poursuivi qui le rendent malheureux, mais l'amour trahi auquel il avait cru. « Je sais qu'elle est une putain, dit-il, une ordure, une voleuse, mais je l'aime ! »

— Pauvre homme, soupira Emilie, je suis tout émue par votre histoire. Ce sont ces hommes-là, qu'on croirait endurcis, qui souffrent le plus d'un drame sentimental.

— Je ne veux pas terminer sur une note aussi tragique, reprit le prince Nicolas. Kalita, malgré son chagrin, garde tout son esprit indépendant et vaillant. Il ne vient pas uniquement pour se lamenter.

— Mais aussi pour s'attabler à l'heure du déjeuner ? demanda le baron Eric, moqueur.

— Jamais. Kalita est le seul et unique visiteur de « La Clairière » à n'avoir jamais accepté une invitation à table. Rustre peut-être et sans grands principes, il est fier. Il n'a jamais fait le pique-assiette. Tout ce qu'il a accepté jusqu'à présent, c'est un os pour son chien.

— J'espère qu'il trouvera une meilleure compagne et que cette fois-ci il sera plus prudent.

— La dernière fois que je l'ai vu, il nous a raconté avec enthousiasme l'article qu'il venait de lire dans un journal russe. Il s'agissait de la description d'un pays équatorial et de sa faune extraordinaire. La vie des singes en particulier l'avait beaucoup impressionné. Il nous raconta dans son russe pittoresque les prouesses des macaques dans les arbres, leurs acrobaties dans les lianes, les farces des jeunes, l'autorité des vieux mâles. Je lui ai demandé de quel pays il s'agissait. « Je n'ai pas retenu le nom de ce pays, me dit-il, c'est quelque part en Afrique américaine. »

— Oui, dit le colonel, ses connaissances géographiques doivent se limiter aux régions qu'il a lui-même parcourues. Il doit avoir loupé l'école par suite de la guerre civile et de ses propres pérégrinations.

— Est-ce que Kalita a d'autres amis ? Il va sans doute voir Constantin à Golfe-Juan ?

— Oui, je crois, mais il ne fait pas de confidences à Constantin, il se méfie de son ironie.

— Sophie cependant est la bonté même et si hospitalière. Sa maison est littéralement assaillie de visiteurs. Dimanche dernier, ses enfants en ont compté trente-sept.

— Mon Dieu ! s'exclama Barbara, je n'en ai pas autant dans mon restaurant ! Et Sophie les nourrit tous ?

— Non, elle les reçoit dans le jardin et n'offre que du thé. Prikhlébine, préposé à la théière, m'a dit qu'il l'a réchauffée dix fois.

— Prikhlébine, j'ai l'impression, est un élément irremplaçable dans cette maison. Il berce le dernier-né, conduit l'aîné à l'école, fait le marché, lave la vaisselle, travaille dans le jardin...

— Ne continuez pas, interrompit le colonel. Disons simplement qu'il fait tout et ne demande rien. Constantin ne le traite même pas en égal. Ce n'est pas Ivanov qui aurait accepté ce rôle-là !

— Qui est Ivanov ? demanda Barbara, étonnée de ne pas le connaître, alors qu'elle connaissait tous les Russes de la Côte.

— Nous l'appelons « Ballon de football ». Vous connaissez l'expression ? L'homme dont ne veut aucun pays et qu'on renvoie chez les voisins d'un coup de pied. Ivanov a parcouru dans le rôle de ce ballon presque toute l'Europe centrale.

— Pour s'arrêter en France ?

— Oui, et plus exactement chez Andrik. A vrai dire, mon frère n'a que la moitié du ballon, car l'autre est chez Constantin.

— Que veux-tu dire ? demanda Pierre.

— C'est très simple, vous allez voir. Un jour, Constantin arriva à « La Clairière » avec un inconnu.

— Mais oui, Kalita.

— Mais non, Kalita était déjà casé. Un autre qui venait d'arriver en France.

— La France est le pays le plus hospitalier du monde, dit le baron. Les Russes peuvent vraiment en témoigner. Et alors l'inconnu ?

— S'appelait Ivanov. Il était venu clandestinement et ne possédait pas d'autorisation de séjourner en France. Ni dans aucun autre pays. A défaut de pièce d'identité, il peut produire cinq certificats de libération de prison.

— Quoi ? s'écria le baron. Ivanov a été cinq fois en prison ?

— Plus je crois, mais on ne lui a pas toujours donné ce précieux document.

— Il doit être un criminel irrécupérable, soupira le baron. Quel cadeau pour la France !

— Ivanov n'est pas un criminel et n'a commis aucune faute. C'est un homme honorable et travailleur. Si on l'a relâché cinq fois, c'est bien parce que cinq fois on l'a reconnu innocent.

— Tout cela est très étrange. Racontez-nous toute l'histoire de façon un peu plus claire.

— Eh bien, tout a commencé en Pologne où Ivanov s'était réfugié lors de la guerre civile. Sans passeport ni bagages, comme tout le monde en pareil cas. Deux raisons le poussèrent à franchir la frontière polonaise : échapper aux bolcheviks et rattraper sa femme qui l'avait quitté. Hélas, en arrivant à Varsovie il apprit que son épouse volage ne s'y trouvait plus, ayant décampé en compagnie de son ami tchèque en Tchécoslovaquie. Ces nouvelles bouleversèrent les projets d'Ivanov. Il abandonna l'idée de rester en Pologne et ne songea plus qu'à rejoindre son épouse et à la ramener à la raison.

« A l'époque, les confins de ces pays fraîchement émancipés étaient assez mal gardés. Ivanov, en choisissant une nuit sans lune, réussit à traverser inaperçu la frontière tchécoslovaque. L'aube le vit cheminant vers un village qui ressemblait à s'y méprendre à celui qu'il venait de quitter en Pologne. Avec la différence cependant qu'il y rencontra un garde-frontière qui crut de son devoir de l'appréhender. Au poste de police on interrogea Ivanov en mélangeant l'ukrainien, le polonais et le tchèque pour arriver à la conclusion qu'il n'avait pas de passeport ni aucun droit de se trouver en Tchécoslovaquie. Dans ces conditions, les gendarmes ne pouvaient faire autrement que le conduire en prison, seul endroit où il semblait avoir le droit de résider.

« La justice est longue dans tous les pays et Ivanov eut le temps de réfléchir. Les chances de mettre la main sur sa femme s'étaient amoindries avec le temps. Quand l'ordre d'expulsion arriva, il avait dans la tête un nouveau projet : traverser discrètement la Hongrie voisine et passer en Yougoslavie, dont l'attitude amicale pour les Russes en détresse était connue. Il demanda donc comme une grâce d'être expulsé vers la Hongrie. Ne trouvant rien à y objecter, et se souciant peu de leurs collègues d'en face, les gendarmes tchèques amenèrent Ivanov à la frontière hongroise et lui dirent de décamper. Ce qu'il fit la nuit venue.

« Le séjour en Hongrie laissa à Ivanov un souvenir détestable. Les Hongrois lui ont paru durs et intransigeants, leurs prisons très inconfortables, leur langue totalement incompréhensible, la nourriture infecte et beaucoup trop épicée. Car, je pense que vous l'avez deviné, c'est dans une prison hongroise qu'il échoua. Le nouveau verdict d'expulsion fut le bienvenu.

« Les gendarmes hongrois ne lui demandèrent pas ses préférences, se basant sur la simple logique : puisque Ivanov était venu de Tchécoslovaquie, il n'avait qu'à y retourner. De sorte qu'il se trouva de nouveau en Tchécoslovaquie. Mais cette fois la chance paraissait lui sourire, car il réussit à se faire embaucher par un fermier pour la durée de la moisson. Ce fermier avait-il soupçonné l'irrégularité de la situation d'Ivanov ? C'est probable. Mais par charité et encore plus par intérêt, il ne souleva pas d'objections. Ivanov travaillait avec zèle et reprenait courage. Certes soigner les vaches, remuer la paille et charrier le fumier n'étaient pas en soi des occupations passionnantes pour un employé des Eaux et Forêts qu'il était. Mais c'était tout de même bien mieux que la prison.

« Voyant l'attitude amicale de son patron, il songeait déjà à lui dévoiler son identité et à lui demander conseil pour l'avenir. C'est à ce moment-là que les gendarmes — encore eux — se chargèrent de ses problèmes.

« La présence chez ce paysan d'un ouvrier manifestement étranger avait éveillé leur curiosité et ils vinrent un beau jour pour demander quelques renseignements. Quant à Ivanov, on le pria de se présenter au poste de police muni de ses papiers.

« On interrogea Ivanov, mais avec bonhomie, sans le

rudoyer. On le fit raconter ses aventures, on blagua, on rit. Pour terminer les gardes-frontières l'emmenèrent avec eux et le régalèrent d'un bon dîner abondamment arrosé d'eau-de-vie. Ivanov se sentit tout confiant et raconta sa vie en versant quelques larmes. En un mot, il était saoul. Il ne sait pas où il a dormi, mais se rappelle très bien où il se réveilla. En ouvrant les yeux, il vit deux gendarmes en uniforme hongrois qui lui secouaient rudement les épaules. Il crut à un cauchemar et se frotta les yeux. Mais non, les faits étaient là : il était en Hongrie !

« Il comprit soudain la traîtrise des Tchèques. Pour simplifier les choses, ils l'avaient enivré et transporté tout bonnement dans un champ au-delà de la frontière. La ronde infernale recommençait.

« Cette fois en sortant de prison, il supplia les autorités de tenir compte de ses origines et de l'envoyer en Yougoslavie où il y avait des camps de réfugiés russes. Pour les Hongrois, c'était tout comme : qu'il aille chez les Tchèques, les Polonais, les Yougoslaves ou au diable, pourvu qu'il débarrasse le plancher ! On le fourra dans un convoi allant en Yougoslavie et Ivanov se trouva bientôt dans un camp de réfugiés près de Zagreb.

« Les Yougoslaves sont débonnaires et accueillants ; les réfugiés russes, grâce à la protection du roi Alexandre, étaient considérés comme des amis. Dès la révolution, le gouvernement avait organisé des camps pour héberger les exilés de la Russie rouge. Mais ces camps n'offraient qu'un séjour provisoire. Il fallait donc prendre une décision quelconque pour l'avenir le plus proche.

« Le raisonnement d'un camarade d'infortune le fit réfléchir à son destin et finit par le convaincre.

« — L'Europe, disait cet homme, ne nous acceptera pas comme des égaux et nous resterons toujours des parias indésirés. Nous devons essayer notre chance dans les colonies. Dans ces pays on manque encore d'intellectuels, ce qui peut nous permettre de retrouver la place perdue dans notre patrie. Au lieu de nous enfermer dans des camps et des prisons, on nous donnera des postes correspondant à nos capacités.

« Ivanov, encore indécis, essaya de se renseigner. Oui, tous les témoignages concordaient : les Russes dans les colonies avaient tous trouvé des emplois corrects, certains même de très bons. Il ne pensa donc plus désormais qu'à traverser la Méditerranée. C'est ainsi que quelque temps plus tard il se trouva dans un train allant à Athènes. Il serait plus juste de dire qu'il se trouvait non dans le train, mais sous le train, car il se logea dans une caisse à outils suspendue sous un des wagons.

« Place couchée et gratuite, un peu bruyante peut-être, mais dans la situation d'Ivanov on ne pouvait pas exiger mieux. Il se tint coi dans cette caisse sans oser en sortir, ni même soulever le couvercle.

« Au bout d'un temps interminable le train s'immobilisa et ne bougea plus. Etait-il arrivé à destination ? L'animation sur le quai le laissait supposer. Ivanov décida d'attendre la nuit pour quitter sa cachette.

« Pour tromper la faim et l'ennui, il alluma une cigarette dont la fumée sortait doucement par les fentes de la caisse. Tout d'un coup il entendit des cris, des piétinements, un remue-ménage tout près de son wagon. Brusquement le couvercle fut soulevé… Sous les yeux ahuris des spectateurs, Ivanov apparut dans toute sa longueur.

« Revenus de leur stupeur, les hommes éclatèrent de rire. Voilà donc d'où venait la fumée qu'un cheminot avait remarquée sous le wagon…!

« On pria Ivanov de quitter son refuge et de passer au poste de police. La langue qu'on parlait autour de lui était incompréhensible, mais il se rendit compte que c'était le grec et qu'il était à Athènes. Il avait donc réussi à atteindre cette ville, but de son voyage, mais à quoi ça servait à présent ? Il avait espéré gagner discrètement le Pirée, aller trouver certaines personnes dont on lui avait donné les adresses et s'embarquer sur un cargo allant en Afrique du Nord. Tous ces projets, vagues à vrai dire, se transformèrent en d'autres, bien plus précis : prison pour l'immédiat et longue attente d'une nouvelle expulsion.

« Les prisons grecques ne sont pas plus agréables que les prisons hongroises et Ivanov ne fut pas fâché de retourner dans son camp yougoslave.

« L'histoire retrouve notre ami en Autriche dans une belle région du Tyrol. Sa nouvelle prison était très bien située dans un endroit pittoresque et excellent pour la santé. Il travailla dans des coupes forestières et dans des pépinières de reboisement. Il apprit même quelques mots d'allemand. Il regretta presque la rapidité de l'instruction de son affaire. L'ordre d'expulsion arriva trop tôt, alors qu'il n'avait pas encore décidé ce qu'il ferait ensuite.

« Les gendarmes autrichiens, comprenant parfaitement le problème, suggérèrent eux-mêmes la meilleure solution. Ils amenèrent notre Ivanov à la frontière suisse, lui donnèrent quelques bons conseils pour l'aider à s'orienter, lui serrèrent la main et le laissèrent se débrouiller.

« Quand Ivanov parle de prisons, il prend un ton compétent et, il faut le reconnaître, dans cette matière il a de l'expérience. Il faut donc le croire quand il déclare que c'est en Suisse qu'il a trouvé la prison idéale. Sur le plan humain d'abord : le détenu n'est pas considéré comme le rebut de l'humanité, mais comme un citoyen égaré du droit chemin qu'il faut guider et aider. Quant à un détenu comme Ivanov, qui n'était pas un criminel, mais une victime du désordre de son pays, son cas n'éveillait que sympathie et intérêt. Bien logé, traité avec politesse, tenu seulement à respecter les règles de l'établissement. La Croix-Rouge internationale et les sociétés philanthropiques suisses lui envoyaient des livres, des cadeaux, des friandises, des cigarettes. Il pouvait assister à des conférences, des concerts, au service religieux célébré à la chapelle de la prison. Le pasteur lui témoigna une attention toute particulière, et, en découvrant qu'il possédait une belle voix de ténor, l'invita à participer à sa chorale. Se portant lui-même garant de son loyalisme, il obtint la permission pour Ivanov de quitter le pénitencier pendant la journée et de n'y retourner que pour la nuit. Il put ainsi disposer de son temps selon son désir et en profita pour aider le pasteur dans ses occupations paroissiales et participer aux repas de la famille. La sœur du pasteur se pénétra pour le protégé de son frère de sentiments dépassant la simple charité et insinua que dans l'avenir une association plus intime n'était pas impossible.

« Il n'y avait à ce tableau qu'un seul point noir : la fin inévitable de sa détention. Ivanov fit tout ce qu'il put pour la prolonger et réussit à se maintenir dans le pénitencier deux mois supplémentaires, mais ceux-ci passèrent et il fut contraint de le quitter. Le verdict était irrévocable : Ivanov n'était fautif de rien, mais devait quitter le pays.

« Le directeur de la prison le fit venir dans son bureau et s'excusa de ne pouvoir le garder plus longtemps, lui serra la main et lui souhaita de tout cœur bonne chance. C'est à la suite de ces événements qu'Ivanov se trouva un beau jour sur la frontière française et dut se résigner à la traverser.

— Et qu'est-ce qui va lui arriver à présent ? demanda Natalie.

— A présent, reprit Nicolas, le ballon a atteint le but. Ivanov restera en France. Et c'est en liberté qu'il attendra la décision du tribunal, qui pour la première fois sera favorable. Constantin et deux de ses amis se sont portés garants pour sa personne et, il n'y a pas de doute, le droit d'asile lui sera accordé. Il veut, comme Kalita, s'établir sur la terre.

— C'est curieux comme la terre attire tous ces hommes déracinés, remarqua Barbara.

— N'oubliez pas qu'on peut s'attaquer à un lopin de

terre seulement armé d'illusions, tandis que tout autre métier exige des connaissances professionnelles. C'est pour cela qu'il y a tant de fermiers improvisés parmi nos compatriotes.

— Et de chauffeurs de taxi, dit Barbara. Tiens, à propos de chauffeurs, Rudenko m'a raconté une drôle d'histoire. Il est chauffeur chez Mme Klostermann, vous savez, cette vieille milliardaire qui habite le « Winter Palace » et circule en Rolls-Royce sur la Côte d'Azur pour visiter des aristocrates déchus. Elle adore jouer à la bienfaitrice et porte des bonbons aux dames bien nées. Imaginez ce qu'elle a trouvé pour secourir les pauvres : elle interdit au garçon qui la sert à table d'emporter les restes de pain et les met dans un grand sac en papier qu'elle garde dans sa chambre. Quand le sac est plein, elle l'offre à des amis pauvres. Son chauffeur n'est pas oublié. Rudenko en a déjà reçu deux. « Dommage que je n'aie pas de poules, m'a-t-il dit, j'ai dû jeter les vieux croûtons à la mer. »

— Les bienfaitrices américaines sont tout de même plus efficaces, observa Pierre. Ce n'est pas parce qu'elles ont plus de cœur ou d'argent, mais parce qu'elles sont plus pratiques. Mrs. Miller a doté M. Lévitzky d'un poulailler et Mrs. Harris a acheté un fonds de commerce pour Ara Taliev.

— Une épicerie, je crois, dit Natalie.

— Et elle marche ? demanda le baron.

— Mais non ! s'exclama Emilie. Ce n'était pas une bonne idée, non plus. Ara a une santé chancelante avec un fond d'incurable mélancolie. Elle passe son temps à pleurer malgré les avertissements de son oculiste qui craint pour sa vue. Et elle écrit des lettres arrosées de larmes qu'elle adresse à des amies riches au cœur tendre. C'est ainsi qu'elle a trouvé Mrs. Harris.

— Racontez ce qui s'est passé, demanda le colonel qui n'était pas au courant.

— Eh bien, Mrs. Harris s'enticha d'Ara et, en personne réaliste, s'attaqua au problème de base. Elle ne se borna pas à régaler Ara de gâteaux ou à lui donner des robes usagées. Elle décida de lui donner des moyens d'existence. Que pouvait-on faire pour une femme fragile et foncièrement découragée avec trois filles sur les bras ? Mrs. Harris s'informa et réfléchit. Son propre père avait fait fortune dans le prêt-à-porter. Il avait débuté comme colporteur en vendant des culottes et des chaussettes en coton. Mais cette voie avait été ardue et ne correspondait pas à la personnalité d'Ara. Par ailleurs ce rayon paraissait encombré et rempli d'obstacles. L'alimentation, par contre, jouissait d'une demande plus régulière, n'exigeant pas de dons particuliers. Mrs. Harris arriva à la conclusion qu'il fallait doter Ara d'une épicerie. Une petite boutique sans prétention avec des marchandises faciles à vendre et surtout aux prix déjà fixés. Les filles pourraient donner un coup de main à leur mère, en participant ainsi à l'entreprise. En observant ces demoiselles, Mrs. Harris se dit que du point de vue éducatif ce ne serait pas une mauvaise chose.

« Une fois la décision prise, elle régla l'affaire en un tour de main. L'épicerie fut trouvée et achetée et Ara avec ses filles installées dans le petit logement attenant au local commercial.

« Mrs. Harris donna à son amie quelques bons conseils pratiques et lui interdit de pleurer. Elle fit également un petit sermon aux trois filles qui, avait-elle remarqué, ne manifestaient aucun empressement à aider leur mère. Après quoi, satisfaite de son œuvre, elle retourna à ses propres occupations, notamment son voyage en Egypte et son retour aux Etats-Unis.

« Quant à Ara... elle se rendit vite compte que tout cela n'était pas si simple. Elle savait acheter, non vendre. Les marchandises qui l'entouraient lui devinrent vite odieuses. Ces bouteilles d'huile, ces cartons de sucre, ces boîtes de conserve, tous ces sacs et paquets contenant on ne savait pas quoi. Les exigences des acheteurs, les observations stupides sur la qualité des marchandises, les préférences pour telle ou telle marque lui tapaient sur les nerfs. Quelle importance cela pouvait-il avoir qu'huile ou sucre émanent de telle ou telle maison ? Elle-même n'en connaissait aucune. Et pourquoi la rendait-on responsable des défauts de certains articles comme si c'était elle qui les avait fabriqués ! Et quelle indélicatesse de la faire descendre des rayons un tas de boîtes pour souvent n'en acheter aucune. Et quelle calamité ces additions ! Et ces demandes de crédit : « Je reviendrai payer demain... » ou « Oh, je suis sortie sans argent, vous me ferez confiance...? » Elle ne savait pas refuser et oubliait aussitôt qui avait emporté quoi.

« Avec les filles non plus, ça n'allait pas tout seul. Leur manque de goût pour le commerce était évident. Mais il y avait pire : le logement loué avec le fonds de commerce était très petit et mal installé. Ses filles avaient un tas d'amis et sortaient le soir, tantôt à des surprises-parties, tantôt au cinéma ou, depuis que l'été était venu, à la plage. Pour ne pas déranger leur mère en rentrant tard, elles décidèrent de dresser leurs lits dans l'épicerie. Les marchandises ne les gênaient pas trop, au contraire elles étaient parfois utiles. Une bouteille de bière, de limonade, un bout de fromage ou de saucisson étaient souvent agréables.

« Le matin on avait du mal à se lever. Et il fallait encore ranger les lits. De sorte qu'on ne pouvait ouvrir le magasin qu'à midi. Le commerce languissait et la recette, très maigre, s'évanouissait on ne savait pas comment.

« Un beau jour, de guerre lasse, Ara déclara que ce n'était pas la peine de continuer. Elle ferma son épicerie et s'attaqua aux marchandises qui restaient encore sur les rayons. « Toujours ça de gagné ! » dit-elle.

— Oui, ce résultat était à prévoir, remarqua le baron. Mrs. Harris aurait dû le comprendre.

— N'oubliez pas une chose, dit Natalie, une Américaine qui depuis l'enfance entend parler d'argent, connaît sa valeur et l'apprécie, ne peut pas imaginer comment une femme dans le besoin et ayant charge d'âmes puisse en faire si peu de cas.

— Et il faut aimer non seulement l'argent, soupira le baron, mais aussi le travail...

— Les Russes ont une notion très vague de la propriété, dit le colonel. Leur attachement aux biens terrestres est presque toujours sentimental, rarement intéressé. Les Russes sont profondément antimatérialistes et c'est pour ça qu'ils traitent la propriété avec légèreté. Il me semble qu'ils distinguent mal leurs propres droits de ceux d'autrui. C'est un genre d'inconscience du côté matériel de la vie.

— Vous avez tout à fait raison, dit Pierre. Nos compatriotes ont du mal à comprendre la mentalité occidentale et l'incompréhension est réciproque. Je vais vous raconter une anecdote qui illustre très bien cet état de choses. Je la tiens de première source, de Mr. et de Mrs. Morton, ce sympathique couple anglais établi dans la vallée de la Brague près d'Antibes. Les Morton se sont construit une très belle villa qu'ils ont entourée d'un charmant jardin à l'anglaise. Or des circonstances survenues depuis les obligent à rentrer en Angleterre. Ils se sont résolus, à regret, de vendre leur villa. Mr. Morton s'adressa à une agence immobilière et lui confia le soin de trouver un acheteur. Et c'est par cette agence que la Grande-Duchesse apprit... Vous connaissez tous la Grande-Duchesse ?

— Bien sûr ! Bien sûr !

— Eh bien, la Grande-Duchesse a décidé d'acheter une villa. L'agence lui a fait voir celle des Morton et elle lui a beaucoup plu. « Rien ne vaut le style anglais », aurait-elle dit.

« Sa décision fut prise tout de suite et elle l'annonça aux Anglais : « J'achète votre villa. » Et ajouta : « Enlevez l'écriteau ''A vendre'' de votre portail ».

« Vous savez sans doute que c'est une personne très autoritaire qui n'admet pas qu'on s'oppose à ses volontés. Elle a les idées larges et déteste la mesquinerie. Aussi a-t-elle accepté les conditions sans marchander. Douter de l'équité du prix fixé par Mr. Morton eût été offensant et de mauvais goût. La confiance devait être réciproque.

« A partir de ce jour elle revint souvent, parfois accompagnée d'amis ou de conseillers. Elle amena aussi un architecte qui examina la maison et les dépendances et donna son avis. Une autre fois, elle arriva avec un entrepreneur qui, lui aussi, parcourut les lieux et prit des notes.

« Ces allées et venues laissaient les Morton perplexes, car aucun contrat n'avait encore été signé chez le notaire.

« Imaginez leur étonnement lorsqu'un jour ils virent un camion chargé de matériaux s'arrêter devant leur portail. Le chauffeur allait l'ouvrir, quand Mr. Morton accourut pour l'en empêcher. « Nous n'avons pas commandé de matériaux, dit-il, vous devez vous tromper d'adresse. » Mais non ! Il s'agissait bien de la villa des Morton où l'entrepreneur engagé par la Grande-Duchesse allait procéder à des travaux.

« Le camion, bien entendu, dut rebrousser chemin et Mr. Morton fit savoir à la Grande-Duchesse qu'aucune transformation de sa maison ne serait tolérée avant la signature de l'acte d'achat chez le notaire et le versement du prix convenu.

« La Duchesse fut choquée et peinée. On douterait de sa bonne foi ? Avant ou après, quelle différence ? Mais Mr. Morton n'était pas de cet avis et dit à son agent de relancer l'affaire.

« La Duchesse se plaignit à tous ses amis de ces Anglais indélicats. Et elle s'exclamait en levant les bras au ciel :

« Je veux acheter cette villa, mais je n'ai pas d'argent. Il faut le comprendre ! »

— La Grande-Duchesse est célèbre pour ses lubies, dit Natalie, et elle a été gâtée par le destin. Et, ce qu'on oublie souvent, elle n'est pas russe.

— Oh, laissez-moi vous raconter la dernière sortie de ma tante ! s'exclama Emilie. Elle aussi est une originale. Ce n'est rien de grave, mais tellement typique d'elle. Tante Léna, depuis qu'elle a été arrachée à son pays et à son monde, ne discerne plus très bien l'état des choses. Elle a, pour ainsi dire, perdu le sens de la mesure. Par contre certaines habitudes lui sont restées comme une deuxième nature et elle ne peut et ne veut les abandonner. Ainsi ses « sorties » de l'après-midi. Ce n'est certes plus en calèche comme jadis sur la perspective Nevsky, mais bien plus modestement à pied sur la Promenade des Anglais, pourtant elle se fait belle, met son chapeau et emporte son ombrelle. Elle marche pendant quelque temps calme et digne, puis va s'asseoir dans un fauteuil pour contempler la mer. Sa rêverie l'autre jour fut interrompue par la chaisière qui venait réclamer ses 50 centimes. Tante Léna fouilla dans son sac, dans ses poches, refouilla dans son sac — en vain, son porte-monnaie restait introuvable. La chaisière l'observait l'air goguenard. « Et alors ? ces 50 centimes ? — Je crois que j'ai oublié mon porte-monnaie, dit tante Léna sans s'émouvoir. Tant pis. — Comment tant pis ? se fâcha la chaisière. Si vous n'avez pas de quoi payer votre fauteuil, allez vous asseoir sur un banc public. — Vous ne parlez pas sérieusement, dit tante Léna. Ça peut arriver à tout le monde d'oublier sa bourse, qu'est-ce que ça peut faire ? — Ah, ce serait trop beau ! cria la chaisière. Je connais ces petites comédies ! On prend des airs de princesse, on s'installe dans un fauteuil à 50 centimes, mais quand il s'agit de payer, on ne retrouve plus sa bourse ! Allez, décampez ou j'appelle le sergent de ville. — Mais vous êtes folle ! s'exclama tante

Léna, pour une bagatelle pareille ! — Vous m'insultez, cria la chaisière, eh bien, vous allez voir ! »

« La scène commençait à attirer l'attention. Un vieux monsieur assis dans un fauteuil voisin se leva et s'approcha des deux femmes. Son aspect distingué, sa rosette à la boutonnière, son âge impressionnèrent la chaisière qui se tut.

« — Madame, dit le vieux monsieur en s'inclinant devant tante Léna, permettez-moi d'intervenir dans ce petit conflit. Faites-moi l'honneur de m'autoriser à régler cette petite somme à la satisfaction de madame la chaisière.

« En disant ces mots, il tendait à celle-ci les 50 centimes qui lui revenaient.

« — Il m'est souvent arrivé de sortir sans argent, poursuivit le vieillard comme pour se justifier, et je me suis trouvé plus d'une fois dans une situation analogue. La distraction n'est pas un très grand péché.

« — Merci, monsieur, dit tante Léna, vous êtes vraiment très aimable. Et cette femme a été bien impertinente. Je deviens distraite, soupira-t-elle, l'autre jour j'avais pris un journal au kiosque et l'emportais sans payer ! Ce qui ne me servit à rien, car j'avais également oublié mes lunettes.

« Le vieux monsieur, qui avait repris sa place, souriait avec sympathie et indulgence. Tante Léna ouvrit de nouveau son sac pour en retirer son mouchoir de poche et soudain s'exclama avec un sincère étonnement :

« — Mais le voilà, mon porte-monnaie ! C'est incroyable, où avais-je les yeux ? A la bonne heure, je pourrai vous rendre vos 50 centimes. Tenez, monsieur, voilà un franc.

« — Oh, madame, je vous en prie !

« — Si, si, remboursez-vous, je vous prie, et gardez le reste !

— Oh ! s'exclama le baron outré. Et comment le vénérable chevalier de la Légion d'honneur a réagi ?

— Je ne sais pas. Tante Léna ne l'a pas raconté.

Le baron Eric se leva.

— Comtesse, permettez-moi de prendre congé. Je vous remercie de votre aimable accueil et de votre bonne tasse de thé.

Il baisa la main de son hôtesse, puis celles des autres dames présentes, échangea de cordiaux shake-hand avec les hommes et, embrassant dans un salut final toute l'assistance, se retira sans hâte.

Les autres invités ne tardèrent pas à suivre son exemple en s'apercevant soudain que le crépuscule était tombé. Les adieux comme toujours furent longs, chacun se souvenant au moment de partir de quelque chose d'important qu'il n'avait pas raconté. Et c'est debout devant la porte qu'on n'en finissait pas de prendre congé.

Quand enfin la porte se referma derrière le dernier de ses amis, la comtesse soupira avec soulagement. La pièce reprit son air habituel de tristesse et de résignation et le silence revenu n'était interrompu que par le tic-tac obstiné de la pendule qui inexorablement égrenait le temps.

13 novembre 1927. Sur la Promenade des
Anglais. Nous venons de nous marier. Le
prêtre qui nous maria, père Grégori Ostrou-
moff, avait connu toute la famille Gagarine
sur la Côte d'Azur avant la Révolution.
Pour ses bals annuels à Saint-Pétersbourg,
ma belle-mère faisait venir des fleurs de chez
un horticulteur d'Antibes qui devint notre
voisin.

La cathédrale orthodoxe de Nice, Saint-Nicolas. Elle fut construite en 1903 en style « vieux-russien » sur le modèle de Saint-Basile-le-Bienheureux à Moscou, pour la communauté russe déjà très nombreuse sur la Côte d'Azur au début du siècle (Cl. Roger-Viollet). Ci-dessous : la chapelle orthodoxe de La Bocca décorée pour Pâques avec nos fleurs. Elle était fréquentée par une communauté de cosaques.

En bateau vers la Corse, pour notre voyage de noces, quelques mois plus tard. La mode de l'époque n'était vraiment pas seyante !

Mon mari. On l'appelait Odik. Même en tenue de travail, près de ses serres, il gardait son allure d'officier de marine.

Ce mariage d'amour fut un mariage de grand travail.
Qui peut imaginer, en voyant une fleur dans un vase,
les efforts qu'elle a coûtés à ceux qui l'ont cultivée... !
Je me transformai moi aussi en horticultrice. La vie
était dure, mais nous étions heureux.

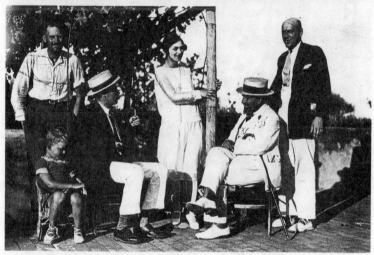

Nous étions souvent visités par des compatriotes en difficulté à l'heure du déjeuner. Combien de repas improvisés mon potager et mon poulailler ont-ils fournis ? En haut de gauche à droite : Odik, le petit Yourik, le prince Anatole Gagarine (avant : colonel de la Garde impériale montée à Saint-Pétersbourg... ici, livreur aux Galeries Lafayette de Nice),

moi, M. Guijitzky (avant : richissime propriétaire foncier, voisin et ami des Gagarine en Russie, maintenant employé d'une agence de voyages à Nice), M. Lapounoff, camarade de mon mari au Lycée impérial de Pétersbourg... Il travaillait dans un garage à Nice.

Printemps 1929. « La Clairière », le mas provençal où nous habitions. Mes parents me rendirent visite à la naissance d'Hélène, ma première fille. Je les voyais pour la dernière fois. C'est mon père qui a pris la photo. Derrière : mon mari et moi ; devant : ma mère et mon beau-frère Anatole. Ils repartirent, hélas, pour la Roumanie, rejoindre mes sœurs et je ne les revis plus. C'est la dernière photo que j'ai de maman.

2
Les bonbons amers

Isa, Ftouma et quelques autres

C'est toujours inquiétant quand on vous traite de fou, surtout quand on se sent soi-même l'esprit troublé. Allais-je vraiment commettre une folie ? Notre vieille amie Mlle Philémonov en était persuadée.

Après deux ans de réflexions, d'hésitations, j'avais décidé de quitter Rabat et de déménager avec mes trois filles à Paris. Mon instinct me disait que c'était le moment. Mes arguments me semblaient solides. Ce qui n'empêchait pas le doute de me ronger, car il y avait une grande part d'inconnu dans l'entreprise. La critique de Mlle Philémonov, dont la véhémence découlait d'une sincère amitié, mettait à nu les défauts de la cuirasse.

— Je me demande si vous vous rendez compte des risques que vous prenez ! disait notre vieille amie. C'est à se demander si vous jouissez de toute votre raison ! Vous n'avez aucune raison sérieuse de quitter le Maroc qui vous offre un havre de sécurité que vous ne retrouverez pas à Paris. Vous avez un appartement, un emploi, une domestique, des amis, la vie facile, un merveilleux climat. Et vous laissez tout ça pour courir après des chimères ! Qui vous aidera à Paris ? Qui vous conseillera ? Ici, tout le monde vous connaît et vous entoure d'égards à cause de vos grands deuils. A Paris, vous serez noyée dans la foule et personne ne vous distinguera des autres malheureux. Si vous étiez seule, vous auriez le droit de tenter l'expérience, mais entraîner trois enfants dans l'aventure !

Mlle Philémonov était presque entièrement aveugle et ne se séparait jamais de sa canne blanche. Quand elle était excitée, elle avait l'embarrassante habitude de donner à sa canne une position horizontale et de l'agiter violemment en direction de son interlocuteur. Ne distinguant pas l'endroit précis où se trouvait ce dernier, elle risquait de lui infliger une correction qui dépassait tout de même ses intentions. Je m'enfonçai autant qu'il était possible dans les profondeurs de mon fauteuil et, profitant d'un répit, me mis à plaider ma cause.

L'avenir de mes enfants était en France, non en Afrique du Nord. Les études de l'une, la formation professionnelle de l'autre les appelaient de toute façon à Paris, que je le veuille ou non. Quant au logement, je m'en étais assuré un par échange. Le climat marocain, tout merveilleux qu'il était, ne me convenait pas tant que ça, puisqu'il provoquait chez moi d'affreuses crises de paludisme. Mon poste de documentaliste au service de la Jeunesse et des Sports n'était que très modestement rétribué. J'espérais bien en trouver un meilleur à Paris. Avec mes connaissances linguistiques, mes certificats et lettres de recommandation, j'avais des chances de me tirer d'affaire. L'héritage familial se trouvait, lui aussi, en France. Pour m'en occuper, je devais me rendre sur place. Tutrice légale de mes enfants mineurs, j'en avais le devoir.

Je ne soufflai mot des faits qui gâtaient tout. L'héritage était lourdement handicapé par des circonstances contre lesquelles je ne pouvais rien. Notre villa à Nice était occupée par des parents aussi charmants qu'insolvables ; la petite propriété d'Antibes où nous avions vécu était louée à des Italiens qui n'avaient aucune intention de nous la rendre. Profitant des lois en vigueur, tout à l'avantage des locataires, ils nous payaient un loyer dérisoire, à peine suffisant pour couvrir les impôts. Mère de famille avec trois enfants à ma charge, j'avais toutes les responsabilités, mais ne pouvais disposer de rien.

Quand je parlais de l'héritage, je ne mentais pas, car il existait réellement. Mais le seul avantage que je pouvais en tirer était d'ordre moral, il me donnait un argument de plus, un genre de justification en face des critiques.

Cette fois encore, l'argument joua en ma faveur. Mlle Philémonov abaissa sa canne et la plaça entre ses genoux.

— Parlez-moi de cet échange, dit-elle d'un ton plus doux. Comment avez-vous trouvé ce pavillon en banlieue où vous allez habiter ?

Je racontai ma rencontre avec M. Lehnert, fonctionnaire parisien muté au Maroc, qui recherchait un logement à Rabat. L'affaire était conclue et nous allions habiter à Bagneux.

Là encore, je fus un peu réticente et glissai sur le fait que M. Lehnert, étant sur place, avait pu juger de ce qu'il prenait, tandis que moi, j'achetais chat en poche. Je devais croire M. Lehnert quand il assurait que le pavillon avait tout le confort, un grand jardin et un garage. Il avait surtout loué le sous-sol, grand et clair, où on pouvait faire du bricolage. Le soupçon me vint que le pavillon lui-même ne possédait pas ces qualités.

Il avait aussi insisté sur l'agrément du jardin où il avait cultivé des légumes. Je n'avais certes pas l'intention de m'occuper d'un potager, mais l'idée d'un jardin me séduisait.

— Et toutes vos affaires ? reprit Mlle Philémonov. Vos meubles, votre piano ? Vous allez tout liquider pour une bouchée de pain !

Hélas, c'était là une question bien douloureuse. Cette « autre » valeur qui s'attache aux choses se révèle avec force à l'heure de la séparation avec le passé.

Les grands déménagements ressemblent aux sinistres. On balance parfois des objets que l'on regrettera durant des années, tandis que l'on en emporte d'autres qui s'avéreront inutiles. En vendant mon piano, j'aurais dû me rendre compte que mes cahiers de musique ne me serviraient plus à rien. Et cependant j'emballai mes partitions préférées, incapable de m'en séparer. Comme ce cosaque du Don, cavalier désarçonné à jamais, qui pendant toutes ses années d'exil avait précieusement gardé la bride de son cheval.

J'étais en pleine liquidation et mon appartement ressemblait à une foire. J'osais à peine me l'avouer, mais je me réjouissais que Mlle Philémonov ne pût voir le chaos qui y régnait.

Devant son intérieur éventré, ses possessions étalées sous les yeux scrutateurs et avides des acheteurs, on éprouve un sentiment de gêne, presque de culpabilité. On se sent responsable des défauts de son mobilier soudain mis à jour. Des objets longtemps oubliés et laissés sans entretien apparaissent comme des accusateurs de votre négligence.

L'harmonie qui lie les choses une fois rompue, chaque chose ne représente plus que sa valeur propre. Telle étagère dépouillée de ses livres et bibelots n'est plus que du bois blanc. L'armoire en cèdre sculpté examinée de près n'est plus aussi belle que vous l'aviez cru : le ver de bois l'a sérieusement attaquée, les reliefs ciselés sont en maints endroits ébréchés. La table est légèrement branlante et les rideaux fanés. Rien n'échappe aux yeux des chercheurs d'occasions, les prix, déjà dérisoires, sont âprement discutés.

La question vestimentaire présentait pour moi un sujet de grave inquiétude. Le climat du Maroc ne nécessitait pas de garde-robe d'hiver importante. La guerre aidant, nos réserves s'étaient épuisées. Après dix ans passés sur la Côte d'Azur et onze au Maroc, nous avions perdu la notion du froid. Je craignais le choc de la transition pour mes enfants qui, nées dans le Midi, n'avaient jamais vu la neige. Mes souvenirs des hivers de l'Europe centrale m'avertissaient des épreuves qui nous attendaient. Pour y faire face, j'entrepris des mesures énergiques. J'engageai une couturière à domicile pour nous confectionner un équipement approprié.

Mme Rosio était une juive du mellâh, de caractère jovial et optimiste, très sûre d'elle-même et rapide de mouvements. Que son assurance dépassât de loin sa compétence ne se révéla que plus tard.

Sa langue marchait au même rythme que ses mains et elle nous racontait des histoires tordantes en se servant d'un français pittoresque, employant un mot pour un autre ou en improvisant un selon les besoins. Lorsque j'émettais un doute au sujet d'un vêtement en cours de fabrication, elle me rassurait d'un ton enjoué :

— Ayez confiance ! Vous aurez une robe « rrravie » !

Hantée par la crainte des grands froids de Paris, je lui fis faire de gros paletots doublés d'ouatine pour mes trois filles et elle s'y attaqua allègrement. Plus les travaux avançaient, plus ces paletots prenaient un aspect bizarre et mes filles aînées Hélène et Elisabeth, âgées de dix-huit et de seize ans, les observaient d'un œil sceptique. Elles savaient que Paris était la capitale de l'élégance. Macha, âgée seulement de huit ans, était encore indifférente à ce côté du problème, mais éclatait de rire en se voyant dans la glace au cours des essayages.

Au remue-ménage et à la confusion qui régnaient dans la maison s'ajoutaient des clameurs déchirantes venant de la cuisine. C'était Isa, ma fatma, qui pleurait notre départ. Elle lançait par intervalles réguliers des cris perçants suivis d'ululements plaintifs, de lamentations et de sanglots, comme une pleureuse au chevet d'un mort. En vain essayais-je de la consoler en la comblant de cadeaux. Elle faisait semblant de ne rien voir et repartait de plus belle pour marquer son désintéressement.

Isa était une perle et faisait partie de notre famille

depuis dix ans. On ne pouvait définir son âge et elle n'en avait aucune idée elle-même. Son visage presque noir était lisse et ferme et ne portait aucune trace du temps. Il y avait en elle un calme et une dignité que je donnais souvent en exemple à mes enfants.

Son histoire était pleine de mystère et elle ne pouvait préciser le lieu de son origine. Ravie à sa famille à un très jeune âge, elle n'avait gardé de souvenir clair que de son enfance à la cour d'un pacha du Sud chez qui, parmi d'autres esclaves, elle travaillait dans les cuisines.

Ses souvenirs étaient remplis d'images poignantes qu'elle aimait évoquer sans rancune pour un maître cruel et despotique. Au contraire, le traitement auquel le pacha soumettait ses subordonnés lui paraissait provenir de sa grandeur.

Pour préserver l'ordre dans sa maison et se faire respecter, ce grand seigneur faisait régner la terreur. Si par malheur un couscous ne lui avait pas plu, ou si ses plateaux de cuivre manquaient de lustre, ou encore si une négligence lui avait été signalée, il ordonnait que tout le personnel féminin fût amené dans la cour et allongé sur le ventre devant lui. Il passait alors le long des corps prostrés et les cinglait avec sa cravache, sans s'abaisser à démêler les responsabilités.

De cette façon il obtenait une parfaite solidarité et une discipline à toute épreuve. Curieusement, ces châtiments en bloc avaient laissé à Isa d'excellents souvenirs et elle les racontait en riant.

Pour me parler, Isa avait un vocabulaire arabe simplifié mêlé de mots français et je lui répondais de même. De sorte que ni elle en français ni moi en arabe ne faisions de grands progrès. Il est vrai que les gestes remplaçaient beaucoup de mots manquants.

En dépit de ces limitations, nous nous comprenions à merveille et tenions de longues conversations pleines d'intérêt.

Isa me raconta qu'un jour elle fut vendue à un militaire qui l'emmena à Rabat. Peu à peu, en changeant de place et de maris, elle s'émancipa. A présent, elle choisissait ses maris elle-même et les quittait quand bon lui semblait.

Sous ce rapport cependant elle semblait avoir trouvé l'idéal en la personne de Rhal, son actuel époux.

Isa était sûre de son origine noble mais sans pouvoir le prouver, ne sachant ni où, ni quand, ni de qui elle était née.

Isa n'avait pas d'enfants, du moins dans le sens habituel du mot. A ce point de vue, son cas était un peu spécial, quoique tout à fait naturel : elle portait dans son sein, et depuis huit ans déjà, un enfant endormi et rien pour l'instant ne présageait son prochain réveil.

Rhal, le mari d'Isa, était un énorme bonhomme borgne et barbu qui se déplaçait avec lenteur et majesté, vêtu d'une vaste djellaba, la tête enturbannée, un bâton dans les mains.

Si Rhal était l'objet de la vénération de sa femme, il y avait de quoi : il était marabout, prophète et guérisseur doué de dons exceptionnels. Il jouissait d'un grand prestige au douar Debbagh où il vivait avec Isa, en exerçant l'art médical et la magie.

Le dévouement d'Isa à son mari était total. Elle le servait, le soignait, le protégeait. Au cours de ses exhibitions, elle lui servait d'enfant de chœur et d'assistante. Quand il mangeait le feu, elle préparait les brindilles et la braise qu'il se fourrait dans la bouche en soufflant par les narines une terrible fumée. Il brûlait les aromates et cuisait les poulets apportés en offrande par les fidèles.

« Rhal a dit » était pour Isa un argument irréfutable, un verdict sans appel. Pénétrée de son omniscience et de sa supériorité, elle trouvait tout naturel qu'il ne travaillât pas. Elle était là pour ça. Ce qui ne l'empêchait pas de rester consciente de sa propre valeur et de se considérer comme « petit marabout », élève de son illustre époux.

Elle aussi avait des dons pour la médecine et traitait les cas moins graves.

Isa était en contact avec les sphères supérieures. Aussi, plusieurs fois, de ses propres yeux, avait-elle aperçu des djinns, ces esprits espiègles qui ne se montrent qu'aux sujets d'élite. Et ce qui est plus important, elle vit un soir, dans un tourbillon de l'oued, la mystérieuse Aïcha Kandicha, sirène pleine de malice et si souvent mal-intentionnée. Elle avait sorti sa tête de l'eau et avait regardé Isa. C'est à ce moment-là que l'enfant qu'elle portait s'endormit.

Rhal avait une sœur qui s'appelait Miloudia, plus jeune que lui et sans dons particuliers, mais marquée, elle aussi, par les forces de l'au-delà. Ce fait avait été prouvé par ses expériences matrimoniales.

Mariée à un soldat de la garde du sultan, elle se trouva enceinte. Mais, pour une raison inconnue, l'enfant refusa de naître et se tint coi pendant quatre ans.

Entre-temps, Miloudia avait quitté son *askari* et en avait pris un autre, et même un troisième, pour être plus exact. Tout d'un coup, le petit dormeur changea d'avis et se mit à pousser et on ne pouvait plus douter : il allait naître.

Logiquement, Miloudia déduisit que c'était l'enfant de son premier mari et exigea une pension. Le soldat se rebiffa et jura avoir quitté sa femme quatre ans auparavant et ne pas l'avoir revue depuis. On demanda à Rhal d'arbitrer et il le fit avec une impartialité exemplaire.

L'enfant était bien du premier mari, mais avait attendu pour naître que son père eût de l'avancement pour pouvoir l'élever convenablement.

L'askari reconnut l'équité du jugement et fut flatté de l'intelligence précoce de son enfant. Ainsi Miloudia put toucher une pension pour sa petite Saadia, bébé chétif et malingre qu'elle transportait partout sur son dos.

La réputation de Miloudia ne souffrit nullement de la

naissance un peu retardée de son enfant ; bien au contraire, l'intervention miraculeuse des forces supérieures dans l'affaire lui valut de la considération.

Notre amitié avec Isa fut un moment assombrie et compromise par des événements qui eurent lieu un certain été à Souk Djemmaa el-Haoufate, propriété sur l'oued Sebou dont s'occupait mon mari, et où nous allions passer tous les étés.

Je proposai à Isa de nous y accompagner et elle accepta, mais à une seule condition : que Rhal fût de la partie. Nous consentîmes, mais non sans appréhension. Comment une personnalité de pareille envergure allait-elle être reçue par nos ouvriers ?

Au début, tout marcha à merveille. Le prestige de Rhal triompha de toutes les jalousies et au bout de quelques jours on le vit au milieu d'un cercle de blédards accroupis, attentifs, suspendus à sa bouche.

Une séance de feu fut annoncée à la demande générale et la nouvelle se répandit jusqu'aux douars voisins. Seul Hadj, le contremaître, manifesta de la mauvaise humeur, causée sans doute par l'envie. Il alla jusqu'à exprimer des doutes au sujet des dons de Rhal et en parla avec un dédain ironique.

Mais Hadj était un cynique corrompu par la fréquentation des Français et toute sorte d'autres roumis, on le savait, même si on n'osait pas le formuler à cause de la situation élevée qu'il occupait dans le domaine et de ses connaissances en français.

Il le parlait couramment en effet et avait adopté des expressions tout à fait modernes. Le matin, par exemple, en apercevant mon mari, au lieu de lui dire : « Bonjour, monsieur », Hadj lançait d'un ton familier et désinvolte : « Alors, ça gaze ? »

Le bruit courait que Hadj buvait du vin dans sa *noualla*. Les ouvriers avaient eu cette impression d'après son haleine et ses airs cachottiers. Mais c'était une accusation grave qu'on n'osait pas exprimer à haute voix.

A vrai dire, Odik avait depuis longtemps découvert que ces soupçons étaient bien fondés, mais préférait ne pas en faire état pour ne pas discréditer son contremaître.

Il y avait un marabout, lieu saint, à la propriété, petit monticule couvert de jujubiers au milieu d'un champ. Quelques crânes et autres tristes restes humains pointaient au fond des buissons. Les Arabes n'enterrent leurs morts qu'à cinquante centimètres de profondeur et les pluies aidant, si ce n'est les corbeaux et les rats, les sépultures étaient remontées à la surface.

Certains jours de l'année, genre de Toussaint musulmane, les habitants des douars les plus proches venaient honorer les tombes en attachant des petits bouts de tissu et des rubans multicolores aux branches des jujubiers, puis remettaient des poulets à Hadj pour qu'il les égorge solennellement sur les tombes en sacrifice.

— Je suis responsable du cimetière, déclarait Hadj d'un ton suffisant.

Ayant joué leur rôle sur les tombes, les poulets passaient dans la noualla du contremaître et c'est la charmante Hadda, son épouse, qui devenait responsable des tajines qu'elle en faisait pour son mari.

L'arrivée de Rhal détourna l'intérêt général, ainsi que les poulets, vers un autre centre d'attraction. C'était Isa à présent qui cuisait les tajines auxquels Hadj ne fut même pas convié.

Il en fut cruellement mortifié et ne pensa plus qu'à prendre sa revanche. L'occasion ne tarda pas à se présenter.

En vertu d'une coutume à laquelle les ouvriers tenaient particulièrement, les champs, aussitôt les moissons terminées, étaient abandonnés aux femmes des ouvriers pour le glanage. Les moissonneuses accomplissaient le travail très rapidement, mais laissaient derrière elles une quantité considérable d'épis éparpillés. Le glanage était donc une opération fort fructueuse et par conséquent fort appréciée.

Et voilà que Rhal et Isa exprimèrent la prétention d'y participer ! Hadj prit avec véhémence la défense des ouvriers de la ferme et fit si bien que le climat changea radicalement. Tout fut oublié, prêches, prophéties, miracles. Rien ne tint devant le blé.

Odik essaya de concilier les convoitises en attribuant à Rhal et Isa le deuxième glanage, mais ils rejetèrent cette solution avec dépit en objectant qu'après les fatmas un moineau ne trouverait pas un grain de blé. Ce qui était vrai.

On ne trouva pas le moyen d'arranger les choses et, un matin, Isa vint me déclarer qu'ils partaient tous les deux et qu'elle quittait mon service.

Il faut ajouter qu'Isa s'entendait mal avec Laoni, le jeune cuisinier d'Odik. Il y eut des scandales à la cuisine, Laoni n'admettant pas l'autorité d'une femme et Isa ne voulant pas se soumettre à celle d'un gamin. Laoni déclarait que c'était lui le cuisinier de Monsieur et Isa prétendait que chez les Français, c'est Madame qui commande et qu'elle était la domestique de Madame. Ils se chamaillèrent terriblement et s'en allèrent tous les deux, me laissant le plaisir de les remplacer.

Si Laoni méprisait Isa parce qu'elle était une femme, Isa méprisait Laoni parce qu'il n'était pas tout à fait un homme.

Laoni était un beau garçon de dix-huit ans, vif et malin. Rien dans son aspect ne trahissait le petit malheur qui lui était arrivé. Malheur dont la méchante Hadoum, mère du gardien Mohammed ben Hmed qui vivait dans une des nouallas construites pour les ouvriers du domaine près de l'écurie, était entièrement responsable.

Elle avait pris Laoni en grippe à cause de son impertinence et de ses diverses sorties de gosse arrogant. Depuis qu'Odik l'avait engagé comme cuisinier, Laoni méprisait les Arabes et se croyait tout permis. Aussi avait-il semé l'hostilité pour sa propre personne et une méfiance concernant sa loyauté.

Pour mieux se faire voir du patron et s'élever davantage dans l'échelle sociale, il se mit à moucharder et rapporter des petits faits qui sans lui seraient passés inaperçus.

Voyant qu'Odik ne réagissait pas, il chercha des cas plus graves. Celui, par exemple, des ouvriers chargés de creuser des trous pour la plantation de jeunes orangers. Ils ne creusaient que jusqu'au niveau suffisant pour s'y enfoncer eux-mêmes et se plonger dans le sommeil.

Quant à Hadj, il avait un double rôle compliqué qui relevait autant de la diplomatie que de l'administration. Son devoir était de surveiller les ouvriers et il les surveillait. Mais il surveillait également les mouvements d'Odik, ce qui n'était pas interdit.

Le principal souci de Hadj était de contenter tout le monde et chacun sait que ce n'est pas facile. Il trouva cependant le moyen d'y réussir. Il se plaçait à un endroit élevé, bien en vue, et s'y tenait grave et sévère, en poussant de temps en temps des cris menaçants pour activer les travaux. Mais aussi quelques coups de sifflet qui seuls comptaient, car ils avertissaient les hommes de l'approche du gérant.

Arrivé sur les lieux, Odik trouvait ses ouvriers en train de creuser avec zèle et une vigueur, semblait-il, inépuisable.

Le système fonctionna à la perfection jusqu'au jour où Laoni y fourra son nez. Il est vrai qu'Odik avait déjà remarqué ce curieux phénomène : les trous démarraient très vite, mais n'étaient jamais terminés.

L'espoir de Laoni de se distinguer fut déçu. Au lieu de le louer, Odik le prévint que son attitude vis-à-vis de ses camarades ne lui apporterait que des ennuis.

Cette prédiction se réalisa peu de temps après et l'instrument de la justice fut, comme je l'ai dit, Hadoum.

Un matin donc, au moment où Laoni passait devant sa noualla sur le chemin de la maison, la vieille femme qui le guettait sortit subitement de sa porte et tendit ses deux mains vers le jeune cuisinier. Dans ses mains elle tenait une cardeuse, genre de peigne en bois composé de deux planchettes garnies de pointes, réunies à un des bouts comme une pince et ressemblant à une gueule de chacal. Elle visa Laoni et fit trois fois clac, clac, clac. Et instantanément la virilité du pauvre garçon disparut.

Il voulut traiter les manigances de Hadoum par le mépris, mais se rendit compte de leur efficacité quand quelques mois plus tard il se maria. Malgré les attraits exceptionnels de sa jeune femme âgée de quinze ans, ça ne marcha pas. La soumission et la jeunesse de la petite Aïcha ne l'empêchèrent pas de ressentir quelque mépris pour ce mari si peu doué. Il la battit comme plâtre, l'injuria, l'enferma, la priva de nourriture. Rien n'y fit.

Les parents de la jeune femme essayèrent d'intervenir. Ils examinèrent le cas et donnèrent des conseils, mais restèrent impuissants devant la malédiction jetée par Hadoum.

Ces tristes événements nous furent rapportés par Ab Slem, le mécanicien, dont la femme était au courant de l'affaire et prenait parti pour la jeune Aïcha.

Un soir, Laoni nous la montra. Nous étions à table en train de dîner quand il la poussa brusquement dans la salle à manger malgré ses efforts désespérés pour s'enfuir. Elle s'arrêta net devant nous comme une biche aux abois, terrassée par la peur, peur de nous, peur de son violent mari, peur de tout.

Je n'ai jamais vu de créature plus belle ; petite et gracieuse, avec un délicieux visage aux immenses yeux sombres, elle me fit penser aux héroïnes des *Mille et Une Nuits*. Jamais cette comparaison, souvent employée, n'a été plus justifiée. Il était affreux d'imaginer que Laoni avait tout pouvoir de brutaliser cette adorable enfant et de la défigurer par des coups.

Je suis heureuse de pouvoir terminer cette chronique sur un ton plus gai et je me réjouis de rapporter que Laoni finit par faire taire son orgueil en présentant ses excuses à Hadoum.

Celle-ci, ayant joui de sa vengeance et récolté de nombreux dons de la part des familles intéressées, consentit à lever l'embargo et libérer les navires captifs.

Elle se servit du même instrument que naguère, mais manœuvra de façon différente. De la gueule de la cardeuse fermée, elle visa un endroit précis, ouvrit brusquement la pince et la tint ouverte pendant quelques instants.

Les choses se remirent en place et la malédiction s'envola.

Mais je reviens à Isa. Au moment où le couple nous annonça son départ, nous nous sentîmes soulagés. Ce n'est qu'en rentrant à Rabat en septembre que je compris l'étendue de ma perte.

Plusieurs personnes de peu de mérite se succédèrent dans ma maison, mais je ne raconterai que l'expérience d'un seul de ces passages. Je ne parlerai que de Ftouma.

Elle me fut envoyée par une amie de l'amie de la fatma de ma voisine. Quand je la vis entrer dans le vestibule, pyramide blanche de cotonnades éblouissantes, qui ne laissaient apercevoir que deux yeux noirs perçants, j'eus l'intuition que ce serait une perle.

Elle était propre, racée, digne. Elle savait faire la cuisine, laver le linge, repasser, tenir une maison. Elle présenta des certificats pleins d'éloges louant ses nombreuses qualités.

C'est vrai qu'ils ne l'appelaient pas tous du même nom : tantôt c'était l'honnête et travailleuse Zora, tantôt la bonne cuisinière Hadija, ou encore la personne capable de repasser qu'on nommait Habiba. Je soupçonnais la vérité, mais passai outre. Mon impression personnelle comptait plus pour moi que tous ces certificats de complaisance que les fatmas se repassent au besoin, sans s'occuper de leur contenu.

Je n'appris que plus tard qu'à cette collection il manquait la pièce maîtresse qui, elle, lui appartenait en propre : le certificat attestant son séjour en prison pour vol qualifié. Mais ce fait, à défaut de document, me fut révélé par l'expérience.

Ftouma avait le don de se mouvoir sans bruit, de parler peu et de travailler vite. Enchantée d'être si bien servie, je me plongeai dans ma musique et la laissai faire à sa guise.

Ce fut l'époque où je souffrais de crises de paludisme et je me trouvais souvent au lit clouée avec 40° de fièvre pendant plusieurs jours. Là encore, Ftouma se montra à la hauteur et me remplaça avec succès.

J'avais donc toutes les raisons d'en être satisfaite et un seul détail détonnait dans nos relations. Quand elle parlait des Français, ses yeux prenaient un éclat sinistre et quand elle esquissait des mains le geste qu'elle allait faire quand le moment serait venu de prendre un couteau, ma parole, cela donnait le frisson !

Je voulais espérer que ce n'étaient que des rêves et qu'en réalité elle n'en ferait rien. Ou, du moins, que sa rancune aurait d'autres objectifs que ma famille dont elle n'avait qu'à se louer.

Notre maison présentait pour elle un champ d'activité riche en possibilités et elle en profita. Mais je la blâme moins que moi-même pour ma nonchalance, ma crédulité, mon manque de discipline. Et si je regretterai toujours certains objets irremplaçables, je me rends compte aussi qu'ils méritaient d'être mieux gardés.

Du point de vue de la morale musulmane, certains péchés que commettait Ftouma étaient plus graves que ces vétilles : elle fumait et buvait du vin.

J'avais remarqué qu'elle était toujours aussi empressée

d'aller faire des emplettes pour la maison que je l'étais moi-même à retourner à mon piano. Elle rapportait chaque fois deux litres de vin, ce qui faisait beaucoup dans une maison où on ne buvait que de l'eau.

Ftouma aimait aussi le café, le sucre, l'huile, ainsi à vrai dire que tout le reste. Un petit incident m'ouvrit les yeux.

Le tabac à cette époque était rationné et chaque fumeur ne recevait qu'un certain nombre de paquets de cigarettes par semaine. Nous ne fumions pas, Odik et moi, mais prenions nos rations pour les céder à des amis. Chaque fois que je rapportais mes deux paquets, je les jetais sans regarder dans un des tiroirs de ma coiffeuse.

Un jour nos amis fumeurs vinrent chercher ces cigarettes en apportant en échange un sac de pommes de terre. Je rappelle que nous étions en pleine guerre et l'on manquait, même au Maroc, de bien des choses.

Je devais, d'après mes calculs, posséder à présent une trentaine de paquets de cigarettes, de quoi payer mes pommes de terre. Quelle ne fut ma surprise quand, en ouvrant le tiroir, je le trouvai vide !

Mais il faut se mettre à la place de Ftouma : en retirant un paquet par jour elle croyait être discrète, et comment pouvait-elle savoir qu'elle était seule à le faire ?

Une autre fois, une petite scène à la cuisine fut très révélatrice. J'y entrai de façon inopinée et trouvai Ftouma en train de fraterniser avec le vitrier juif Benchimol venu remplacer quelques carreaux. Et selon le Coran, ce n'était pas à faire.

Je m'aperçus que l'amabilité de Ftouma s'opérait à mes frais quand le vitrier tira de sa poche un mouchoir pour essuyer sa bouche encore remplie de vin. Un jet de grains de café suivit le mouchoir et se répandit sur les dalles de la cuisine.

L'autre poche du vitrier était étrangement gonflée et j'eus l'impression que c'était du sucre en morceaux. Mais enfin, Ftouma offrait ce qu'elle avait, c'est-à-dire mes provisions.

Mais tout cela n'était qu'enfantillage comparé aux procédés diaboliques qu'elle se vantait d'avoir pratiqués dans les maisons qui ne lui avaient pas plu. Je ne sais pas ce qui me valut ses confidences, peut-être le plaisir de les raconter.

Elle se vanta donc d'un méchant tour qu'elle avait joué un jour à ses patrons. Il paraît qu'elle avait ramassé des poux et les avait enfermés dans une boîte d'allumettes. En faisant les lits elle les avait semés sous les oreillers.

Une autre fois, elle avait lâché des punaises, mais je ne pus saisir si c'était la même famille qui les avait récoltées.

Un beau jour, nous fûmes envahis de ces deux variétés d'insectes et les histoires de Ftouma me revinrent à la mémoire. Elle n'était plus chez nous, mais avait-elle voulu nous laisser ce cadeau d'adieu ? C'est fort possible, pourtant on ne peut l'affirmer, car tout Rabat était affligé de ce fléau et, malgré une lutte acharnée, le resta jusqu'au jour où les Américains nous apportèrent la poudre DDT.

Avant de quitter Ftouma, je raconterai encore ceci :

Un matin, tandis que j'étais à mon piano, une explosion ébranla la maison. Je sursautai — une bombe !

Je courus à travers les pièces, affolée, bénissant le ciel que les enfants fussent à l'école.

La porte de la salle à manger était bloquée de l'intérieur, mais je pus la pousser de quelques centimètres et entrevoir un extraordinaire tableau : le gros buffet de vaisselle était dangereusement incliné et reposait sur les bras tendus de Ftouma qui à croupetons le soutenait tel Hercule le globe terrestre. Dès qu'elle faisait le moindre mouvement pour se libérer, une pluie de vaisselle recommençait à se déverser sur elle et autour d'elle, en se brisant avec fracas sur le dallage.

Je ne pouvais ni la délivrer, ni sauver un seul objet, ni même entrer dans la pièce. Il y avait fort heureusement une autre porte par laquelle je pus entrer et, après de difficiles manœuvres, tirer Ftouma de sa fâcheuse position.

Elle en sortit sans blessures, quitte seulement d'une grande peur. Mais la vaisselle ! Ce fut un coup de maître. Services à thé et à café, tous les verres avec carafons et carafes, toutes les assiettes, tous les plats, tout. Une bombe n'aurait pas fait mieux.

Ce désastre, Ftouma ne l'avait pas voulu. Au contraire, c'est avec les meilleures intentions du monde qu'elle s'était accrochée au rebord du buffet pour l'épousseter.

Nous vécûmes sans vaisselle, car les magasins étaient vides et on ne pouvait se procurer que des tasses et des assiettes en argile faites par les artisans du pays. C'est de ça que nous dûmes nous contenter pendant des années.

Ftouma nous quitta de son plein gré et je lui écrivis un certificat élogieux.

Qu'on imagine la joie quand après un an d'absence Isa revint. Elle aussi, de son côté, avait fait de tristes expériences et était heureuse de rentrer. Avec elle, la paix revint dans la maison.

Je voudrais ajouter quelques mots au sujet de la médecine de Rhal. Il me semble que la médecine n'a un sens que si elle soulage les maux. Le médecin n'est bon que s'il est capable de guérir. Rhal y réussissait admirablement. Peu importe comment. Je sais que les moyens qu'il employait pourraient être contestés. Mais le résultat était là et c'est tout ce qu'il faut.

J'avoue que je déclinai moi-même l'offre d'Isa de faire intervenir son mari à l'occasion d'une conjonctivite dont souffrait une de mes filles. Tout est question de confiance et je ne l'avais pas. Ce n'était pas de la faute de Rhal.

Son traitement était simple et efficace : il crachait dans une poignée de poussière ramassée sur la route, y soufflait quelques paroles magiques et appliquait le baume sur les yeux malades. En somme, une recette évangélique que nous connaissons depuis deux mille ans.

Dans certains cas plus graves, il crachait directement dans les yeux ou passait sa langue sous les paupières du malade.

Je mettrais la main au feu que parmi les patients de Rhal il y avait moins de déçus et de mécontents que parmi ceux de nos médecins européens. Rhal basait la médecine sur la foi et non sur des titres et des diplômes. Pour des soins réussis ou non, on lui donnait un gigot ou un poulet, et non toutes ses économies. Et on en sortait sûrement avec moins de dégâts.

*Mon mari disait avoir raté cette photo « floue ».
Pour moi, elle évoque mes années heureuses dans le
midi de la France.*

1929. Saint-Martin-Vésubie, dans les Alpes. Je viens d'avoir Hélène. Elle a quatre mois. Nous étions en vacances, chez un ami de mon mari, ancien capitaine de la marine impériale, qui avait ouvert une pension de famille assez peu professionnelle. Il faisait tout, même la cuisine.
Odik et moi avec mon bébé. Elle avait un sacré caractère et ne tenait pas en place.

1933, Antibes. Elisabeth est née, les petites filles s'amusent avec mes chèvres.

Mon mari avec la petite Elisabeth. Ni lui ni elle n'aimaient être photographiés. Ils avaient des conversations très sérieuses, car Elisabeth se posait beaucoup de questions : « Papa, comment fait-on le pain ? Papa, pourquoi le poussin est-il enfermé dans l'œuf ? »

Hélène (cinq ans) entre à l'école communale d'Anti-
bes. (On l'aperçoit à l'intérieur.) Elisabeth (trois
ans) voulait la suivre, mais la maîtresse l'a laissée
dehors. Elle est très fâchée et elle pleure. Mon mari
a saisi cet instant avec son appareil photo.

En bonnes petites filles russes, mes enfants ne manquaient ni de leçons de musique ni de leçons de danse. En plus de son lourd travail dans la propriété, mon pauvre époux devait les accompagner deux fois par semaine à Cannes avec sa vieille Renault, au cours de Mme Sedova, ex-danseuse étoile du théâtre Marie de Saint-Pétersbourg. Quant au piano, c'est moi-même qui m'en chargeais à la maison.

Les blés d'Antibes n'étaient pas moins blonds que ceux d'Ukraine, mais ils suffisaient juste à nourrir nos quelques poules...

Le pavillon de Bagneux

Gare de Lyon. Notre voyage était terminé. Je jetai un regard sur mes enfants et comptai nos bagages. Tout était là, formant un groupe isolé dans la foule mouvante, grise et affairée du grand quai.

Ce n'est qu'à ce moment que je sentis avec précision à quel point la réalité est différente de l'image que l'on s'en fait. Car on a beau se documenter, s'informer et s'armer de courage, quand on y est, c'est tout autre chose.

Notre traversée de Casablanca à Marseille s'était passée sur un océan clément, Marseille nous accueillit ensoleillé et lumineux. L'entrée dans le Nord pendant la nuit dans le train était passée inaperçue. Ce n'est qu'à présent que nous sentions la brume glacée s'abattre sur nous, nous envelopper, nous engloutir.

Je cherchai des yeux notre cousin Georges qui avait promis de venir nous cueillir à la gare pour nous accompagner à Bagneux. Un jeune homme à l'allure désinvolte, portant d'énormes lunettes à monture noire, arpentait le quai et avait l'air de chercher quelqu'un. Ses yeux se posèrent sur nous. Aussitôt son visage s'éclaira.

— Ah, s'exclama-t-il en accourant, ça doit être vous !

Sa voix avait une intonation légèrement dédaigneuse, mais remplie de bienveillance.

— Je suis l'ami de votre cousin Georges. Je me

présente : Etienne d'Arthème, cinéaste. Eh bien, eh bien, vous voilà donc ! Georges travaille ce matin et je viens le remplacer. Frigorifiées, je parie ? Quelle idée aussi de venir à Paris en décembre ! Il fait moins 6, je vous préviens !

— Il fait très froid, en effet... Mais laissez-moi vous remercier de vous être dérangé pour nous, monsieur... ?

— D'Arthème, ou Artémizov, si vous préférez. Dites donc, pourquoi êtes-vous venues ?

— Ce serait long à expliquer. Pour l'instant nous y sommes. Comment est-ce qu'on va à Bagneux ? C'est une proche banlieue, m'a-t-on dit. Il faut prendre le train de Sceaux.

— Oh, oh ! Vous ne connaissez ni Paris ni Bagneux, à ce que je vois. Bagneux, Bagneux, ce n'est pas si près que ça et la ligne de Sceaux ne passe pas ici.

— Il doit y avoir un transport quelconque ? Un autobus, le métro, peut-être le bateau-mouche ?

— Le bateau-mouche !

Il éclata de rire.

— Vous avez dû voir *Le Diable au corps*. Très bon film, entre parenthèses, je puis en juger, je suis metteur en scène, auteur dramatique et critique d'art. J'ai de grands projets, vous savez. Mais le cinéma français traverse en ce moment une crise. Comme tout le reste d'ailleurs. Ce qui fait qu'actuellement je suis assez libre. Et que comptez-vous faire à Paris ?

— Nous installer à Bagneux pour commencer. Comment est-ce qu'on y va ?

— En prenant un taxi. Ce sera cher, je vous préviens.

Les voyageurs encombrés de leurs valises faisaient la queue devant la gare sinistre noyée dans le brouillard glacé. Nous prîmes place à la fin de la file. Mon regard anxieux se posa sur mes enfants et je vis la petite Macha enrouler ses longues tresses autour de son cou pour avoir moins froid à la gorge. Silencieuses et écrasées, sentant

112

nos membres s'engourdir, nous poussions nos bagages un peu plus loin chaque fois qu'un taxi emmenait un voyageur à la tête de la file.

— Comme Paris est laid, dit Macha.

M. d'Arthème arrivait en courant pour nous annoncer qu'il avait trouvé un taxi. Nous nous engouffrâmes dans la voiture tous les cinq et le chauffeur démarra.

La grisaille donnait un air uniforme aux quartiers qu'on traversait, mais ne pouvait cacher l'extrême laideur d'une interminable avenue qui se prolongeait sans fin. Pour une banlieue « proche et résidentielle » comme l'avait qualifiée mon « échangiste », ça me paraissait bien loin et n'avait certes rien de résidentiel. Je scrutai avec inquiétude les visages de mes enfants en essayant de déchiffrer l'impression que leur faisait le triste paysage qui nous entourait.

— Vous nous avez vite reconnues, dis-je à M. d'Arthème.

— Oh, vous savez, on reconnaît tout de suite les provinciaux. Avez-vous jamais été à Paris ?

— Bien sûr, fis-je, piquée, plusieurs fois.

— Mais vous n'avez pas l'air de vous y retrouver. Avez-vous seulement visité la Sainte-Chapelle ?

— Mais oui, voyons.

— Comme tous les provinciaux. J'avoue que je n'en ai jamais eu le temps.

— Vous faites des films ? demandai-je comme une niaise.

— Oui et non, enfin... j'ai de grands projets.

— Et Georges ?

— Ah, Georges ! Georges subit la crise du cinéma, car il est cameraman, comme vous savez sans doute. Ce matin, il travaille, mais généralement il est en chômage.

J'eus un instant de panique : si des Parisiens qualifiés se trouvaient sans cesse au chômage... Et ce M. d'Arthème, malgré ses airs suffisants et ses grands projets, ne l'était-il pas également, tout metteur en scène, auteur dramatique et critique d'art qu'il était ?

Le taxi s'engagea dans une rue bordée de platanes et stoppa devant une petite maison à étage flanquée d'un grand portail en fer.

— Ça doit être ça, dit M. d'Arthème en sautant de la voiture. Pas trop mal, après tout. Avez-vous les clés ?

— Non, elles sont chez M. Landmann, chargé d'affaires de la propriétaire. C'est la maison d'à côté, paraît-il. J'ai annoncé notre arrivée par télégramme. Voulez-vous aller chercher ces clés de ma part ?

C'était donc ça, le pavillon de Bagneux dont on avait tant parlé avant le départ. Un petit édifice sans caractère, de triste couleur grise égayée d'une décoration en faïence bleue d'un naïf mauvais goût. Une petite allée bordée de sureaux longeait la maison et menait à une bâtisse en ciment, sans doute le garage.

— M. Landmann vous attend ! cria M. d'Arthème en accourant. Il veut vous faire signer votre engagement de location tout de suite. Et voilà les clés.

Une bouffée d'air glacé et humide nous sauta au nez en entrant dans la maison. Ma première impression fut celle de me trouver dans une glacière, la seconde, de pénétrer dans une maison de poupée, tellement tout était petit. Seule la cuisine avait des proportions normales. Sur les quatre pièces du pavillon, deux n'étaient que des paliers et les deux autres ne mesuraient que deux mètres et demi sur trois. Il y avait une mansarde plus spacieuse, mais on y entendait siffler le vent. Le jardin tant vanté par M. Lehnert n'était qu'un triste terrain recouvert de plaques de neige, avec çà et là quelques arbres déplumés.

Les fenêtres n'étaient qu'à moitié fermées, les battants gonflés par la pluie et la neige n'entrant plus dans leurs cadres.

— Voyons, dit M. d'Arthème, il faut essayer de faire du feu.

Nous descendîmes dans le sous-sol par un minuscule escalier en colimaçon recouvert d'une trappe qui débouchait dans un coin de la cuisine. Le sous-sol était clair et j'eus l'étrange impression qu'on y était mieux que dans la maison. L'énorme et antique chaudière du chauffage central faisait penser à un monument funéraire.

M. d'Arthème entreprit de l'allumer en y fourrant des vieux papiers et des bouts de bois qui traînaient partout en abondance. Je le laissai au milieu d'une épaisse fumée âcre et pris le chemin de la maison de M. Landmann.

A l'époque où se situent ces événements, un nouveau décret gouvernemental concernant les loyers venait d'entrer en vigueur en France : la valeur locative devait dorénavant s'établir selon la surface corrigée. J'avais déjà entendu parler de ce nouveau système, mais sans comprendre ce que signifiait cette curieuse expression. A présent, le pavillon sous les yeux, je voyais que, s'il n'y avait pas grand-chose comme surface, il y avait beaucoup à corriger. Je me demandais comment cet état de choses allait se traduire dans mon bail de location.

Maison cossue que celle de M. Landmann, bien entretenue et chauffée, remplie de meubles reluisants d'encaustique, de draperies et de tapis. Lui-même, petit et gros, respirait l'importance et la prospérité, affectant l'air grave et sévère qu'exigeait son rôle de gardien des intérêts de ses clients.

Il me reçut avec une froide politesse et parla du service qu'il avait accepté de rendre à sa voisine Mme Lupin, ainsi qu'à son excellent ami M. Lehnert, en servant d'intermédiaire dans notre affaire d'échange. Je le remerciai de son concours et appris que c'était à moi qu'incombait le règlement des honoraires. J'appris aussi que le loyer serait doublé du fait de l'échange. Je ressentis un choc en prenant connaissance du total.

J'allais prendre congé quand la porte s'ouvrit brusquement : Hélène accourait en hâte pour m'appeler au secours. A peine avait-on ouvert l'eau que les pièces s'étaient trouvées inondées.

Je me tournai vers M. Landmann qui à mes yeux représentait la propriétaire. Il fit un grand geste de ses deux mains qui voulait clairement indiquer que son rôle venait de se terminer. J'essayai de rappeler que le parfait état du pavillon était mentionné dans le contrat.

— Pardon, pardon, m'interrompit l'avocat, vous vous êtes engagée à l'accepter tel que vous l'a laissé M. Lehnert. Et, ajouta-t-il d'un ton sévère, vous avez encore une chance que bien des gens vous envieraient. Avec la crise actuelle, arriver à Paris en ayant un toit assuré, c'est, croyez-moi, une chance rare. Mme Lupin aurait très bien pu vous refuser l'échange. Mais le contrat est signé et je vous en félicite.

Je compris la valeur de son intervention et m'en allai assaillie de sentiments contradictoires. J'avais une sacrée chance, c'était entendu, mais comment diable allions-nous vivre dans ce pavillon qui m'avait tout l'air inhabitable ?

Le spectacle qui m'attendait ressemblait, j'imagine, à un lendemain d'un tremblement de terre. M. d'Arthème cognait avec véhémence sur les fenêtres, une fumée noire remplissait les pièces, mes filles luttaient avec l'eau qui giclait de partout. Seule Macha restait immobile dans un coin de la cuisine, recroquevillée sur un tas de journaux, bleue de froid et comme ankylosée.

Après avoir tant bien que mal bloqué les fenêtres et mis en marche la chaudière, M. d'Arthème courut au magasin de meubles où Georges avait acheté pour nous quatre sommiers, quatre chaises et une table de cuisine, pour les faire livrer avant la nuit.

La salle de bains s'avéra inutilisable. C'était une drôle d'installation que j'examinai avec curiosité. La vétuste petite baignoire en zinc avait au fond un trou en forme d'entonnoir. Ce dispositif devait mal adhérer au système d'écoulement, car, au lieu de s'en aller, l'eau se répandait sous la baignoire et passait à travers le plafond.

Notre première nuit dans notre nouvelle résidence fut remplie d'angoisse.

J'ai souvent entendu dire que les Auvergnats étaient avares et aimaient l'argent. Je ne sais pas si c'est vrai et ne voudrais pas les juger d'après Mme Lupin qui était Auvergnate. Il faudrait une plume bien plus éloquente que la mienne pour décrire la personne que le destin me donna comme propriétaire.

Mme Lupin était pénétrée du souci de tirer de son prochain le plus de bénéfice possible et obsédée par la crainte de perdre un sou. Jamais, en aucun cas, elle ne faisait confiance à personne et dès le premier contact prenait une attitude agressive comme s'il fallait se défendre d'un abus, d'une tricherie ou d'une malhonnêteté. Instruite par M. Landmann de notre arrivée, elle vint me rendre visite dès le lendemain matin.

Les premiers compliments à peine échangés, elle passa à l'assaut en me signalant d'une voix dure et péremptoire que mon prédécesseur, incorrect et négligent, avait détérioré le pavillon. Il avait abîmé les murs en déplaçant ses meubles, démoli un évier, laissé geler la tuyauterie du jardin. Elle souligna avec une violence inutile que les manquements de M. Lehnert retombaient automatiquement sur moi avec le droit de jouissance qu'elle m'accordait. J'étais donc tenue de réparer les dégâts causés par lui.

Je n'avais pas encore eu le temps de faire de constatations par moi-même, ahurie par les événements et les problèmes qui pleuvaient sur moi. Par contre, dès le premier instant, je compris la nature du caractère de Mme Lupin. Elle se jetait sur l'occasion pour me mettre sur le dos tout ce qui demandait une réparation, manquait d'entretien ou avait été cassé bien avant le temps de la famille Lehnert.

En parlant de son pavillon, Mme Lupin prenait un air suffisant comme s'il s'agissait d'un château de famille, comme si l'occuper était une chance, presque un honneur. Par ailleurs j'étais prévenue qu'ayant bénéficié d'une autorisation d'échange, je ne pouvais rien exiger. Je n'avais, me sembla-t-il, que des obligations et des devoirs.

J'eus la surprise d'apprendre que le compteur électrique n'était pas conforme au règlement et que c'était à moi de le faire changer. Que les conduits étaient pourris et menaçaient d'un court-circuit et que je devais procéder sans tarder à une remise en état. Que la tuyauterie dans la maison et le jardin était trouée et demandait une sérieuse révision. Que les palissades avaient souffert du jardinage de M. Lehnert et qu'il fallait les réparer. Que les travaux, enfin, ne pouvaient plus attendre.

Les lois, les règlements dont me bombardait Mme Lupin me coupaient le souffle et me mettaient à sa merci.

Je sus plus tard que le pavillon avait été construit par les parents de Mme Lupin, qui l'avaient bâti eux-mêmes avec l'aide de quelques copains. La salle de bains avait été fabriquée par un bricoleur et la baignoire achetée au marché à la ferraille. L'énorme chaudière du chauffage central, ruineuse par la quantité de charbon qu'elle dévorait sans résultat, provenait d'une installation antique depuis longtemps supprimée.

Si j'entrepris d'aménager le pavillon, ce n'était certes pas pour me plier aux ordres de ma propriétaire, mais pour pouvoir l'habiter.

Elle choisit elle-même les ouvriers : elle ne permettrait pas, m'avertit-elle, que n'importe qui touchât à son pavillon.

Ces spécialistes se présentaient munis d'instructions précises pour exécuter les travaux à fond, sans regarder au prix, lequel, naturellement, me concernait.

Il fallait se procurer des meubles et, affolée par les prix, j'eus l'idée des salles des ventes. Je faillis une fois me trouver avec un lot d'affreux objets sur les bras, par suite des manigances d'un type qui se trouvait à côté de moi. Profitant de mon inexpérience, il avait prétendu surenchérir en mon nom. En réponse à mes protestations, le commissaire-priseur proféra des menaces et m'ordonna d'attendre la fin des enchères pour soumettre l'incident à l'inspecteur de police. Terrorisée, je pris la fuite en me mêlant à la foule et quittai les lieux en courant.

Chauffer le pavillon était devenu pour moi le problème principal, le plus urgent, le plus compliqué et le plus exaspérant. L'image que mes enfants ont dû garder de moi à cette époque doit être celle d'une tête ébouriffée, les cheveux pleins de cendres, les mains noires et écorchées, les vêtements couverts de poussière.

La chaudière ne tirait pas et le charbon — si cher et précieux — s'éteignait à moitié consumé. Je devais constamment rallumer le feu avec des brindilles et du petit bois que je préparais en tapant sur des bûches avec une hache ou un couteau.

Je surgissais en soulevant la trappe et apparaissais dans la cuisine dans un nuage de fumée, comme un « Jack-in-the-box » ou un génie des *Mille et Une Nuits*. Mais malgré mes efforts désespérés de faire marcher la chaudière, seuls les sous-sols en ressentaient l'effet. Les radiateurs dans la maison restaient tièdes et les pièces remplies d'un froid glacial permanent.

Je compris le goût de M. Lehnert pour le bricolage et l'utilité de l'établi. Feu M. Lupin avait le premier montré l'exemple, les outils éparpillés dans tous les coins et traînant sur de grands rayons rustiques, les morceaux de bois, de ferraille, de fil de fer, les boîtes de clous rouillés en étaient les témoins. Il avait été, sans nul doute, un grand bricoleur. Et grand buveur de vin, s'il fallait juger d'après les innombrables bouteilles vides amoncelées le long des murs et alignées dans d'énormes cages métalliques.

Chassées de la maison par l'atmosphère insupportable, nous finîmes par nous cantonner dans les sous-sols dont j'entrepris le nettoyage. Armée d'une pelle et d'une fourche, je remplissais des caisses d'ordures et de débris pour les tirer vers une fosse que je creusai derrière le garage.

Je construisis une table tout près de la capricieuse chaudière en posant sur des tréteaux le couvercle d'une grosse caisse. D'autres caisses, plus petites, nous servirent de sièges.

Si mes enfants eurent cette année-là la révélation du froid, elle apprirent aussi le prix de la chaleur.

En ce qui concernait les études de mes enfants, la question fut résolue sans difficultés. Elisabeth, déjà inscrite à la Sorbonne pour terminer son année de propédeutique, s'intégra sans trop de peine au nouveau monde qui l'entourait. Ses voyages quotidiens de Bagneux au Luxembourg par la ligne de Sceaux n'étaient pas pénibles et elle s'y habitua très vite. Macha entra à l'école communale de Bagneux qui se trouvait presque en face du pavillon et s'adapta facilement à sa nouvelle vie.

Hélène, par contre, s'aperçut du bien-fondé des prédictions pessimistes de M. d'Arthème. Son métier était encombré comme tout le reste d'ailleurs, et son jeune âge, son manque d'expérience professionnelle ne rendaient pas les recherches d'emploi faciles.

Les objectifs de ma fille étaient certes différents des miens et appartenaient à un autre domaine d'activités, mais les difficultés qu'elle rencontrait témoignaient du marasme général dans les affaires, ce qui ne laissa pas de m'inquiéter. J'essayais de me rassurer moi-même en songeant à mes références et lettres de recommandation. Il fallait bannir de mes pensées le doute et l'appréhension et de mon attitude les traces de mes pénibles travaux domestiques. Il fallait s'armer de calme et d'assurance pour ne pas donner l'impression d'une quémandeuse aux abois.

Je choisis parmi mes vêtements ceux que Mme Rosio avait le moins ratés, cachai mes mains écorchées dans une paire de gants corrects, maquillai un peu mon visage amaigri et me dirigeai vers le ministère de la Jeunesse et des Sports où j'avais le plus de chance de trouver une situation.

Le chef de la section de documentation, pour lequel je possédais une lettre personnelle de la part de mon directeur de Rabat, me reçut de façon charmante. Il manifesta un grand intérêt pour le service marocain et me fit décrire le fonctionnement du bureau d'information.

Je fis un long exposé de mes activités : archives de documentation, système d'abonnements aux journaux français et étrangers, classement des parutions, sélection et traduction des articles concernant la jeunesse. Je signalai en passant que nous recevions plus de cent journaux en six langues et que j'en avais entièrement la charge.

— C'est fort intéressant, s'exclama mon interlocuteur, et sans doute très utile pour le Maroc ! Nous n'avons pas de service de presse étrangère et le bureau fonctionne autrement.

Se rappelant soudain le but de ma visite, il ajouta :

— Tous nos postes sont pourvus, je ne peux rien vous proposer. Orientez vos recherches dans une autre direction. Je suis sûr qu'avec vos connaissances...

Il m'accompagna jusqu'à la porte et me serra la main cordialement.

A l'Office du Maroc, je fus reçue par le directeur lui-même. J'avais entendu dire qu'il menait une vie très large et entretenait des relations mondaines avec tout le gratin de Paris. Je croyais donc qu'une lettre émanant du cabinet particulier d'un maréchal de France produirait son effet.

Un domestique en costume marocain m'introduisit dans

un luxueux salon. Des chandeliers allumés en dépit de la lumière du jour brillaient étrangement au-dessus d'une table vernie. Un boy en chéchia apporta des liqueurs sur un plateau arabe et des cigarettes dans une boîte en cuir ouvragé.

Mon hôte lut la lettre deux fois, la plia soigneusement et prit un air pensif. Puis soudain s'engagea dans une conversation mondaine, cita des noms, demanda des nouvelles de nos connaissances communes résidant à Rabat. Exprima enfin ses regrets de ne pouvoir plus souvent se rendre au Maroc pour y revoir la merveilleuse chaîne de l'Atlas. Pour terminer, il m'assura de toute sa sympathie ainsi que de son désir de m'être utile. Quant à la raison qui m'avait amenée, il ne prononça que trois mots, mais combien significatifs :

— J'y réfléchirai.

Je ne connus jamais le résultat de ses réflexions.

Parmi les lettres maîtresses que je possédais il y en avait une adressée à un personnage haut placé à l'Association des Anciens Combattants.

Après une longue attente dans un couloir sombre et poussiéreux, je fus enfin introduite dans le bureau de ce fonctionnaire. C'était un gros monsieur aux cheveux blancs, bonasse et paternel. Il se plongea dans la lecture de la lettre et, d'après le temps qu'il y consacra, il dut la relire plus d'une fois.

Il m'examina pendant quelque temps à travers ses lunettes. Au lieu d'aborder l'objet de ma visite, il me posa des questions remplies de sympathie : Combien d'enfants avais-je ? Leurs études ? Leurs projets d'avenir ? Leur santé ?

Il exprima ensuite ses idées sur la jeunesse de notre temps et souhaita que mes enfants ne lui ressemblassent pas. Et pour mieux les surveiller, il me conseilla de tout cœur de rester chez moi et de veiller sur eux.

Mme Favier m'avait parlé de son amitié tant de fois et

avec tant de chaleur que je ne pouvais en douter. Quand la catastrophe s'abattit sur ma tête, elle m'envoya un télégramme dont l'incohérence devait être causée par sa grande émotion.

Elle arriva de la campagne peu de temps après pour exprimer de vive voix ce que le papier n'avait pu traduire. Le côté matériel, disait-elle, était peu de chose comparé à l'effondrement d'un bonheur aussi parfait. L'argent ne fait pas le bonheur, l'argent, elle-même en avait toujours eu plus qu'il n'en fallait. C'est le bonheur par contre qui lui avait manqué.

— En somme, conclut-elle, vous avez eu plus de chance que moi !

Se rendant compte malgré tout que l'argent, même s'il ne fait pas le bonheur, reste tout de même indispensable, elle ajouta d'un ton rassurant :

— Je pourrai peut-être vous aider... J'ai une bague que je n'aime pas et que j'ai décidé de vendre. Un bijoutier de Londres s'en est chargé. S'il réussit à en tirer un bon prix, je vous promets de vous avancer un peu d'argent.

Elle ne m'en parla jamais plus. Le bijoutier anglais n'y avait sans doute pas réussi.

M. et Mme Célier étaient encore plus riches que les Favier. Comme eux, ils possédaient de grandes propriétés au Maroc et étaient nos voisins au bled. M. Célier était un homme charmant, distingué et cultivé. Nous avions souvent l'occasion de le rencontrer et en éprouvions toujours un vif plaisir.

Quant à sa femme, c'était plutôt une vieille enfant gâtée, incapable de s'occuper d'autre chose que d'elle-même, de ses meubles coûteux et de sa vie mondaine.

Cependant, ayant appris que j'étais à Paris, elle me fit signe et m'invita à goûter dans un salon de thé. Pendant quelque temps, notre conversation tourna autour des banalités habituelles. Tout en écoutant la voix monotone de la vieille dame, j'attendais le moment de parler de mes problèmes. Mais au bout d'une heure, je dus me rendre compte qu'elle restait à cent lieues des tristes sujets qui m'obsédaient. J'abordai donc la question moi-même et lui confiai mes inquiétudes.

— Ah oui, dit-elle en soupirant, il faut s'occuper, autrement on s'ennuie.

— Oh, madame, m'exclamai-je, je cherche une situation pour vivre, non pour me distraire ! Je cours d'une adresse à l'autre, mais en vain.

— Oui, oui, je comprends. Vous cherchez une situation qui vous plaise et ce n'est pas facile à trouver. Et vous avez votre chagrin, nous en avons tous été si émus. Il vaut mieux s'occuper, ça fait passer le temps et ça empêche de penser.

Je n'insistai pas. Savait-elle seulement ce que voulait dire chercher une situation ?

— Je puis vous donner une idée, reprit Mme Célier de sa voix égale, pourquoi n'entreriez-vous pas dans notre comité de bienfaisance ? Nous organisons des ventes de charité au profit des déportés. Cela vous amuserait et vous distrairait de vos malheurs. Vous vous trouveriez en très bonne compagnie, ces dames sont si gentilles. Et c'est bien agréable, croyez-moi, de se sentir utile, de contribuer à une belle œuvre.

Je constatai avec angoisse que les pistons sur lesquels j'avais fondé mes espoirs s'étaient révélés inefficaces. J'avais en réserve, il est vrai, un atout important. Le moment était venu de le jouer.

Qui plus que moi avait le droit de s'adresser à l'Association « Rhin et Danube » ? Notre fils faisait partie de l'infanterie coloniale de la Ire armée et c'était justement en souvenir de cette armée que l'association avait été fondée.

En outre, la présidente de l'association était la cousine d'une de mes amies qui, je le savais, avait déjà annoncé ma venue.

124

La présidente me reçut de façon amicale et examina avec moi tous les aspects de ma situation. Son désir de m'aider était sincère, mais il se heurtait à de multiples obstacles. Le chômage sévissait et trouver un emploi, même modeste, était presque un exploit.

— Tenez, me dit-elle, ayant besoin d'une aide-comptable, nous avions mis une annonce dans *Le Figaro*. Nous avons reçu cent cinquante réponses, dont nous n'avons examiné que cinquante, pour convoquer les dix candidates les plus qualifiées. Sur ces dix nous en avons choisi une. Et la situation que nous proposions était des plus modestes. Vous connaissez des langues étrangères, mais vous n'êtes pas sténodactylo et c'est cela qui est demandé. Nos emplois ici, très peu nombreux, sont réservés aux anciens combattants et aux veuves de guerre. Vous, bien que veuve, n'êtes pas veuve de guerre ; le fils de votre mari est mort pour la France, mais il n'était pas votre fils et par conséquent vous n'êtes pas ascendante de guerre ; vos enfants sont des orphelines, mais pas des pupilles de la Nation. Je ne vois pas du tout dans quelle catégorie je pourrais vous faire entrer. La France reste sous le choc de la guerre, la vie ne s'est pas encore organisée. Au Maroc, c'était sûrement différent. Vous auriez dû y rester.

Pendant que le directeur adjoint de l'Unesco lisait ma dernière lettre clé, je scrutais anxieusement son visage. Etais-je arrivée à bon port ? Me trouvais-je enfin devant une porte qui allait s'ouvrir ?

A cette époque, la fameuse organisation n'était pas encore installée dans son palais moderne place de Fontenoy, mais occupait l'hôtel particulier de l'infante d'Espagne, avenue Kléber. Son rayonnement n'était qu'à ses débuts et n'attirait encore qu'une nuée de postulants de différentes nationalités. On racontait des merveilles sur cette nouvelle organisation, mais ses activités n'étaient pas très bien connues.

Le soupir que poussa le directeur adjoint en pliant la lettre m'inquiéta : c'était une mauvaise entrée en matière.

— Votre cas ne peut qu'éveiller la sympathie, dit-il enfin, mais c'est, hélas, tout ce que nous pouvons offrir. L'Unesco dès sa création avait été destinée à la collaboration de toutes les nations et, par conséquent, devait accepter les représentants des pays participants. Le contingent français fut le premier rempli. Vous pouvez cependant poser votre candidature. Etes-vous sténodactylo bilingue très rapide ? Ce serait la seule chance. On vous ferait passer un test pour juger de vos capacités et, si vous réussissez, on vous convoquerait peut-être par la suite.

Ah ! ça me changeait de l'ambiance du service de la Jeunesse et des Sports de Rabat ! Etait-ce dans un rêve que j'entendis un jour le chef du service me dire simplement :

— Venez demain, au lieu de me proposer de passer des tests et des examens.

Je suivis le directeur adjoint au bureau du personnel où une secrétaire américaine paraissait se morfondre derrière son bureau encombré de dossiers. Elle devait posséder, elle, les hautes qualifications exigées, mais n'avait pas l'air de les employer souvent.

Avec indifférence, d'un geste machinal, elle me tendit un paquet de feuilles à remplir et je les emportai dans le hall. Ce fut long et fastidieux, un véritable interrogatoire s'étendant à la vie privée, les goûts personnels, le mode de vie, la situation familiale, les capacités, les études, les aspirations. J'y répondis tant bien que mal, énumérai les pays où j'avais vécu, les activités que j'avais exercées au cours de mon existence, et les connaissances que je croyais posséder.

Pour terminer, il fallait indiquer mes prétentions. Je restai longtemps perplexe devant ce paragraphe. Je n'avais aucune idée des salaires qu'offrait l'Unesco à ses employés et de ce que valaient aux yeux du chef du personnel mes éventuels services.

Je ne doutais pas que mes prétentions seraient platoniques, mais par acquit de conscience nommai les émoluments que je recevais à Rabat. Ce n'était certes pas le Pérou, mais je m'en serais bien contentée.

Je portai ma demande d'emploi à la secrétaire qui, sans y jeter un coup d'œil, la plaça nonchalamment dans un casier où des piles hautes comme des tours de dossiers semblables s'alignaient déjà, ne présageant aucune solution rapide.

Je n'eus jamais à affronter les affres des épreuves, car je ne fus jamais convoquée.

— Pourquoi n'iriez-vous pas à l'Hôpital américain ? me dit une amie à laquelle je venais de raconter mes difficultés. Tant de nos compatriotes y ont trouvé des situations. Allez donc voir Mme Lazarine, chef du personnel qui, par chance, est russe. Elle pourra peut-être vous caser. Tenez, votre cousin Pierre y travaille depuis des années et pourrait vous recommander.

Avant de tenter ma chance auprès de Mme Lazarine, je demandai conseil à ce cousin Pierre qui s'occupait du standard téléphonique de l'hôpital.

Son point de vue était le suivant : la dame en question était malheureusement fort peu sympathique et il y avait peu de chance de l'émouvoir. Par contre, elle avait un talon d'Achille assez sensible : elle nourrissait des sentiments voisins de l'adoration pour le vieux comte X. qui dans le passé lui avait rendu de grands services. La clé du cœur de Mme Lazarine était le comte X. Il était donc prudent de se munir d'une lettre de lui comme introduction.

Cette lettre, je l'obtins par l'intermédiaire d'un ami commun. Le vieux comte, il est vrai, tout en prêtant son concours généreux et désintéressé, embrouilla un peu les choses et me recommanda comme infirmière. Les dames de Saint-Pétersbourg de son temps avaient toutes suivi des cours d'infirmières pour travailler bénévolement dans les hôpitaux militaires pendant la Première Guerre mondiale. Dans l'émigration, démunies de moyens d'existence, certaines d'entre elles purent utiliser leurs diplômes pour trouver du travail.

Ce n'était probablement pas la première fois qu'on demandait au comte X., qui était général, une référence de ce genre. Seulement, le comte ne savait pas qu'à cette époque je n'avais pas dix ans. Il ne devait d'ailleurs plus très bien distinguer les âges ni se rendre compte des époques auxquelles les gens appartenaient. Je dus donc considérer sa recommandation uniquement comme arme morale, sorte de garantie de mon honorabilité.

De ma démarche à l'Hôpital américain je gardai surtout le souvenir d'une terrible tempête de neige qui s'abattit soudain sur Paris, et du long trajet à pied que j'accomplis sous les bourrasques glacées qui me fouettaient le visage et me coupaient la respiration. Transie de froid, décoiffée, misérable, j'arrivai enfin devant les portes de l'hôpital.

La lettre magique produisit bien moins d'effet que ne l'avait prédit mon cousin et se solda par quelques compliments que Mme Lazarine me chargea de transmettre au comte. Ce que je ne pus faire, ne le connaissant pas.

C'est M. Abramov, directeur d'un bureau de placement russe, qui me fit comprendre que mon moyen de procéder ne me mènerait nulle part. On ne pouvait compter sur des recommandations à une époque où les emplois étaient si rares et difficiles à dénicher. Les pistons ne pouvaient servir que dans les cas où on avait des qualifications bien définies. Or les miennes étaient trop vagues, pour ne pas dire inexistantes. Mes langues étrangères n'étaient intéressantes qu'accompagnées de sténodactylographie. Il fallait s'y mettre immédiatement, c'était la seule chance de salut.

Il me recommanda un centre de formation professionnelle où je pouvais m'entraîner gratuitement.

Je suivis son conseil, me rendis à ce centre et fréquentai
assidûment ses cours. A vrai dire, ce n'était pas des cours
proprement dits, mais simplement des classes équipées de
machines à écrire où on pouvait s'exercer.

Une foule étrange de tous les âges se pressait dans les
couloirs et escaliers pour envahir les locaux dès l'ouverture
des portes. Pour s'emparer d'une machine en bon état,
on se bousculait, on jouait des coudes. Chacun tapait ce
qu'il voulait et comme il pouvait, sans méthode, sans
surveillance d'un professeur.

Je sentais que je ne progressais pas. A force de souhaiter
ardemment d'aller vite, je m'embrouillais dès le départ,
m'énervais, me trompais à tout bout de champ.

Je m'étais procuré en même temps un manuel de
sténographie et pendant des heures étudiais et calligraphiais
les petits signes de la méthode.

Mon zèle se transforma bientôt en manie, je ne pouvais
plus m'empêcher de tout sténographier mentalement.

L'hiver, si rigoureux cette année-là, tirait à sa fin.
Déjà, les premiers vents humides de mars avaient nettoyé
les plaques de neige sale sous les arbres et le long des
haies et le jardin apparut dégagé de tout voile.

La vigne vierge sur les murs du pavillon commençait à
se réveiller et aux quatre coins d'une petite pelouse les
grosses pousses rouges des pivoines se mettaient à percer
la terre détrempée. Un abricotier lançait des bourgeons
velus et attendrissants et les amandiers ouvraient leurs
premières fleurs.

Je déblayai le jardin, arrachai les mauvaises herbes,
façonnai les plates-bandes et y plantai des fraisiers.

La question du chauffage devenait chaque jour moins

aiguë, nous pûmes quitter le sous-sol et utiliser enfin les pièces du pavillon.

L'entretien de la maison, le chauffage, le marché, la cuisine, la lessive, le jardin demandaient un labeur quotidien auquel je suffisais à peine. Je me demandais souvent comment je m'en serais tirée si j'avais trouvé cet emploi tant désiré.

Cette vie dure remplie de déceptions et de soucis ne me laissait pas le temps de m'attarder sur mon chagrin qui vivait au fond de moi et me ressaisissait la nuit. Les images du passé, si proche et déjà lointain, revenaient dans mes rêves et me laissaient à mon réveil bouleversée et désemparée. J'avais chaque matin à dominer mon désespoir et à reconquérir mon énergie.

Au mois d'avril, il y eut du nouveau pour Hélène. Je rencontrai par hasard la propriétaire d'un laboratoire cinématographique et lui parlai de l'apprentissage qu'Hélène avait fait au Maroc. On la convoqua peu de temps après et lui offrit le poste d'assistante monteuse. Ce poste, mal payé et exténuant, lui permettait de se perfectionner dans le métier qu'elle avait choisi, et elle l'accepta.

Le beau temps nous ragaillardit et facilita notre vie dans le pavillon. Le jardin nous procurait mille joies avec ses quelques arbres fruitiers, ses rosiers grimpants, sa pelouse entourée de pivoines épanouies, ses fraisiers chargés de fruits.

Nous jouissions enfin des bons côtés de la vie en banlieue et en voulûmes moins à Mme Lupin pour toutes ses tracasseries.

De nombreux amis venaient nous rendre visite, nouveaux amis gagnés depuis peu, anciens retrouvés après des années. Nos avantages durant cet été exceptionnellement beau frappaient les citadins qui venaient chez nous respirer un meilleur air et se reposer du bruit.

Ces quelques semaines de notre premier été en France furent les seules agréables passées à Bagneux.

J'aimerais raconter que tout alla mieux l'hiver suivant, que mes recherches de travail aboutirent à une heureuse conclusion, que l'avenir perdit son aspect menaçant et que le pavillon devint plus confortable.

Il n'en fut rien et, sauf les succès scolaires de mes enfants, je ne puis rapporter quoi que ce soit de réjouissant. Ma situation resta la même, c'est-à-dire critique.

Il y eut cependant une amélioration grâce au salaire d'Hélène, à la bourse d'Elisabeth et aux leçons que je me mis à donner dans le quartier.

Dès les premiers jours d'octobre, la lutte contre le froid recommença, mais cette fois je changeai de tactique : j'abandonnai la chaudière récalcitrante et achetai de petits poêles en fonte que je fis installer dans les pièces.

Ces poêles donnaient beaucoup de travail et ne marchaient pas toujours sans complications. Quand le temps était lourd et le tirage mauvais, ils refusaient de fonctionner et répandaient une odeur insupportable.

La cuisine me réservait une surprise. L'eau des pluies s'était infiltrée dans le plafond et un beau jour, tandis que nous étions à table, tout le plâtre dégringola sur nous et notre repas. Nous nous en sortîmes sans blessures, mais dûmes évacuer les lieux.

Le plafond dénudé resta mouillé et constellé de gouttes qui continuèrent de tomber. Je devais faire la cuisine en tenant un parapluie.

Mme Lupin essaya de me rendre responsable de la détérioration du plafond, mais finit par reconnaître que je n'y étais pour rien. L'exclamation qui lui échappa trahit la vérité :

— On a tout essayé avec ce plafond !

Les réparations de ce genre, déclara-t-elle, ne pouvaient se faire qu'en été. Pour l'instant il fallait attendre les gelées qui arrêteraient les infiltrations. Espoir qui s'avéra illusoire. Le plafond ne sécha pas.

C'est ces événements, je crois, qui déclenchèrent chez

moi le « désir d'ailleurs ». J'en avais marre de ce pavillon avec ses pièces minuscules, ses problèmes de chauffage, sa banlieue. Le moment était venu de tenter un échange. Mais le pavillon était-il échangeable ? Des avantages, certes, existaient, surtout en été. Il s'agissait de trouver des amateurs qui accepteraient le reste...

J'ouvris le feu à la fin du deuxième hiver. Je me mis à étudier les annonces dans les journaux et à en faire une sélection. Les échanges étaient à la mode et le choix était grand. J'écrivis de nombreuses lettres, je fixai des rendez-vous.

Je constatai que nous étions considérés comme « bien logés ». J'eus moi-même cette impression en visitant certains logis. Quand on dit que le Français moyen se nourrit au-dessus de ses moyens, s'habille selon ses moyens et se loge au-dessous de ses moyens, c'est assez juste. On ne se douterait pas, en voyant des gens bien mis et apparemment prospères, des taudis dans lesquels ils habitent. Que de logements insalubres, sombres et moisis, privés du confort le plus élémentaire se cachent dans cette belle Ville lumière qu'est Paris !

Mais ce n'est pas pour ça qu'on est moins exigeant. Aucun des défauts du pavillon n'échappa à mes candidats à l'échange. J'employai les arguments de M. Lehnert et louai le jardin, le garage et les sous-sols, en glissant autant que possible sur le chauffage et la salle de bains. Je m'aperçus que l'exiguïté des pièces soulevait le plus de critiques.

Un certain M. Dutil proposait une seule pièce avec cuisine dans laquelle il avait installé un drôle de système de bain conçu par lui-même. C'était une cuve carrée placée à côté de la cuisinière, pourvue d'un couvercle en bois. Cette cuve était à double emploi : avec le couvercle baissé, c'était une table ; avec le couvercle levé, elle devenait une baignoire.

— Je n'ai qu'une seule pièce, disait M. Dutil, mais

elle est très grande. Et mon bain fonctionne, tandis que le vôtre... Vous avez un garage et un jardin ? Mais on ne vit pas dans son garage et pas davantage dans le jardin. Et je n'aimerais pas vivre dans une cave.

Je ne savais que trop combien il avait raison !

J'allai voir un agent dont l'annonce, « Spécialiste d'échanges d'appartements », paraissait quotidiennement dans les journaux. Je trouvai dans un local minable encombré de paperasses un bonhomme fort antipathique qui exigea dès l'abord une grosse somme pour l'inscription sur ses listes et une complète exclusivité. Je déclinai l'offre de ses services et étais sur le point de m'en aller, quand il me tendit une feuille en disant :

— Donnez-moi quelques détails sur votre pavillon, on ne sait jamais...

Je les donnai mais sans signer d'engagement et à vrai dire sans m'attendre à recevoir jamais de nouvelles de cet agent. C'est pourtant ce geste qui détermina la suite des événements.

Par une belle matinée de fin de mai, quand le jardin était au plus beau, j'aperçus un couple d'un certain âge devant la grille du pavillon. Je crois qu'ils prirent la décision de faire l'échange avant de pénétrer dans la maison. Mme Boisier rêvait de jardinage et le jardin la séduisit. Quant à M. Boisier, toutes ses hésitations disparurent lorsqu'il vit les sous-sols où on pouvait bricoler.

En échange du pavillon, ils me proposaient un charmant appartement rue Notre-Dame-des-Champs. Un peu petit pour nous quatre, mais représentant une chance qui ne se produirait pas une deuxième fois.

Mme Lupin tenta, par principe, de soulever des objections mais, prévoyant les avantages qu'elle pourrait tirer de ces nouveaux locataires, accepta.

J'appris plus tard que cette chance ne m'avait pas été envoyée par la Providence, mais par l'antipathique agent dont j'avais fait si peu de cas.

Le « Bulletin parisien »

J'étais en train de sarcler mes fraisiers pour les laisser à Mme Boisier en bon état, quand je vis Olga Britt dans la petite allée du jardin.

— J'ai trouvé ! me cria-t-elle d'un ton joyeux. Je commence demain !

Je compris aussitôt de quoi elle parlait : elle avait trouvé une situation qu'elle recherchait depuis des mois avec persévérance.

— Pas possible ! Et qu'est-ce que c'est ?

— Secrétaire dans un magasin d'appareils de téléphone.

— C'est par un bureau de placement ?

— Pensez-vous ! Ils ne trouvent jamais rien. C'est par le journal.

— Vous y êtes déjà allée ?

— Oui, ça m'a l'air très bien. Je ferai la correspondance et je vendrai des appareils.

— Quelle chance vous avez !

— Et vous ?

— En ce moment je suis préoccupée par mon échange, un déménagement est toujours compliqué.

— Oh, attendez, dit Olga en fouillant dans son sac, avant de parler d'autre chose : j'ai encore une adresse en réserve. Regardez si elle peut vous intéresser. On cherche une personne connaissant l'anglais pour traduire des textes

134

de mode. C'est pour une brochure, je crois, qu'on envoie en Amérique.

— Je ne connais rien à la couture, ni en français, ni en anglais.

— Ça n'a aucune importance. Vous apprendrez très vite. Tenez, j'expliquerai aux acheteurs de mon patron les avantages de ses appareils et je suis tout aussi ignorante en téléphone que vous en couture.

Je jetai un regard sur la lettre avant de la mettre dans la poche de mon tablier.

— On demande « une personne distinguée ». D'habitude on dit « présentant bien ». Heureusement, on ne demande pas la sténodactylographie !

— Ne vous y fiez pas, on la demande toujours tôt ou tard.

Je soupirai.

— J'irai voir Mme Kramer dès demain.

Comme je venais de le dire à Olga Britt, ça tombait mal au moment de notre déménagement. Je ne pouvais cependant pas laisser échapper une chance, ne serait-ce que par principe.

Je m'imaginais mal une rédaction, mais je pensais que c'était un local avec des bureaux, peut-être une imprimerie, que sais-je ? Je fus donc étonnée de me trouver dans un simple appartement, assez commun. Une femme de ménage en tablier me fit entrer dans un salon dont les meubles recouverts de peluche verte, les rideaux en velours, les coussins et les bibelots ne rappelaient en rien une affaire commerciale.

Mon attente ne fut pas longue. Une personne d'un certain âge, vêtue de noir, entra dans le salon.

— Madame Kramer ? dis-je en me levant.

— Asseyez-vous, dit-elle d'un ton las en prenant un siège.

Pendant quelque temps nous nous regardâmes en silence.

— Vous avez lu mon annonce ? dit-elle enfin.

— A vrai dire, non. C'est une amie qui l'a lue et, étant engagée elle-même, m'a transmis votre proposition.

— Vous semblez distinguée, dit Mme Kramer pensivement, c'est l'essentiel.

J'eus un mouvement d'étonnement en me demandant quel genre de travail elle allait me proposer.

— Il paraît qu'il s'agit d'une brochure de mode, dis-je sur un ton d'affaires.

Elle sursauta.

— Brochure ? C'est un bulletin illustré et non une brochure ! Il me faut une traductrice pour la version anglaise des textes car j'ai des clients aux Etats-Unis. Ma traductrice vient de me quitter.

— Elle était américaine ?

— Non, pas du tout.

Elle se tut de nouveau pendant quelque temps, puis reprit :

— J'ai des soucis, de gros soucis. Imaginez-vous qu'on vient de me voler mon sac avec tous mes papiers et beaucoup d'argent.

— Oh, m'exclamai-je avec sympathie, comme c'est navrant ! Où est-ce donc arrivé ?

— Mais dans le métro ou ailleurs peut-être, je ne saurais le dire. Je revenais de la synagogue où j'étais allée voir le rabbin pour discuter de l'enterrement. Je suis à bout, à bout.

— Enterrement... ? Vous venez de perdre quelqu'un ?

— Mais oui, mais oui. Mon mari vient de mourir et je dois m'occuper de son enterrement.

J'allais me lever pour la laisser à ses préoccupations plus urgentes à mon avis que la traduction du bulletin, mais elle m'arrêta d'un geste.

— Restez, j'ai besoin de quelqu'un tout de suite.

— Mais... ne devez-vous pas aller... ?

— Non, non, il est dans la chambre à côté.

Je ressentis une gêne, un malaise, que je dus dominer. Comment diable avait-elle le cran de penser à ses affaires avec le cadavre de son mari derrière la porte ?

Je tentai encore de m'évader.

— Voulez-vous que je revienne dans quelques jours ?

— Non, je vous l'ai dit, autant tout régler maintenant. Le bulletin doit sortir comme d'habitude. Je vous disais donc que c'est un bulletin de mode illustré. J'ai deux dessinatrices qui assistent à toutes les présentations de collections et font des croquis de tous les nouveaux modèles. Je rédige les textes qui décrivent chaque dessin et ils sont traduits en anglais. Vous connaissez l'anglais, naturellement ?

— Oui... Mais pas la couture. Je crains que certaines expressions...

— Je vous donnerai des journaux de mode et vous pourrez y trouver toutes ces expressions.

— Devrai-je taper à la machine ?

Je posai la question avant de réfléchir, avec une incompréhensible imprudence qui vous pousse souvent quand on redoute une chose.

— Tiens, oui, certes, des stencils pour la ronéo.

— La ronéo ? fis-je étonnée.

— Eh bien, qu'est-ce qui vous surprend ?

— Non, rien. Je tiens seulement à vous dire tout de suite que je suis meilleure traductrice que dactylo.

— Bien sûr, vous êtes distinguée.

Sa conclusion me stupéfia, mais je compris enfin ce que voulait dire pour elle la distinction. N'empêche que c'était la première fois que cette qualité comptait plus que la machine à écrire. Quant aux stencils, je les passai sous silence. Je n'avais jamais vu un stencil et, pour être plus exacte, je ne savais pas ce que c'était.

Mme Kramer se mit à fouiller dans un tas de revues qui jonchaient la table, en sélectionna quelques-unes et en fit un paquet.

— Vous allez emporter ça, dit-elle. Vous y trouverez quantité d'indications utiles qui vous aideront à vous débrouiller.

— Donnez-moi aussi un de vos bulletins.

Elle me jeta un regard soupçonneux et se leva. La lassitude semblait l'avoir ressaisie.

— Revenez dans trois jours, dit-elle. Je puis compter sur vous ?

Une fois dans le métro, je me mis à réfléchir et plus j'évoquais notre court entretien, plus il me laissait perplexe. Où est-ce qu'on fabriquait ce bulletin ? Pourquoi Mme Kramer ne me l'avait-elle pas donné ? Elle ne pouvait pas ignorer que je n'avais rien de commun avec la couture et que de surcroît j'étais mauvaise dactylo, puisque je le lui avais dit. Mais qu'est-ce qui lui faisait croire que je connaissais l'anglais ? Et cette manie de rechercher la distinction ! D'après l'impression qu'elle-même m'avait donnée, elle ne pouvait pas en être bon juge.

Je sentais qu'il y avait eu une lacune dans notre discussion et, soudain, je me rendis compte que nous n'avions pas parlé des conditions. J'avais oublié de lui demander ce qu'elle envisageait comme salaire et elle-même n'avait fait aucune offre concrète. Il restait que c'était une situation possible et je devais essayer de l'obtenir.

En attendant donc que M. Kramer fût enterré, je me plongeai dans les revues de mode. Je lus attentivement tous les articles, toutes les descriptions de toilettes en m'efforçant de retenir le vocabulaire de la couture.

Pour mieux me familiariser avec le monde de l'élégance, je scrutai les astuces des grands couturiers, leurs créations pleines d'attraits et de pièges, leurs simplicités hypocrites, provocantes et coûteuses, les tentations étalées à pleines pages. Je devinai les rivalités et les luttes des grandes maisons menées par des armées de mannequins.

Quand je fermai enfin mes cahiers, j'avais acquis pas

mal de connaissances, à vrai dire un peu chaotiques. J'avais élargi mon horizon dans le domaine de la mode, mais je ne m'en sentais pas plus rassurée.

Quand, armée de mes notes, d'un dictionnaire anglais et de mon paquet de revues, je me trouvai à nouveau devant la porte de Mme Kramer, je me sentis troublée. A mes propres inquiétudes s'ajoutait le souvenir des tragiques circonstances dans lesquelles notre première entrevue avait eu lieu. Dans quel état la trouverais-je si tôt après l'enterrement de son mari ? Se souvenait-elle seulement de ma visite et mon arrivée ce matin ne serait-elle pas importune ? Je sonnai d'une main hésitante. C'est elle-même qui m'ouvrit.

— Ah, vous voilà, entrez, entrez.

Elle me parut moins abattue que la fois précédente. Elle ne l'était même pas du tout. Au contraire, elle avait un air affairé et résolu. Son visage n'exprimait aucune émotion.

— Venez, dit-elle en me précédant dans le salon. Restez là et lisez ces journaux de mode.

J'espérais cette fois-ci apercevoir le bulletin, mais ne remarquai rien qui pût lui ressembler. Je feuilletai, les pensées ailleurs, un magazine pris au hasard, quand la porte s'entrouvrit et une figure blafarde et bouffie apparut dans l'entrebâillement.

— Ah, Frau Emma, dit Mme Kramer et, se tournant vers moi, elle ajouta : C'est la garde-malade allemande qui a soigné mon mari.

Là-dessus elle sortit en fermant la porte. Il se passa un bon moment avant qu'elle ne réapparût.

— Alors, vous vous y retrouvez ? demanda-t-elle, mais j'avais l'impression qu'elle pensait à autre chose.

Elle ajouta d'ailleurs tout de suite :

— Je vous laisse seule ce matin. J'ai une course à faire. Je vous verrai plus tard. Il y a une machine à écrire dans mon bureau. Vous pouvez vous exercer en attendant.

139

— Et les traductions ?

— Pas ce matin. Les dessins ne sont pas prêts. La traductrice que vous allez remplacer ne vient que demain. Elle vous mettra au courant.

Elle partit, mais je ne restai pas longtemps seule. Les pas de Mme Kramer résonnaient encore dans l'escalier quand Frau Emma fit brusquement irruption dans la pièce et, s'approchant de moi, dit en allemand :

— Vous parlez allemand, bien sûr.

— Oui... Mais comment l'avez-vous deviné ?

— Oh, ça se voit... Vous allez travailler ici ?

— Peut-être.

Frau Emma se laissa tomber dans un fauteuil. Elle était grande et massive, mais n'avait pas l'air bien portant.

— Je suis dans une situation bien triste, bien difficile !

— Ah oui ?

— J'ai soigné le vieux et ce n'était pas facile ! Mais je n'avais pas le choix.

— Pourquoi ?

— Mme Kramer et sa fille ont longtemps cherché une infirmière. En vain. Moi, j'ai dû accepter. Il ne me restait pas d'autre issue.

— Comment ça ?

— Je suis allemande.

— Rentrez en Allemagne.

— Je ne peux pas. Ma situation est dramatique.

Un énorme soupir souleva sa poitrine. Elle prit un ton confidentiel :

— Je suis une victime de la guerre. Je n'ai plus de patrie et ne puis aller nulle part.

— Je ne comprends pas : l'Allemagne existe toujours et reste votre patrie. Pourquoi ne pouvez-vous pas y retourner ?

— Pas encore. Peut-être dans plusieurs années.

Je compris enfin. Elle devait être compromise, peut-être recherchée pour quelque activité politique. Une idée

140

me frappa : si elle avait été nazie, comment une famille juive l'avait-elle acceptée auprès de son malade ? Elle avait sans doute dit vrai, personne n'avait voulu s'en charger. Eux non plus n'avaient pas le choix.

Je n'avais pas envie de prolonger la conversation et d'écouter ses confidences. Mais elle s'exclama d'un ton dramatique :

— Voulez-vous m'aider ?

— Je ne puis pas vous aider. Je suis moi-même dans une situation très difficile.

— Je ne vous demande pas d'argent, ce n'est pas ça du tout. Mais vous devez avoir des relations.

— Mais non, m'écriai-je avec humeur, je viens d'arriver à Paris et je ne connais personne.

— Cette place n'est pas pour vous, reprit Frau Emma. Ce n'est pas que Mme Kramer ne gagne pas d'argent, au contraire, elle en gagne beaucoup. Mais quelle drôle d'affaire ! Et comme ses filles sont antipathiques !

Je sentis s'éveiller ma curiosité. Tant pis pour la discrétion. Après tout, c'était mon droit d'en savoir plus long sur ce commerce.

— Où est-ce qu'on imprime le bulletin ? Pas dans cet appartement, bien sûr !

— Dans une chambre de bonne sous les toits. C'est là que se trouve la ronéo.

— Dans une chambre de bonne ! Et qui s'occupe du tirage ?

— Oh, il y a du monde !

— Mais pourquoi dans une chambre de bonne ?

— Où vouliez-vous qu'on la mette ? C'est sale. Et là-haut c'est plus facile de la dissimuler.

— Dissimuler ? Pourquoi dissimuler ?

— On travaille en privé, vous comprenez, un peu en cachette.

— Mais on vend bien le bulletin ouvertement ?

— La vente, c'est autre chose. On cache l'endroit où

il est fabriqué. Ici, c'est une maison bourgeoise et tout commerce dans l'immeuble est interdit.

— Alors ?

— Alors, on a des complications. On a toujours peur qu'un inspecteur ne vienne y fourrer son nez.

— Et on arrive à confectionner quelque chose de convenable dans une chambre de bonne ?

— Non. Il est moche, ce bulletin, vous verrez vous-même.

— Et ça se vend ?

— Vous savez, tout ce qui vient de Paris... On l'appelle d'ailleurs « Bulletin parisien ».

— Je ne l'ai jamais vu dans les kiosques.

— Qui l'achèterait à Paris ?

On entendit grincer une clé dans la serrure de la porte d'entrée et Frau Emma se leva d'un bond.

— Ne dites pas à Mme Kramer que je vous ai parlé, chuchota-t-elle avant de se sauver. Je vous parlerai plus tard de ma situation.

Si Mme Kramer avait été plus attentive et moins obsédée par ses préoccupations, elle aurait remarqué mon air interloqué.

— C'est fait, dit-elle en s'asseyant dans le fauteuil que Frau Emma venait de quitter. J'ai déposé ma plainte contre le voleur inconnu de mon sac à main. Mais j'ai peu d'espoir de récupérer ne serait-ce que mes papiers. Paris grouille de bandits et les honnêtes gens ne sont pas protégés.

— C'est vrai, et c'est bien malheureux... Mais, madame, voulez-vous me mettre un peu au courant de ce travail ? Me donner quelques modèles de ces textes ?

— Demain, demain, je vous le répète. Vous verrez avec la traductrice, je n'ai pas le temps de vous parler.

Elle repartit et je regardai ma montre. Le temps traînait en longueur. Pour éviter d'autres confidences de l'Allemande, je suivis le conseil de Mme Kramer et passai dans son bureau où se trouvait la machine à écrire. Je fis

142

semblant de travailler et, chaque fois que des pas se faisaient entendre derrière la porte, redoublais de zèle et prenais un air plus absorbé. J'eus le temps de retaper cinq fois la même page quand la porte s'ouvrit brusquement pour laisser passer la tête de Frau Emma.

— Il est midi et demi, allez donc déjeuner.

Je sortis avec soulagement et rôdai pendant quelque temps dans le square pour me dégourdir les jambes. J'allai ensuite dans un café où je commandai un sandwich et un verre de bière. Qu'allais-je faire encore jusqu'à 2 heures ? C'était navrant de tuer ainsi le temps tandis qu'à la maison il y avait tant à faire. Je retournai dans le square et m'assis sur un banc.

Des enfants ramassaient leurs jouets sur un tas de sable, d'autres partaient en courant, des employés passaient d'un pas rapide, quelques ouvriers s'installaient sur les bancs et ouvraient leurs paniers de casse-croûte. Un homme sans âge vêtu d'une veste usée s'assit à côté de moi.

— Il fait bon, dit-il, il fait doux.

— Oui, dis-je, il fait doux.

— Quand il pleut, c'est moins agréable de rester là sur un banc.

— En effet, c'est moins agréable et on s'en va.

— Ah, mais moi, je n'ai pas où aller !

Il resta silencieux quelques minutes, poussant de son vieux parapluie une feuille morte, la roulant, la piquant, la ramenant vers lui, puis l'envoyant voler.

— Je suis comme cette feuille desséchée, dit-il enfin. Je suis là jusqu'à ce qu'on me balaie.

— Que voulez-vous dire ? fis-je en me tournant vers lui et en l'examinant plus attentivement.

Il avait un air absent, les traits imprécis de ses yeux me firent penser à une eau trouble, dont le vague était un peu déconcertant.

— Je ne suis bon à rien, c'est entendu. Eh bien —

l'homme s'anima soudain —, j'ai tout de même trouvé un système.

Il se pencha vers moi et ajouta :

— Et ce système peut encore marcher longtemps, je n'ai pas encore fait toutes les usines de Paris.

Il devait divaguer, mais je fis semblant de le prendre au sérieux.

— Quel système avez-vous trouvé ?

— Je fais des essais et ça marche très bien.

Je le regardai avec encore plus d'attention. L'expression qu'il venait d'employer faisait penser au cinéma. Mais quel rapport avec les usines ? Quand il s'agissait d'embauche, on disait « passer un test ». Est-ce cela qu'il voulait dire ? Il avait de la chance d'avoir trouvé un système pour les passer.

Il expliqua lui-même :

— Je ne suis pas normal, vous l'avez peut-être remarqué. Je ne peux pas travailler.

Décidément, cet homme m'intéressait.

— Vous êtes objectif, en tout cas. Tout le monde n'en est pas capable.

— Oh, vous savez, ils me l'ont assez dit dans les hôpitaux. Je sais comment je suis, allez. Ils m'ont bien fait comprendre que j'étais inapte au travail continu, mais sans m'indiquer ce qui me restait à faire. Alors, j'ai trouvé moi-même.

Il eut un petit rire rusé, mais plein de bonhomie. De nouveau il joua quelque temps avec une feuille morte puis reprit :

— Je ne suis pas idiot, et pas méchant du tout. Je n'ai jamais offensé personne, ni fait de scandale nulle part. Je suis de mon métier ouvrier tourneur. Mes chefs ont toujours eu de la sympathie pour moi. Quand ça m'a pris, ils n'ont pas voulu me mettre à la porte brutalement. On me congédia pour des raisons de réduction de personnel en me donnant une belle référence. Je pus donc me faire engager par une autre usine pour une période d'essai. J'y restai quelque temps, puis ça recommençait. On se débarrassa de moi gentiment, avec un bon certificat. Je suis en règle, on ne peut rien me reprocher. Ce n'est que ma tête qui n'est pas en règle.

— Vous vous considérez comme anormal et, selon vous, vos chefs partageaient cette opinion. Mais vous raisonnez de façon très lucide. Qu'est ce qui ne va pas ?

— Eh bien, je ne puis pas supporter un effort suivi. Au bout de quelques heures je lâche tout. Avec les essais ça marche mieux, je sais que ce n'est pas pour longtemps et ça me donne du courage. Il m'arrive de recevoir quelques cadeaux en quittant une usine car les chefs d'atelier ont un petit remords quand ils doivent me renvoyer. J'ai appris à faire la tête qu'il faut en apprenant mon congé, simuler l'étonnement et la contrariété. C'est pour ça que les véritables causes de mon renvoi ne sont jamais communiquées à l'employeur suivant. En un mot, on se débarrasse de moi avec bonté, en me passant au voisin.

— Mais ne serait-ce pas plus simple de vous faire donner un certificat d'incapacité de travail et de toucher une indemnité ?

— Ces indemnités sont des misères, on ne peut pas vivre de ça. Je ne suis d'ailleurs pas assez fou, je n'ai que quarante-cinq ans et je suis vigoureux. Les médecins affirment que je dois changer de métier, quelle blague ! Comme si le problème était là ! Et vous ? Vous travaillez ?

— Je suis en train de faire un essai, moi aussi.

— Mais quand vous l'aurez terminé, on vous gardera.

— Je n'en suis pas si sûre.

Je lui souhaitai bonne chance et le quittai. Cette conversation m'avait laissée pensive. Le moment n'était peut-être pas loin où moi aussi je chercherais un système.

Si le premier jour s'était passé de façon monotone, le second présageait de grandes émotions. J'allais rencontrer

145

la traductrice et m'attaquer à ces traductions que je redoutais tant. Cette traductrice devait être calée, tant en anglais qu'en couture, et ne manquerait pas de constater mon incompétence. Je révisai une fois de plus mes notes et pendant tout le voyage en métro récitai mon vocabulaire.

Devant la porte de Mme Kramer, je trouvai une grande jeune femme blonde dans un état de grossesse très avancé.

— Vous travaillez chez Mme Kramer ? lui demandai-je.

— Chut... fit-elle en ouvrant la porte.

Je compris que le secret commençait dès l'entrée.

Une fois dans le vestibule, elle se présenta :

— Je suis Mme Dubois. Ah, voilà les autres !

Une jeune fille brune de type méridional et une petite femme alerte et remuante qui faisait penser à une femme de chambre d'un hôtel de province arrivaient à leur tour.

Mme Kramer me parut différente ce matin, autoritaire et sûre d'elle-même.

— Restez là, me dit-elle en m'indiquant le salon.

Les autres s'évanouirent, à ce qui me sembla, par la porte de la cuisine.

— Mme Dax va arriver à 11 heures. Vous allez, en attendant, me traduire ces textes.

Elle me tendit un paquet de feuilles puis s'en alla. Je sortis de mon sac mon dictionnaire et mes cahiers et me mis au travail.

Sur chaque feuille figurait un assez grossier dessin représentant une toilette. Les dessins, autant que les légendes, me parurent confus. Il fallait, j'eus l'impression, une grande maîtrise pour reproduire un vêtement d'après ces indications. Mais cela, heureusement, ne me concernait pas.

Je m'appliquai à traduire fidèlement ce qui était écrit. Avais-je introduit ce jour-là un nouveau genre dans la littérature de la mode ? J'essayai de ne pas m'en inquiéter. Les lectrices américaines penseraient que c'était l'influence de Paris, les Anglaises, comme toujours, celle de l'Améri-

146

que. Quant à Mme Kramer, elle ne remarquerait rien, ne connaissant pas un mot d'anglais. Restait cette traductrice...

Elle arriva en fin de matinée et me parut fort sympathique. C'était une jeune femme pleine d'entrain. Elle me parla tout de suite de ses projets pour l'avenir.

— Je viens de m'inscrire à un cours de sténo anglaise et j'étudie en même temps la comptabilité. D'ici quelques mois, je pourrai prétendre à une très belle situation ! Et vous ? Connaissez-vous la sténo anglaise ?

— Assez mal... Mais ici, on ne me l'a pas demandée.

— Ici, ce n'est rien, ce n'est pas un vrai job. Je n'étais venue que pour dépanner Mme Kramer.

— C'est compliqué, la couture ! Vous devez la connaître, vous.

— La couture ? Pas du tout. Mais qu'est ce qu'il y a là de compliqué ?

— Les termes, les descriptions des toilettes. On ne comprend pas toujours le sens exact. On ne retrouve rien sur les dessins.

— Bah, il ne faut pas s'en faire. Vous avez traduit les derniers machins ?

— Oui, regardez si c'est ça.

Elle lut rapidement mes traductions.

— Mais c'est parfait ! s'exclama-t-elle. C'est tout ce qu'il faut. Et puisque ça va si bien, je n'ai qu'à vous laisser continuer.

Là-dessus, elle se leva dans le dessein évident de se sauver. J'essayai de la retenir pour lui parler plus longuement, lui demander des conseils, éclaircir certains points.

— Mais ça va très bien, je vous assure, se défendit-elle en riant. Et ce n'est pas à moi de vous enseigner l'anglais !

Elle partit en courant et si je restais sur ma faim, j'espérais au moins qu'elle allait faire un rapport élogieux à mon sujet à Mme Kramer.

Je me remis à mon travail avec l'agréable sensation d'avoir réussi un test. Pour le moment et grâce à l'extrême indulgence du jury.

Pendant toute la journée on m'apporta de nouveaux croquis, au fur et à mesure qu'ils se fabriquaient dans le bureau de Mme Kramer. J'entrevis les dessinatrices qui revenaient des collections avec des cahiers remplis de notes et de dessins.

Le surlendemain, au moment où j'allais me diriger vers le salon, je fus interpellée par une nouvelle venue que je ne connaissais pas. Sa voix criarde, son expression dure et maussade firent revenir dans ma mémoire une phrase de Frau Emma : « Comme les filles de Mme Kramer sont antipathiques ! » Ce devait être l'une d'elles.

— Pas de salon aujourd'hui ! me cria-t-elle. Suivez les autres à l'atelier.

Mme Dubois, voyant mon air interloqué, expliqua :

— On fait le bulletin ce matin et on s'énerve toujours un peu.

Je me joignis donc aux trois femmes. Nous traversâmes la cuisine, grimpâmes au septième étage par l'escalier de service et aboutîmes dans un long couloir sombre et poussiéreux, avec des chambres de bonne de part et d'autre. Un W.-C. turc, dont la porte était ouverte, répandait son odeur pénétrante à laquelle se mêlait celle du goudron et de la térébenthine. J'allais enfin entrer dans le cœur de l'affaire et voir le fameux bulletin.

Mme Dubois ouvrit une porte au bout du couloir et nous nous trouvâmes sur le seuil de l'atelier. Deux petites pièces réunies par la destruction d'une cloison. L'air y était lourd, saturé d'une odeur d'imprimerie et de pétrole qui montait au nez et piquait les yeux.

Il y avait heureusement une fenêtre que la jeune fille, qui s'appelait Lisette, ouvrit aussitôt. Une longue table de cuisine, un banc le long du mur, quelques caisses chargées de feuilles de papier et une grosse ronéo noire éclaboussée de teinture et d'huile remplissaient presque entièrement le petit local.

Mes collègues enfilèrent des blouses de travail et, en jetant un regard autour de moi, je compris leur utilité. Mme Flon, la tireuse, entreprit la révision de l'appareil qui semblait délabré et rébarbatif.

Elle brossa avec une petite brosse dure et gluante ses rouages, souffla dans le moteur, tapota le rouleau, versa de l'encre, graissa, ajusta.

Je m'écartai autant que le permettait la place, pour éviter une éclaboussure ou un pâté. Pendant ce temps, Mme Dubois s'installait au coin de la table le plus éloigné où se trouvait une machine à écrire et Lisette s'appliqua à débarrasser la table et ranger les feuilles de papier.

— Ce matin, ça va barder, me dit-elle. Quand Mme Eve est là, on ne rigole pas.

— Qui est Mme Eve ?

— Mais la fille de la patronne !

— Comment est-ce qu'on fait ce bulletin ?

— On assemble les pages. Vous allez voir.

— C'est salissant, dit Mme Dubois, en suivant les gestes de Mme Flon.

Elle-même dans son coin était à l'abri des éclaboussures que crachait l'engin.

— Salissant, c'est peu dire ! s'écria Mme Flon. C'est une vraie cochonnerie. Et pour s'en défaire, c'est tout une histoire, ça vous entre dans la peau.

A présent elle enfilait du papier sous le rouleau d'impression, déclenchait le mécanisme, jetait par terre les ratés couverts de bave noire qui jonchaient le sol et s'accrochaient aux talons. La machine crachait et hoquetait, puis se mit à ronfler plus régulièrement.

Mme Eve ne tarda pas à nous rejoindre, les bras chargés de liasses de feuilles imprimées.

— Au travail ! lança-t-elle en déposant son paquet sur

la table. Et vous, Lisette, ne restez pas à vous tourner les pouces ! Essayez d'être utile.

Puis, changeant de ton :

— Ça va, Mme Flon ?

— Ça fait un peu flou sur les bords et vous voyez, ça rend les croquis moins nets. J'ai essayé d'ajouter de l'encre, mais alors ça bave. La machine est bien vieille et ne se laisse pas facilement régler.

Elles s'affairèrent toutes les deux sur les stencils et examinèrent le résultat des premiers tirages. Les pages du futur bulletin s'étageaient en piles sur la table et je remarquai que mes traductions y figuraient déjà.

Je regardai avec curiosité les dessins imprimés et les trouvai ternes, naïfs et sans intérêt. Le bulletin était composé de quinze pages illustrant toutes les manifestations de la mode de Paris : robes, manteaux, tailleurs, chapeaux, bijoux. Ces derniers ne payaient pas de mine dans cette présentation.

— Laissez cette lecture ! cria Mme Eve qui s'était rapprochée. Vous n'êtes pas là pour vous distraire.

Elle m'arracha des mains la feuille que je tenais.

J'eus envie de riposter, mais me retins, comprenant l'inutilité d'une altercation.

Il fallait disposer les pages du bulletin dans l'ordre, donc en quinze piles alignées sur la table. Nous commençâmes ensuite à défiler en cueillant une page à chaque tas. Le numéro constitué, nous allions le poser en sautoir sur une caisse.

La place manquait terriblement, on s'accrochait au passage. Lisette trébucha devant une des piles et l'envoya voler sur le plancher gluant.

— Ah, ça ! Vous ne pouvez pas faire attention ? cria Mme Eve avec énervement.

La jeune fille confuse et effrayée essaya de réparer sa maladresse, se baissa pour ramasser les feuilles, glissa, laissa échapper celles qu'elle tenait, farfouilla par terre en se salissant les mains. Je voulus l'aider et fis un pas vers elle. Un deuxième paquet vola sous la table. Je partis d'un éclat de rire. Mme Eve explosa :

— Ah, ça vous fait rire ! Vous feriez mieux dans ce cas de prendre la porte !

— Que voulez-vous, madame, on n'a pas de quoi se retourner.

C'était la dernière chose à dire. Elle mit Mme Eve hors d'elle.

— Si ça vous gêne, je ne vous retiens pas ! Il y aura cent personnes qui seront heureuses de prendre votre place.

Décidément, c'était une chipie. L'ouvrier du square avait de la chance de toujours tomber sur des contremaîtres compréhensifs et indulgents.

Le travail continua sans autres incidents et nous poursuivîmes notre marathon en silence. Mme Kramer fit une courte apparition dans l'atelier et, voyant la fenêtre ouverte, s'empressa de la refermer.

— Quelle idée d'ouvrir la fenêtre ! On peut entendre la tireuse du dehors.

Je me rappelai que notre foutoir devait s'entourer de secret. L'air devint aussitôt épais et nauséabond, mais personne n'osa protester. Je regardai avec inquiétude Mme Dubois qui, dans son état, devait souffrir plus que les autres.

Nos mains étaient devenues moites et noires, car, même en prenant les plus grandes précautions, nous effleurions les dessins et l'encre fraîche s'écrasait sur les doigts et les pages.

Je sortis ce soir-là comme ivre, emportant dans mes vêtements une odeur écœurante et tenace. Dans le métro je me tenais près de la porte, craignant d'importuner les gens par mon air dégoûtant.

Le brochage du bulletin dura trois jours bien pénibles à cause de la bousculade, des odeurs, du manque d'air, de la chaleur, des pétarades de la ronéo, de la saleté qui nous pénétrait.

Et cependant ce n'était pas la perspective d'une journée éprouvante qui me tracassait, mais bien plus l'inquiétude au sujet de mes traductions. Je scrutais avec anxiété le visage de Mme Kramer : allait-elle me signaler une bévue ? Avais-je mal rendu la description d'une toilette ? Mais non, je ne reçus aucun reproche, au contraire on me complimenta. Mme Kramer semblait satisfaite, ce qui ne l'empêcha pas de me reléguer dans les mansardes, car, dit-elle, je la gênais dans le salon.

Je partageai ainsi la vie des autres employées du « Bulletin parisien » et, quand je n'avais rien à traduire, leur travail.

Lisette était le souffre-douleur de Mme Eve. Etait-elle vraiment maladroite ou simplement terrorisée ? Par contre, Mme Flon était ménagée et traitée avec politesse. Il ne devait pas être facile de remplacer une tireuse capable de faire marcher le sacré engin.

Mme Eve s'absentait souvent et, à peine la porte fermée, l'atmosphère dans l'atelier changeait complètement. On entrouvrait aussitôt la fenêtre et un soupir de soulagement parcourait le local oppressé.

Mme Dubois retirait ses mains du clavier de sa machine, prenait une pose plus commode et se tournait vers ses collègues. Mme Flon arrêtait son rouleau et s'étirait en disant, comme pour se justifier :

— Il va falloir que je jette un coup d'œil là-dedans.

Elle n'en faisait rien et déplaçait son tabouret avec une visible intention de faire un peu de causette. Lisette lâchait vivement les feuilles qu'elle était en train de trier et son visage se transformait. Sa jeunesse, sa vitalité comprimées à grand-peine explosaient bruyamment. Elle se mettait à bavarder à bâtons rompus et éclater de rire, souvent sans raison.

— Quel âge avez-vous ? demandai-je une fois à la

jeune fille, quittant, moi aussi, sans regret la description d'un bonnet.

— J'ai seize ans. Du moins il faut que je dise que j'ai seize ans. En réalité j'en ai quinze et demi.

— Vous comprenez, expliqua Mme Dubois, c'est plus prudent. En principe on ne peut pas faire travailler les jeunes de moins de seize ans.

— Mon père veut que j'apprenne un métier, dit Lisette.

— Et quel métier êtes-vous en train d'apprendre ici ?

— Elle fait un peu de tout, dit Mme Dubois. Et elle est mieux ici que chez elle. Son père n'a pas le caractère commode.

— Moins commode que Mme Eve ?

— Elle crie, remarqua Lisette, mais au moins elle ne frappe pas.

Mme Flon se lança dans d'interminables histoires d'accouchement inspirées par l'état de Mme Dubois. Elles ennuyaient Lisette qui alla vers la fenêtre et se pencha pour regarder la rue.

— Ça vous plaît ici ? me demanda-t-elle brusquement en rentrant la tête.

Le regard ambigu de la jeune fille me fit pressentir quelque perfidie.

— Oui, assez, répondis-je prudemment. J'aime la presse.

Elle pouffa.

— La presse, en vérité ! Celle des gens !

Elle replongea sa tête dans la fenêtre. Me tenant près de la porte, je fus la première à entendre les pas rapides de Mme Eve dans le couloir.

— Lisette, Lisette ! appelai-je pour avertir la jeune fille et lui éviter de nouvelles rebuffades.

Elle se retourna avec humeur, mais, en apercevant Mme Eve, saisit au hasard un paquet de papiers.

— Vous vous donnez du bon temps, dit Mme Eve. Et on vous a dit de ne pas ouvrir cette fenêtre.

— C'est elle qui m'a dit de l'ouvrir, mentit Lisette en me désignant.

Il y avait à présent trois semaines que j'étais au service de Mme Kramer et j'avais fini par m'habituer aux conditions originales dans lesquelles se passaient mes activités.

Depuis que le salon m'était interdit, je faisais mes traductions sur un coin de table entre la rebutante ronéo et la porte du couloir, aux sons des pétarades de la machine et du remue-ménage de l'atelier.

Mais même cette place modeste ne m'était pas garantie. Je dus souvent la céder et passer dans le couloir avec mes papiers. Je travaillais alors debout, le papier appliqué au mur. Aux autres inconvénients s'ajoutait encore l'obscurité.

Les travaux de dactylographie étaient toujours assurés par Mme Dubois et il n'y avait qu'une seule machine, de sorte que de ce côté je me croyais en sécurité.

Quel ne fut pas mon dépit quand un beau matin Mme Kramer m'annonça qu'il y avait changement de programme.

— Mme Dubois sera absente ce matin, elle doit aller à une consultation prénatale à l'hôpital. C'est vous qui ferez les stencils, il faut d'ailleurs vous y habituer, car Mme Dubois va bientôt nous quitter.

Elle me tendit des feuilles couvertes de croquis et de textes que je devais reproduire en vue du prochain tirage. Je ne dis rien et les emportai dans les mansardes.

Je croyais que j'étais seule à savoir combien de feuilles de cire avaient péri sous mes doigts, que je remplaçais aussi discrètement que possible. Mais Lisette, comme une guêpe, tournait autour de moi et je me doutais qu'elle avait remarqué mon manège.

Après de longs efforts j'arrivai tout de même à la fin

du dernier texte. En relisant ma page je soupirai avec soulagement : tout y était, je n'avais sauté aucune ligne et il n'y avait pas de fautes de frappe. Je quittai les mansardes à l'heure du déjeuner la conscience tranquille. Mais à mon retour tout se gâta.

— Vous avez très mal disposé les légendes, dit Mme Dubois en examinant mon stencil. Je dois tout refaire.

— Tant pis pour les stencils qui y ont passé, souffla Lisette, comme si elle parlait du mauvais temps.

Son effet fut perdu. Mme Dubois s'en fichait bien, des stencils de Mme Kramer, surtout à présent qu'elle allait partir.

Elle dit cependant :

— Je ne sais pas comment vous allez vous débrouiller. Je ne vous crois pas capable de faire tous les travaux de machine en plus de vos traductions.

— Je ne suis pas venue ici pour taper à la machine, dis-je avec dignité, mais pour traduire les textes.

— L'affaire est trop peu importante pour garder une traductrice exclusive, remarqua Mme Dubois avec indifférence. Mais ça regarde Mme Kramer.

Mon mois d'essai risquait de mal finir. Mais, étrangement, au lieu de m'en inquiéter, je m'en sentis soulagée. Je souhaitais quitter le « Bulletin parisien », Mme Kramer et les mansardes. La date de notre déménagement était à présent fixée et je devais m'en occuper. A toutes ces considérations il s'en ajoutait une autre, inattendue celle-là, mais d'importance considérable.

Nous possédions, comme je l'ai dit plus haut, une villa à Nice qui depuis des années était occupée par mon beau-frère et sa famille. Or voilà que je reçus une lettre annonçant leur départ. Je pourrais, écrivait ma belle-sœur, disposer de la villa et peut-être l'exploiter. Je devais, en tout cas, venir moi-même pour en décider.

J'en croyais à peine mes yeux en lisant ce message.

Etait-ce enfin un tournant favorable ? Mis à part les espérances d'ordre financier, je me réjouissais de ce voyage à Nice pour mes enfants. Les vacances scolaires allaient commencer et nous n'aurions plus de jardin après avoir quitté le pavillon de Bagneux. Seule Hélène, retenue par son travail, resterait à Paris dans l'appartement de la rue Notre-Dame-des-Champs.

Mon mois arrivait à sa fin et je pouvais présenter à Mme Kramer ma démission.

Le jour venu, j'allai la trouver dans son bureau et lui dis que je la quittais.

— Tiens ! s'exclama-t-elle. Et pourquoi ?

— Je ne suis pas très bonne dactylo, vous savez. Je crains que mes capacités ne soient pas suffisantes.

— Mais qu'est-ce qui vous prend ? Attendez qu'on vous le dise.

— Non, non, je préfère vous le dire moi-même.

— Vous allez vous y faire. Et je suis très contente de vos traductions.

— Ce n'est pas tout. Je dois me rendre à Nice pour prendre possession d'une maison qui nous appartient.

— Vous avez une maison à Nice ?

Je compris qu'aux yeux de Mme Kramer, je venais de me transformer. Je n'étais plus la même, une pauvre fille heureuse de n'importe quel emploi. Non, j'étais propriétaire, donc une personne digne d'intérêt.

J'expliquai en quelques mots que je venais d'apprendre que notre villa allait se libérer et que je devais aller la récupérer.

A Juan-les-Pins

Au cours des jours qui suivirent ma démission, je n'arrêtais plus de réfléchir à mon plan d'action. Celui-ci, dès le départ, était assez limité et la solution n'était pas facile à trouver.

La villa, devenue libre, valait trois fois plus qu'auparavant, mais je ne pouvais pas la vendre à cause de la présence d'enfants mineurs dans la succession. La louer serait chose facile, mais alors je la déprécierais de nouveau. Les lois en vigueur étaient toutes à l'avantage des locataires qui devenaient quasi maîtres des lieux, même s'ils ne payaient pas leur loyer. Venir passer les vacances et prendre des pensionnaires ? Mais alors le reste du temps la maison serait inhabitée, donc en danger de réquisition ou d'occupation illégale.

Je me dis qu'arrivée sur place j'y verrais plus clair, consulterais au besoin un juriste.

La solution de ce problème compliqué me fut donnée le soir même de notre arrivée.

— Nous n'avons pas obtenu l'appartement que nous avions espéré, me dit ma belle-sœur. Nous sommes donc obligés de rester. J'espère que tu ne nous en veux pas ?

Le problème était résolu. Mais il en surgissait un autre : de quoi allions-nous vivre à Nice et comment rentrer à Paris ?

Nous décidâmes, Elisabeth et moi, de chercher des emplois saisonniers.

J'eus l'idée que les établissements balnéaires employaient parfois des étudiants comme interprètes. Le mois de juillet était considéré comme mois des Anglais. Juan-les-Pins paraissait le plus indiqué et nous y allâmes pour prospecter.

J'avais pour Juan-les-Pins des sentiments contradictoires. J'aimais la baie, la plage, les quelques pins parasols qui restaient encore des anciennes pinèdes. Mais la foire, le luxe tapageur, le commerce qui avaient envahi ce coin charmant me révoltaient. Seule la pointe de l'Esterel au loin, jetée dans la mer comme une flèche, gardait sa pureté et sa noblesse.

La saison ne faisait que commencer et les plages étaient encore vides. Les propriétaires des établissements balnéaires paressaient devant leurs bars en suçant une paille ou se grillaient au soleil dans les transats encore libres.

Ce décor facilitait la conversation. Nous nous installions devant le bar, Elisabeth et moi, commandions une glace ou un café. Je demandais :

— Vous n'avez pas besoin d'une interprète ? Ma fille est étudiante en anglais.

Mais non, on n'avait pas besoin d'interprète, tout le monde parle anglais ou à peu près. Et d'ailleurs les Anglais adorent baragouiner en français, ça fait partie de leurs vacances. Et on a déjà retenu le personnel pour la saison.

D'établissement en établissement, nous parvînmes à la dernière installation au bout de la plage.

Une jeune femme presque nue, les cheveux artistement désordonnés, le visage maquillé en « naturel », trônait derrière un bar tout neuf. Elle débutait dans la profession et respirait l'énergie.

Une étudiante de Paris ? Dommage qu'elle ait déjà

engagé une jeune fille de Lyon qui n'était pas étudiante et ne parlait même pas anglais. Elle examina Elisabeth un instant et dit :

— Vous pourriez peut-être vous partager le travail avec Thérèse...

Thérèse s'occupait de mille choses, servait les boissons au bar, lavait les verres, vendait les tickets d'entrée, louait les cabines, sortait les chaises et les matelas le matin, les rangeait dans la remise le soir, servait le plat du jour préparé par Mme Eliane dans la kitchenette, lavait les assiettes, entretenait enfin le sable en le ratissant avec un râteau.

Je demandai quel était le salaire de cette grande activité et appris qu'il n'y en avait aucun.

— Je lui offre la mer, le soleil, la plage ! s'écria Mme Eliane. Je la nourris, je la loge. Je lui donne de belles vacances à l'œil !

Je dis que cela ne suffirait pas à Elisabeth qui devait aller en Angleterre et voulait gagner le prix de son billet. Je crus que l'affaire en resterait là, mais Mme Eliane avait mordu à l'hameçon et plus elle regardait Elisabeth, plus elle avait envie de la placer derrière son bar. On continua le marchandage et finalement l'accord se fit pour 10 000 francs par mois, logée et nourrie. Cette somme ne représentait que peu de chose, à peine le prix de son billet de chemin de fer. Mais Elisabeth accepta.

Je crus de mon devoir de demander des précisions sur le logement et à mon grand étonnement appris que ce serait la plage ! Décidément, Mme Eliane ne payait qu'en dons de la nature.

C'est qu'au sable naturel elle ajoutait un matelas, une cloison en planches et un chien. Le chien devait remplacer la porte manquante et assurer la sécurité des deux jeunes filles.

— Ce travail, conclut Mme Eliane, ce n'est que pur amusement ! Et que d'occasions pour rencontrer des

159

gens ! Venez demain, dit-elle à Elisabeth, en prenant déjà un ton de commandement.

C'était à mon tour de chercher du travail et je commençai par acheter les journaux où paraissaient les annonces. Je les lisais toutes avec attention, mais hélas, je n'étais ni caissière expérimentée avec références, ni comptable connaissant la dactylographie, ni secrétaire sténodactylo rapide, ni infirmière diplômée. Il y avait bien quelques annonces concernant les débutants, mais elles s'accompagnaient toujours de cette condition embarrassante « âge maximum dix-huit ans ».

Restaient les postes de domestiques et de garde d'enfants, mais je n'étais pas sûre de pouvoir assurer ces fonctions avec succès.

Un jour je tombai sur une annonce qui me parut plus accessible : « On demande une jeune vendeuse pour boutique de souvenirs. » J'essayai de ne pas me laisser intimider par l'adjectif qui, cette fois encore, figurait dans le texte, et décidai de tenter ma chance.

J'eus du mal à trouver la minuscule boutique et ne pus la repérer que grâce aux souvenirs niçois étalés devant la porte.

Une femme était assise devant cet étalage et paraissait endormie. Je m'arrêtai, indécise. Elle restait immobile, comme figée.

Elle devait avoir dépassé la cinquantaine, son visage était flétri et flasque. Un maquillage grossier le rendait plus repoussant. Ses cheveux teints et frisés lui donnaient quelque chose de grotesque ainsi que sa robe décolletée relevée très haut sur ses grosses jambes nues. Une odeur de sueur, de tabac et de parfum sucré flottait autour d'elle.

Je toussotai pour la réveiller. Ses yeux s'ouvrirent lentement et se posèrent sur moi.

— C'est pour votre annonce, madame. Vous avez demandé une vendeuse ?

Elle me regarda pendant quelques instants sans comprendre, puis, faisant un effort, proféra d'une voix enrouée :

— Vous êtes une jeune fille ?

La question me prit au dépourvu.

— Non, bredouillai-je, je ne suis pas une jeune fille, mais je pourrais peut-être faire l'affaire... Je suis très énergique, très sportive... Je parle anglais et allemand.

— Il me faut une jeune fille, interrompit la marchande, à présent tout à fait réveillée. Une jeune fille discrète.

Je restai interloquée :

— Pourquoi discrète ?

— J'ai un tout petit commerce, reprit la femme, je ne veux pas de professionnelle.

— Justement, madame, je n'en suis pas une !

— Vous n'êtes pas de Nice ? demanda-t-elle à brûle-pourpoint comme si elle suivait une idée.

— Non, je suis de Paris.

Elle parut intéressée.

— Vous avez beaucoup de connaissances à Nice ?

Je dus avouer que je n'en avais pas.

— Tant mieux ! Laissez-moi à présent, j'ai mal à la tête. Si, d'ici une semaine, je n'ai pas trouvé une jeune fille, je vous engagerai peut-être. Revenez me voir.

Les soucis certes ne me quittaient pas, mais ne pouvaient m'empêcher de jouir de la Côte d'Azur. Jour après jour le ciel restait sans nuages, le soleil transformait tout en fête et il n'y avait qu'à traverser le flot mécanique de la Promenade des Anglais pour se trouver sur la plage.

Plage de galets, il est vrai, souvent ourlée d'ordures que le vent, s'il venait de l'ouest, amenait dans la baie des Anges. Mais il suffisait de lever les yeux pour contempler le bleu infini du ciel et de la mer.

Nous allions au marché, Macha et moi, émerveillées par la vie colorée du Midi, les poissons fraîchement pêchés, les fruits mûris au soleil, les odeurs épicées, les accents savoureux dans les voix méridionales.

Je me demandais parfois si je ne serais pas restée à Nice si la maison m'avait été rendue.

Une semaine s'était écoulée depuis le départ d'Elisabeth à Juan-les-Pins et je n'en avais pas de nouvelles. Je décidai d'aller la voir et emmenai Macha avec moi.

Juan-les-Pins nous parut plus animé que lors de notre dernière visite, les plages étaient couvertes de baigneurs. L'établissement de Mme Eliane, qui portait le nom peu original de « Bleu d'Azur », avait changé d'aspect. Le bar était entouré d'hommes en slip dont la peau blanche trahissait la récente arrivée.

Je me faufilai à travers une foule de corps nus et m'approchai du bar. Elisabeth s'affairait avec les bouteilles qu'elle manipulait avec une étonnante habileté. Elle avait apparemment maîtrisé le métier de barmaid et se débrouillait à merveille.

Le soleil avait déjà doré sa peau et ses cheveux blonds brillaient comme l'or sur ses épaules nues. Elle ne portait qu'un maillot de bain, comme tout le monde. Je regrettai qu'elle n'eût pas au moins gardé une jupe.

Les consommateurs, verre à la main, lui faisaient une cour assidue et j'entendis qu'ils parlaient anglais. La clientèle de Londres qu'attendait Mme Eliane était sans doute en train d'arriver.

Le succès de la barmaid devait l'enchanter, car, au lieu d'aller se baigner, les clients restaient au bar et redemandaient des boissons.

Voyant à quel point Elisabeth était accaparée, je ne fis que lui signaler notre arrivée et allai m'asseoir dans un transat sous un parasol en attendant un moment plus propice pour lui parler. Macha était déjà dans les vagues, ses longues tresses flottant derrière elle.

Au bout d'un long moment Elisabeth vint enfin me rejoindre.

— Je n'ai que quelques instants, dit-elle, nous sommes débordées !

J'appris que ses journées étaient harassantes et ne se terminaient qu'à 2 heures du matin. On déjeunait à 3 heures s'il restait quelque chose au buffet. Elisabeth et Thérèse, comme prévu, dormaient sur le sable derrière la palissade. Le chien était vigilant et aboyait au moindre bruit. On n'avait pas le temps de se baigner. Il y avait des clients sympathiques qui, en apprenant qu'Elisabeth travaillait pour pouvoir aller en Angleterre, remplissaient la tirelire posée en évidence sur le comptoir avec l'étiquette « Pour le personnel »

— C'est gentil, dis-je, il ne faut pas t'offenser.

— Je n'ai pas l'occasion de m'offenser. Mme Eliane vide la tirelire tous les soirs et ne donne que quelques francs au maître nageur. Elle prétend que Thérèse et moi ne faisons pas partie du personnel.

Tandis que je m'indignais de la rapacité de Mme Eliane, Elisabeth sautait sur ses pieds.

— Ça n'a pas d'importance ! Cette expérience m'est très utile. J'apprends une masse de choses sur les alcools que j'ignorais totalement. Et, franchement, je m'amuse. Mais maintenant je te quitte, j'ai l'impression que Mme Eliane fait déjà la tête.

Elle se sauva, tandis que Macha arrivait toute dégoulinante, les cheveux collés dans le dos. Elle ressemblait à une statuette de Tanagra avec sa peau bronzée et son corps effilé.

Pendant qu'elle s'habillait, j'allai trouver Mme Eliane pour lui faire remarquer que l'entretien qu'elle avait promis à ma fille était réduit au minimum, tandis que le travail qu'elle accomplissait me paraissait exagéré. Elle répondit d'un ton sec que pendant la saison on ne pouvait penser à ces détails. Ce qui comptait, c'était la recette.

J'allais observer que la recette ne concernait pas ma

fille mais, craignant de créer des ennuis à Elisabeth, abandonnai la question.

Mme Eliane me semblait très commune et la réflexion qu'elle fit me confirma dans cette impression.

— J'offre là une occasion à ces jeunes filles dont il ne tient qu'à elles de profiter. Il ne manque pas d'hommes riches dans cette foule de clients.

Par la suite, je sus que les propositions malhonnêtes n'avaient en effet pas manqué. Un gros jeune homme couvert de poils noirs, riche marchand de confection de Londres, se montra très assidu et offrit à Elisabeth ce que Mme Eliane aurait appelé une très belle somme. Quand elle rit, il crut qu'il fallait l'augmenter et au bout de quelques jours, s'étant piqué au jeu, offrait une vraie petite fortune.

Elisabeth riait toujours et, interloqué, le jeune homme s'exclama :

— Mais à combien vous estimez-vous ?

Elle haussa les épaules :

— Je n'y ai pas pensé, car je ne suis pas à vendre.

Un autre jeune homme, plus modeste, ne proposa que son amour. Un grand Polonais enfin, fier de sa personne, lui demanda sa main. Il y eut aussi un homme charitable qui, ayant appris qu'Elisabeth dormait sur le sable, voulut la faire déménager à l'Hôtel Provençal où il logeait lui-même et proposa de remplacer le chien par sa propre personne.

Tout ceci n'était pas grave et Elisabeth n'en fut pas troublée le moins du monde. Je fus cependant soulagée quand à la fin du mois elle enleva (symboliquement) le tablier et prit le train pour Paris.

Son voyage devait se terminer à Saint Helens près de Liverpool où elle allait commencer son stage universitaire comme lectrice de français dans un collège, après avoir accompli avec succès celui de barmaid à Juan-les-Pins.

A vrai dire, je n'attendais pas grand-chose de la boutique de souvenirs, mais pour en avoir le cœur net et ne rien regretter, je me présentai de nouveau devant l'éventaire de l'étrange marchande.

Je la trouvai dans la même attitude pétrifiée que la première fois, les yeux troubles, l'air absent. Je jetai un regard à l'intérieur de l'échoppe pour m'assurer qu'aucune jeunesse n'avait été engagée, mais ne vis rien de suspect.

Voyant que la bonne femme restait toujours dans les nuages, j'essayai de réveiller ses souvenirs.

— Vous m'avez dit de revenir. J'espère que je ne tombe pas mal. Vous cherchiez une vendeuse.

Elle me fixa pendant quelque temps de ses yeux écarquillés et tout d'un coup son visage se crispa.

— Qui êtes-vous ? hurla-t-elle. Que me voulez-vous ? Je ne vous connais pas ! Foutez le camp ou j'appelle au secours.

Je reculai ahurie. Allait-elle me jeter à la tête une de ces boules en verre renfermant la Promenade des Anglais qui se trouvaient sur son étalage ? Elle devait me prendre pour un bandit sorti de ses cauchemars. Ou était-elle folle ?

Il ne me restait qu'à me sauver, ce que je fis précipitamment.

Ce n'est que plus tard que je compris qu'elle se droguait. Mais je ne sus jamais quel commerce se cachait derrière ses chapeaux niçois et ses châles brodés.

« La Clairière »

Deux poteaux en pierre surmontés de grosses boules rugueuses, le vieux portail rouillé, la plaque de marbre blanc portant le nom de la propriété : « La Clairière ». Emue, je restai quelques instants immobile.

Mais Madeleine Moretti accourait déjà à notre rencontre.

— C'est la patronne ! lança-t-elle à ses deux filles qui travaillaient dans les planches de légumes, coiffées de grands chapeaux de paille.

— Oh, bonjour, madame ! Quel bonheur de vous revoir ! On vous attendait avec impatience pour vous revoir enfin et vous recevoir dans votre maison, sur votre terre !

Elle m'embrassa avec effusion ainsi qu'Elisabeth et Macha qui m'accompagnaient. Puis elle reprit d'une voix excitée :

— Alors vous êtes revenues en France ! Et je vois que vous êtes en bonne forme ! Toujours la même ! Ce n'est pas comme moi qué je suis devenue une pauvre vieille à faire peur à force de travailler comme une bête ! Et vous, Elisabeth, comme vous avez grandi ! Vous voilà une belle jeune fille ! Mais je vous remets tout de suite, vous n'avez pas changé de portrait ! Et la petite Marocaine ? Qu'elle est mignonne ! Et qué belles tresses ! Mais venez, venez dans votre maison.

166

Je me dis que la jolie Italienne avait en effet bien changé. Son visage s'était rabougri et ridé, ses cheveux avaient perdu leur lustre noir et faisaient une auréole grise et désordonnée autour de sa tête.

Nous suivîmes l'allée qui menait au mas en longeant la propriété voisine. Les beaux cerisiers de M. Auda étaient toujours là et j'eus un serrement de cœur en pensant que lui-même ne l'était plus. Les cerisiers que nous avions plantés de notre côté pour faire pendant à ceux de M. Auda avaient disparu. J'en fis la remarque à Madeleine.

— Oh ! Ils sont morts tout seuls ! s'empressa-t-elle de se justifier. Ils poussaient pas, vous savez, il fait trop sec par ici. Nous les avons pourtant bien soignés, ne croyez pas le contraire !

Le chemin, long d'une centaine de mètres, aboutissait à une maisonnette, ancien garage, que j'avais transformée en petit chalet habitable. Il était, de notre temps, recouvert de lierre et entouré de bigaradiers. La petite bâtisse était à présent nue et triste et à la place des bigaradiers j'aperçus un dépotoir. Je remarquai que la maisonnette était habitée.

Ayant suivi mon regard, Madeleine se lança dans des explications :

— C'est pas des locataires ! Ne pensez pas ça ! C'est des amis qu'on a dépannés. Ils ont déjà trouvé une campagne à louer et ils vont partir la semaine prochaine.

— Vous ne devez pas sous-louer, dis-je en me rappelant les clauses du bail.

— Qué sous-louer ! On n'y pense même pas, ça, je vous le jure ! C'est un service qu'on a rendu, rien de plus.

Nous nous trouvions à présent devant le mas, simple maison provençale à étage, flanquée d'une écurie plus basse et précédée d'une grande terrasse en briques roses. Au fond, un lavoir sous le pin parasol que j'avais planté pour l'abriter du soleil.

Le mas avait bien changé ! Plus de rosiers grimpants, plus de vigne vierge qui recouvraient jadis ses vieux murs et enguirlandaient les fenêtres aux volets verts. Les murs étaient nus, éraflés et sales, les volets tombaient en pièces. Mes enfants regardaient la maison avec étonnement, reconnaissant à peine celle qui figurait dans nos albums de famille.

Au pied du mas, en retrait des cultures, se trouvait autrefois mon jardin composé de vieux figuiers aux branches penchées jusqu'à terre, de pins d'Alep et de mimosas. A sa place s'étendait à présent un terrain vide couvert de débris et d'ordures.

— Qu'avez-vous fait des figuiers, Madeleine ?

— Oh, madame ! s'exclama l'Italienne d'une voix pathétique. C'est pendant la guerre qu'il nous est arrivé tant de malheurs. C'est à cause de la guerre que vos figuiers sont morts !

— Comment, à cause de la guerre ?

La guerre, me dis-je, avait bon dos.

— Mais oui, madame, les figuiers, vous savez, il faut les soutenir, autrement ils se fendent. Et on n'avait pas de bois. On ne savait plus comment se retourner.

— Et les orangers ? demandai-je en remarquant qu'il n'en restait plus qu'un seul.

— Oh, ils étaient trop vieux.

« L'oranger n'est jamais vieux », disait M. Auda qui s'y connaissait bien mieux que les Moretti.

Mais à quoi servait de discuter ? Nous entrâmes dans la maison. La table était dressée à notre intention dans la salle à manger où le mari de Madeleine et leurs deux filles nous attendaient.

Yvonne et Margot s'étaient transformées en jeunes filles et je reconnus à peine les deux gamines timides entrevues lors de notre départ douze ans auparavant. Seul Jean Moretti n'avait pas changé. Les années lui avaient certes laissé quelques traces, mais ne l'avaient pas rendu plus sympathique. Il gardait toujours son air buté et quelque chose de bestial dans l'expression. Je sentais qu'avec lui j'aurais du mal à m'entendre si jamais j'essayais de reprendre la propriété. Malgré ses efforts de paraître cordial et aimable, il restait sur ses gardes et parlait peu.

Se sentant maître de la situation, il ne prit même pas la peine de s'excuser des dégâts provoqués par son séjour.

Tout en louant le fameux civet de lapin et les pâtes à la milanaise de Madeleine, je ne pouvais m'empêcher de regarder les murs noirs et enfumés de la pièce. Ma jolie salle à manger provençale était devenue un taudis.

Tandis que son mari et ses filles se taisaient, Madeleine faisait tous les frais de la conversation. Comment c'était au Maroc ? La vie y était moins chère, pour sûr ? Ici on n'y arrivait plus ! On s'esquintait pour rien. On gagnait pas assez pour manger !

— Dites-moi, monsieur Moretti, dis-je au paysan, comment se sont passées les années de guerre pour vous autres, Italiens ? On ne vous avait pas demandé de rentrer dans votre pays ?

— On s'est débrouillés.

Je ne compris pas ce qu'il voulait dire, mais, voyant qu'il éludait la question, n'insistai pas.

— Et les Ponti ?

Il fit la grimace.

— Je ne m'en occupe pas.

Je devinai qu'ils étaient à couteaux tirés. J'en eus la confirmation quand Madeleine se mit à les couvrir d'accusations dont la plus grave concernait l'eau. Les Ponti, disait-elle, leur volaient l'eau d'arrosage en tripotant dans les bassins.

Odik avait pris les plus grandes précautions pour partager l'eau de façon équitable. Le jet sortant de la jauge était partagé en deux et s'écoulait de façon égale dans chacun des deux bassins. Mais ce fragile dispositif ne pouvait assurer une paix durable et Odik avait fait une prédiction pessimiste qui avait l'air de s'être réalisée : les hommes se battront et leurs femmes se crêperont le chignon.

Je me rappelai soudain que les Moretti devaient vendre un champ en Italie pour s'acheter une ferme en France. Ce champ avait-il réellement existé ou avait-on employé l'argument pour inspirer confiance ?

Et cependant je me souvenais des confidences que Madeleine me fit lors de nos premiers entretiens. Elle aurait épousé Moretti contre son gré. Son cœur était resté en Italie, lié à la personne du facteur de son village qui avait toutes les qualités sauf une : il n'avait pas de terre. Aussi sa demande en mariage ne put prévaloir sur celle de Jean Moretti qui, lui, possédait un champ. « On a vendu mon bonheur pour un bout de terre », avait conclu Madeleine en essuyant une larme. Ce champ, donc, existait.

Le déjeuner à peine terminé, Madeleine s'excusa :

— Je dois faire un moment de sieste, autrement je m'endors debout comme une bête. Pardonnez-moi pour quelques instants.

— Mais bien sûr, Madeleine, allez vite vous coucher. Nous irons chez les Ponti qui nous attendent pour le café.

Elle ne m'entendait plus. Terrassée par le sommeil, elle s'était effondrée sur une natte devant la porte.

Ses filles rangeaient la vaisselle en bavardant avec les miennes.

— Je voudrais bien voir la chambre où je suis née, dit Elisabeth.

Les jeunes filles parurent embarrassées. Yvonne bredouilla :

— Je ne sais pas si je dois vous laisser monter... Ce n'est pas très bien arrangé là-haut...

— Qu'est-ce que ça peut faire ?

Et sans faire attention à la mine effrayée de la jeune

fille, Elisabeth s'engagea dans l'escalier, suivie de Macha. Après un moment d'hésitation, je montai à mon tour.

Les chambres ne contenaient que de vieux lits sales et défaits. La salle de bains était dans un état déplorable. Le chauffe-eau à bois avait disparu, seul un bout de tuyau noir pendait du plafond. La chasse du cabinet de toilette était également absente, mais la cuvette continuait de servir... La baignoire était remplie de pommes de terre et un trou dans le mur remplaçait les robinets.

Je poussai une exclamation d'étonnement.

— Que signifie ce trou ? demandai-je à Yvonne qui arrivait, elle aussi.

Elle expliqua, un peu gênée :

— Papa a passé l'eau à l'étable pour les vaches.

C'était évidemment plus utile que de la faire couler dans la baignoire qui, de toute façon, était occupée par les pommes de terre.

Nous descendîmes sans parler et prîmes le sentier qui menait chez les Ponti. Yvonne s'arrêta au premier tournant.

— Je ne vais pas plus loin. Nous, on ne leur parle pas, vous savez.

Baptiste et Anita Ponti avaient, eux aussi, considérablement vieilli. De cette jeunesse, de cet entrain, de ce courage qui nous avaient tant plu, il ne restait, après treize ans, qu'un acharnement opiniâtre à gagner des sous. Comme tant d'autres, ils sacrifiaient leurs meilleures années, leur santé, leurs plaisirs, leur sérénité d'âme à ce but unique.

Les Ponti travaillaient bien, gagnaient beaucoup, mais continuaient à se priver de tout. Au lieu de s'installer confortablement maintenant qu'ils en avaient les moyens, ils préféraient rester dans ce cabanon sans électricité ni eau courante, qui ne leur coûtait rien. La seule amélioration que Baptiste avait apportée à son habitation était une sorte de véranda qu'il avait construite avec des châssis.

171

C'est là, autour d'une table rustique, que nous dégustâmes le café préparé par Anita et le vin blanc sucré que déboucha son mari.

Pendant quelque temps la conversation tourna autour des actualités, notre vie à Paris, la leur à Antibes, les projets des jeunes et les prix à la criée aux fleurs. On nous informa des événements locaux : ventes de domaines, nouveaux lotissements, décès, mariages, naissances survenus chez les voisins. Puis, comme Madeleine, Anita se lança dans les lamentations. Il ne fallait pas croire que leur vie était facile ! Au contraire, on n'avait que des difficultés et des embêtements. On travaillait pour rien, on n'y arrivait pas, on ne gagnait pas assez pour manger... La vie était chère, les fleurs venaient mal. Si encore on avait les conditions avantageuses dont jouissaient les Moretti...

— Chut... fit Baptiste en faisant un geste vers le poulailler contigu à leur logement. La Madeleine nous écoute.

— Elle fait semblant de ramasser ses œufs, chuchota Anita en se penchant vers moi, mais c'est pour écouter ce qu'on dit ici.

— Les œufs, elle les a déjà pris ce matin, ricana Baptiste. Toutes les fois qu'il y a du monde chez nous, elle revient voir si ses poules n'ont pas pondu une deuxième fois.

— Vous vous entendez mal avec les Moretti, à ce que je vois.

— Oh, nous, on ne leur fait pas de mal ! s'exclama Anita avec passion. Nous, on est toujours gentils. C'est eux qui nous cherchent dispute et nous empêchent de travailler. Ils ont tout, la maison, les vignes, l'étable, les poulaillers mais ils voudraient encore plus ! Nous, on n'a que ce bout de terre, ça les gêne encore !

— Il vous a dit où il a été pendant la guerre, ce Jean

Moretti ? dit Baptiste en baissant la voix à cause de la Madeleine tapie derrière le mur.

Se penchant au-dessus de la table, il chuchota :

— Il faisait du marché noir et on l'avait coffré pour six mois !

— Mais sa femme a continué, dit Anita, seulement elle a été plus habile. Vous avez vu leur grosse voiture Renault ? C'est le marché noir qui leur a rapporté ça.

— C'est le lait qu'ils vendaient à des prix terribles, expliqua son mari.

— Voyons, voyons, si vous aviez eu des vaches, vous auriez fait la même chose.

Interrompant leurs protestations, je posai la question à laquelle Moretti n'avait pas voulu répondre :

— Vous êtes tous italiens. On ne vous a pas fait rentrer en Italie, pendant que votre pays était en guerre avec la France ?

— On nous a gardés pendant quelque temps dans un camp près de Draguignan. Après on nous a relâchés, mais il fallait se présenter à la mairie d'Antibes toutes les semaines.

— Et vous savez ce qu'ils font la nuit ? reprit Anita, revenant sur le sujet qui l'obsédait. Ils montent sur le bassin et bouchent notre tuyau pour que toute l'eau s'en aille chez eux !

Je ne pus m'empêcher de rire.

— On vient de me dire la même chose de vous.

Ils se mirent à protester avec véhémence en gesticulant et en élevant la voix, tandis que je me disais : « La vérité c'est que Moretti comme Ponti ne sont pas plus blancs l'un que l'autre. Sous prétexte de vérifier l'arrivée de l'eau, chacun vient la nuit dévier le jet à son avantage. »

L'eau d'arrosage avait toujours manqué dans la région d'Antibes et comme les fleurs occupaient la première place dans les ressources du pays, elle restait la question primordiale, le nerf même de la vie. Ni l'extension du tourisme ni le développement des stations balnéaires n'ont pu modifier ce problème de fond. Le manège de mes fermiers me parut donc compréhensible et humain. Mais je n'allais pas me mêler de leurs intrigues et me poser en Salomon pour concilier des intérêts d'ailleurs inconciliables.

Anita ne parvenait pas à se calmer et je décelai dans son excitation l'origine du tourment qui la rongeait : la pauvre femme était dévorée par l'envie. Le confort, même relatif, auquel elle semblait indifférente, devenait une cruelle tentation quand il tombait dans le panier de la voisine.

— Vous savez, madame, qu'ils sous-louent la petite maison ? reprit-elle sur un ton confidentiel. Ils y ont mis des cheminots, il y a deux ans qu'ils sont là. Et ils ne sont pas près de partir. Les Moretti se font payer plus cher pour la maisonnette qu'ils ne vous paient pour toute la propriété.

— Je m'en doute. Mais soyez juste, vous aussi profitez de la situation.

— Nous ! s'écria Anita, nous, on ne prend que ce que votre mari nous a loué !

— Et nous restons là parce que vous le voulez bien, ajouta Baptiste. Si vous nous dites de partir, nous partirons, je vous le jure !

— Je sais, je sais, dis-je en faisant semblant de le croire. Mais à présent il est temps pour nous de rentrer à Nice. Je vous remercie de votre charmant accueil. Nous reviendrons vous voir avant de retourner à Paris.

Ils se mirent à emballer des cadeaux qu'ils avaient préparés pour nous : un panier de figues, de tomates et de poivrons, un énorme canard tout plumé, un bouquet d'arums.

Avant d'aller prendre congé des Moretti, je montai seule sur le plateau, partie la plus élevée de la propriété où se trouvaient les bassins, cause de tant de discordes.

De là on voyait la mer, la ville d'Antibes et la chaîne des Alpes.

Tandis que je contemplais le merveilleux paysage qui m'était si familier, les souvenirs revenaient en foule. Je revis soudain, à l'endroit même où j'étais, la haute silhouette élancée de mon mari immobile, tournée vers la mer. Il était marin et la nostalgie du large s'emparait parfois de lui, le clouait sur place, le fascinait. Oubliant pour quelques instants la réalité, il restait sans bouger, le regard perdu au loin, comme dans un rêve. Il regardait la mer...

Je longeai lentement la clôture envahie de ronces et de vigne sauvage entremêlées et m'arrêtai sous les énormes oliviers qui formaient un coin ombragé derrière le mas. C'est ici que nous venions nous réfugier pendant les grandes chaleurs de l'été et les Auda faisaient de même de leur côté. On bavardait par-dessus la palissade et M. Auda venait s'appuyer contre le tronc du gros olivier mitoyen pour faire des plaisanteries un peu grivoises ou raconter des anecdotes qui faisaient rire tout le monde.

M. Auda était un vieil Antibois, grand patriote de sa commune. Odik appréciait son intelligence, sa compétence en cultures du pays, son extrême bon sens. Il était, tout le monde le savait, très autoritaire et menait sa maison à la baguette. Sa femme, vieille paysanne épaisse et alourdie par l'âge et les rhumatismes, s'affairait perpétuellement autour de la cuisinière qui marchait au charbon de bois, à la vieille manière.

M. Auda n'aimait pas les innovations et avait refusé de se joindre au réseau électrique qui s'était étendu dernièrement jusqu'à nos parages. Chez lui, tout était à l'ancienne mode, on s'éclairait aux lampes à pétrole, on se lavait au robinet du lavoir dans la soupente, on se chauffait au bois d'olivier. A la saison des tomates, on faisait du coulis, on salait les olives, on pressait le vin à la fin de l'été.

Tous les travaux de la propriété étaient faits par les deux filles de M. Auda, Fanny, la veuve, et Jeanne, la fille non mariée. Se méfiant de la criée et des coopératives, M. Auda confiait tous ses produits à des marchands de confiance qu'il connaissait de longue date. Fanny et Jeanne, pliées sous le poids de leurs paniers, descendaient à bras la marchandise à Antibes.

Sa veste jetée sur les épaules, M. Auda parcourait inlassablement sa propriété, donnait des ordres, voyait tout, dominait tout. Fier de ses cultures, jaloux de ses arbres, de ses vignes, de sa terre. Pour entrer chez lui, il fallait sonner au portail et attendre la permission d'en franchir le seuil. Si un passant s'arrêtait trop longtemps devant la clôture en jetant des regards indiscrets, M. Auda, auquel rien n'échappait, ne manquait pas de crier :

— Hé, monsieur le promeneur ! Vous voulez acheter ma propriété ?

Il est arrivé une fois que nos canards, ayant trouvé un trou dans le grillage, passèrent dans les fraisiers de M. Auda. Il s'en aperçut tout de suite et appela Odik.

— Vos canards sont venus voir si nos fraises étaient bonnes, fit-il avec un bon rire sous lequel perçait un avertissement : « Si vous voulez qu'on reste amis, ne dépassez pas vos frontières. »

Après les vendanges, on faisait le vin, grande affaire qui mobilisait tous les membres de la famille et même quelques amis. A la fin du pressage, on goûtait à la piquette accompagnée d'olives. M. Auda parlait de son jeune vin avec un geste vers la cuve et louait les choses faites à la maison. Puis il passait à la critique des méthodes modernes.

La conversation revenait invariablement à la question brûlante de l'eau qui à la fin de l'été devenait encore plus aiguë. Les bassins chez les horticulteurs étaient à cette époque à peu près vides.

— Voyez-vous, disait M. Auda, avant ce n'était pas

comme ça. L'eau était destinée à la culture, elle faisait vivre le pays et on ne la gaspillait pas. A présent on ne pense plus qu'au touriste et on ne sait plus quoi faire pour le contenter. Le touriste, c'est pas mal dans un sens, ça rapporte de l'argent à la Côte, mais ça cause du tort aux cultivateurs. Le touriste, vous comprenez, il a ses exigences. Les plages, les bains de mer, ça ne lui suffit pas, il lui faut encore le confort à l'hôtel, la salle de bains avec l'eau chaude. Avec tous ces hôtels qui poussent comme des champignons, allez compter les salles de bains ! Le touriste, que voulez-vous, il en veut pour son argent. Mais à nous, ça nous enlève l'eau des cultures. C'est comme avec cette mode des égouts. On jette la vidange à la mer. La vidange, avant, on la mettait dans des tonneaux et nous autres on l'achetait pour engraisser la terre. On dit à présent que ce n'est pas propre, que le tout-à-l'égout, c'est plus hygiénique. Peut-être bien, mais nos cultures en souffrent.

Et en nous reversant de sa piquette aigrelette, il poursuivait :

— Et l'huile d'olive ! On abandonne de plus en plus les oliviers dans les campagnes, on dit que la main-d'œuvre vaut plus cher que la récolte. Moi, je garde mes oliviers et je porte mes olives au moulin. L'olive, c'est bon pour le corps. Moi, il m'en faut à tous les repas. Sans olives, je n'ai pas bien mangé. Et même après, quand je renvoie, j'aime sentir le goût de l'olive. Avec leurs histoires de vitamines, les médecins se foutent de nous... Pardon, madame, je crois que j'ai lâché un gros mot... Moi, je n'entre jamais dans une pharmacie et, regardez, à soixante-dix ans passés, je vais à la pêche à 5 heures du matin et quand je rentre le soir, je suis encore capable d'aller faire un compliment à ma femme... Ha, ha, ha, vous me comprenez ?

M. Auda aimait évoquer sa jeunesse et cet Antibes du passé qu'il n'avait jamais cessé de regretter.

— Nous avions à l'époque un orchestre municipal qui était autrement mieux que celui qu'on a maintenant. J'en faisais partie et je sais ce que je dis. Je tenais la trompette. Je connaissais bien la musique. Il ne faut pas croire qu'un cultivateur ne connaît que ses planches de légumes et n'a pas d'autres intérêts. Moi, j'étais un véritable artiste et je savais lire les notes. Je sais encore la différence entre la blanche et la noire. La blanche est plus importante que la noire, il ne faut jamais l'oublier.

Fanny écoutait en opinant de la tête et murmurait :

— Oui, oui, le paternel était bon musicien, très, très bon musicien.

— Les spectacles ? continuait M. Auda. Je ne vais jamais au spectacle. Quand j'avais vingt ans, je suis allé au Cirque Barnum. Ça, c'était un spectacle ! Des acrobates comme je les ai vus au Cirque Barnum, ça ne peut plus exister nulle part. Et les chevaux ! Les éléphants ! Les lions, les chiens savants ! Après avoir vu ça, je n'ai plus voulu voir autre chose. Lorsqu'on a vu le Cirque Barnum, on a tout vu !

Et à présent M. Auda était mort, Mme Auda aussi. Fanny et Jeanne avaient vendu la propriété et à la place des belles cultures de M. Auda, il y aurait bientôt un lotissement.

La voix de Macha rompit le fil de mes souvenirs.

— Maman ! Maman ! Où es-tu donc ? Ah, te voilà, nous te cherchons partout. Elisabeth dit qu'il faut partir, il est déjà 6 heures.

Elle portait un grand panier qui semblait lourd.

— Mais qu'est-ce que tu portes là ?

— C'est Mme Moretti qui nous a donné un lapin, des œufs et beaucoup de légumes. Elisabeth porte le panier de Mme Ponti.

« La propriété, me dis-je, commence à rapporter. »

La Cathédrale américaine

L'appartement de la rue Notre-Dame-des-Champs répondait à tous mes désirs et son seul défaut, son exiguïté, avait disparu, car nous n'étions plus que deux : Macha et moi.

Après le départ d'Elisabeth, c'était Hélène qui nous avait quittées. On lui avait proposé un poste de monteuse à Genève et elle l'avait accepté.

Je l'accompagnai à la gare et ne cessai de l'encourager pour la nouvelle étape de sa vie. Mais quand le train se mit en marche et que son visage penché à la portière commença à s'estomper, je ressentis un déchirement et un grand vide. Je me répétais pour me remonter le moral que rien ne comptait sauf l'avenir de mes enfants et que les deux aînées semblaient sur la bonne voie. Il ne restait que la petite Macha à mener à bon port. Elle était à présent en sixième au lycée Marie-Curie à Sceaux et ses études ne posaient pas de problèmes.

Malheureusement, je ne pouvais en dire autant de mes affaires.

Il y avait maintenant trois ans que nous étions à Paris, mais loin de s'améliorer, ma situation allait en s'aggravant. Avec le départ d'Hélène, l'aide de son salaire s'était arrêtée et ma situation devint carrément critique. Mes tourments reprirent de plus belle, je n'en voyais pas la fin.

Je recommençai mes rondes aux bureaux de placement et me remis à relever les annonces d'offres d'emploi dans les journaux. Peine perdue, il y avait toujours quelqu'un de plus qualifié qui enlevait la place.

Je fis le tour des fleuristes en proposant mes services comme spécialiste expérimentée, j'allai me proposer comme serveuse dans des restaurants, comme réceptionniste dans les hôtels, comme petite main chez les couturières. Non, on ne prenait que des professionnels, que des jeunes... Bref, pas moi.

C'est ainsi que j'arrivai à la conclusion qu'il ne me restait qu'une seule issue : sous-louer ma propre chambre à coucher. La crise du logement continuait à sévir et les locataires étaient faciles à trouver.

Mais une entreprise de ce genre était risquée, car la sous-location était interdite.

Ici, je dois consacrer quelques lignes à Mme Paulette, ma concierge, qui régnait dans l'immeuble en despote incontesté et surveillait les locataires comme un gendarme.

Je ne pouvais m'expliquer l'attitude étrange de Mme Paulette à mon égard. Malgré tous mes compliments au sujet du parfait entretien de l'escalier et de la distribution rapide du courrier, son visage, quand elle ne me tournait pas le dos, restait fermé et dur. Au lieu de me gratifier d'un de ces bavardages dont je la voyais combler les autres locataires, elle feignait d'ignorer ma présence et restait distante et froide.

Un sentiment de culpabilité s'empara de moi, d'autant plus pénible que je ne m'en expliquais pas la cause. C'était la première concierge de ma vie et je comprenais à présent ce que ce nom avait d'important et de redoutable.

Quand j'eus enfin trouvé le mot de l'énigme, le mystère se dissipa comme par enchantement et Mme Paulette devint tout d'un coup une vraie amie. Dieu merci, la révélation me vint à temps pour m'éviter des ennuis.

Quelle provinciale bornée j'avais été ! C'était si simple : les pourboires sous tous les prétextes.

— On m'a demandé à quel étage vous habitiez.

— On a dû vous déranger... Voulez-vous accepter...?

— On a déposé chez moi ce paquet pour vous.

— Oh, merci ! Tenez, voilà pour votre peine...

— J'ai ouvert la porte au releveur de gaz pendant votre absence.

— Merci, merci. J'espère que vous ne refuserez pas...

A présent, quand je passais devant la loge, Mme Paulette me faisait un signe amical. Un jour, elle me montra les meubles qu'elle venait d'acheter et à cette occasion me parla pendant une bonne demi-heure.

Je m'aperçus bientôt que ces nouvelles relations n'étaient pas sans ombres. Mme Paulette avait la manie de dépister les secrets d'autrui et d'en faire les sujets de ses conversations. Douée d'un don d'observation très prononcé, elle était toujours au courant de tout ce que faisaient les locataires. Elle glissait au besoin un regard par une porte entrouverte ou un rideau mal tiré, jetait un coup d'œil sur un mandat ou une lettre, observait les allées et venues des habitants de la maison. Bref, elle savait tout, racontait tout.

Je ne tenais pas à recevoir de confidences, encore moins à en faire. Quand Mme Paulette me demandait avec un clin d'œil entendu : « Vous avez remarqué ? », je m'empressais de l'assurer que je n'avais rien remarqué du tout. Ou : « Vous savez ? » Je ne savais jamais rien. Je finis par accélérer le pas en passant devant la loge en affectant un air affairé.

Je me gardais bien de lui parler de mes problèmes personnels, surtout de mon intention de sous-louer.

Dès mes premières démarches pour trouver une locataire, je reçus la visite d'une personne envoyée par un

181

foyer américain. En ouvrant la porte, je crus me trouver en face d'un vieux monsieur, mais revins de mon erreur en constatant que le sévère tailleur dont était revêtue la courte silhouette se terminait par une jupe. Les cheveux coupés en brosse, les traits accentués et l'odeur de tabac noir expliquaient ma méprise. La personne devant ma porte n'était pas un monsieur, mais une demoiselle. Mlle Mergoulet, professeur agrégé de littérature française, femme de lettres, en poste à l'Université Columbia de New York.

Ma chambre fut agréée et ma vénérable locataire vint s'y installer dès le lendemain.

Mlle Mergoulet employait pour s'exprimer une langue académique et littéraire recherchée, son érudition était écrasante. Elle avait fait des découvertes sensationnelles sur la poésie de Baudelaire et était en train d'écrire un livre consacré à ce sujet.

Son arrivée fut précédée de celle d'une grosse malle remplie de livres et de manuscrits et d'un fauteuil monumental indispensable pour la méditation.

— Pour concentrer l'esprit, m'expliqua-t-elle, il faut assurer au corps une détente parfaite.

Cette détente devait malheureusement s'accompagner d'innombrables cigarettes gauloises dont la fumée âcre et nauséabonde remplit tout l'appartement. En entrant chez moi on avait l'impression d'entrer dans une caserne.

En plus du fauteuil et des cigarettes, Mlle Mergoulet avait besoin pour méditer d'un silence absolu. Au moindre bruit dans les pièces voisines, sa porte s'ouvrait brusquement.

— Ne faites pas de bruit ! criait-elle d'une voix rauque et énervée. Je ne puis pas travailler !

Nous apprîmes à marcher sur la pointe des pieds, à fermer les portes avec mille précautions, à étouffer un éternuement, à parler en chuchotant. Macha se prêta de bonne grâce à cette discipline et fit de son mieux pour réprimer sa vivacité.

Nous prîmes l'habitude de nous déchausser dès la porte d'entrée et de surveiller tous nos mouvements. Le piano, dont j'avais tant de mal à payer la location, resta dorénavant fermé. Il n'était plus question pour Macha d'y toucher et nos luttes quotidiennes à ce sujet prirent fin.

Cette vie « en sourdine » nous donnait l'impression de nous trouver en permanence dans une église. Mais parfois, oubliant la consigne, nous poussions une exclamation ou élevions la voix. La porte de Mlle Mergoulet s'ouvrait immédiatement et sa voix rude nous rappelait à l'ordre.

— Qu'y a-t-il ? Je ne puis pas travailler !

Il nous arrivait de céder à un fou rire et plus nous nous efforcions de le réprimer, plus il nous gagnait. Nous nous enfermions alors dans la chambre de Macha qu'à présent je partageais avec elle, et nous roulions sur nos lits, la tête dans l'oreiller.

Le bruit de la rue nous parvenait à peine, l'appartement donnant sur la cour, mais il y avait d'autres bruits provenant des appartements voisins. Mlle Mergoulet m'en rendait responsable et réclamait mon intervention.

Elle se plaignait surtout du vacarme que les locataires de l'étage supérieur faisaient au-dessus de son lit, et qui se prolongeait tard dans la nuit. Elle se levait alors, allait chercher un balai et tapait violemment contre le plafond.

Affolée, je finis par prier Mme Paulette de sermonner ces voisins sans gêne et appris avec horreur que les fauteurs du bruit occupaient l'étage d'en dessous et qu'au lieu de taper chez eux, Mlle Mergoulet tapait chez un vieux monsieur infirme, qui se plaignit à son tour.

— Et qui est cette dame dans votre appartement ? demanda Mme Paulette.

Je regrettai d'avoir remis l'inévitable explication et allais lancer « C'est ma tante ! », et débiter l'histoire que j'avais préparée, quand Mme Paulette remarqua avec bienveillance :

— Elle est venue me voir à la loge pour prendre son courrier. Elle m'a fait une très bonne impression.

Je soufflai. Mlle Mergoulet avait, sans aucun doute, fait le nécessaire pour s'assurer la sympathie de la concierge.

La présence de Mlle Mergoulet dans notre appartement causait certes de nombreux inconvénients et rendait notre vie souvent insupportable, mais la situation avait aussi de bons côtés. Mis à part le loyer qu'elle me payait avec beaucoup de régularité, il y avait l'avantage de sa conversation.

Souvent, lasse de méditer et d'écrire, elle venait me trouver dans mon salon pour causer. Nos conversations étaient toujours pleines d'intérêt. Les jugements de Mlle Mergoulet étaient clairvoyants et justes, qu'il s'agisse de politique, de littérature ou de philosophie. Grâce à elle je pus me faire une idée de la politique américaine, de la personnalité du président Eisenhower alors au pouvoir, de la vie aux Etats-Unis.

C'est à Mlle Mergoulet que je demandai conseil à l'occasion d'une certaine lettre qui émanait de la Cathédrale américaine et était signée du doyen. Il était question d'une situation à mi-temps à la Cathédrale. Il fallait répondre au doyen et je ne savais pas comment m'adresser à lui. Chez les Américains, je savais, tout était simplifié, mais la liberté de manières s'étendait-elle à l'Eglise ?

— Mais voyons, dit Mlle Mergoulet, il n'y a rien de plus simple. Je vais vous composer cette lettre. « *Dear Dean...* »

Au moment de recopier la lettre, j'hésitai : n'était-ce pas trop familier ? Je feuilletai mon *Correct Guide to Letter Writing* et trouvai une expression qui me parut plus respectueuse : « *Dear and Reverend Sir* ». C'est ainsi que je m'adressai au doyen, en acceptant le rendez-vous.

« *WELCOME TO ALL !* » disait le grand panneau sous le porche de la majestueuse Cathédrale américaine. C'était encourageant et j'aurais dû me sentir rassurée. Mais je me doutais que ces paroles de bienvenue s'adressaient aux paroissiens américains et d'ailleurs ne concernaient que l'hospitalité spirituelle.

Je parcourus une longue galerie et m'arrêtai devant la porte monumentale de la sacristie. Froissant nerveusement la lettre du doyen, j'appuyai sur la poignée énorme en fer forgé. Soudain, la porte s'ébranla et je me trouvai dans une vaste salle revêtue de menuiserie et éclairée par des vitrages colorés. Au fond de la salle, une jeune fille tapait à la machine. Elle me jeta un regard à travers ses grosses lunettes de myope.

— *Oh, I see*, dit-elle en lisant la lettre.

Je m'attendais à un interrogatoire et me préparai à réciter mon curriculum vitae, comme tant de fois auparavant, mais tout se passa autrement. La jeune fille se mit à m'expliquer en anglais en quoi consisterait mon travail, comme si c'était déjà chose faite.

— C'est de 9 h 30 à 12 h 30. Vous serez la secrétaire de notre comptable, M. Beck, qui va arriver tout à l'heure. Vous allez lui taper son courrier et ses rapports mensuels, ainsi que les lettres aux paroissiens concernant les questions financières. Vous aurez un fichier où vous garderez les noms des souscripteurs au soutien de la Cathédrale. Vous allez vérifier les dates des échéances et envoyer des lettres de rappel s'il y a lieu. Vous travaillerez dans une salle réservée à M. Beck qui se trouve au-dessus de la sacristie. Quoi encore ? Ah oui, samedi vous resterez ici, à ma place, pour assurer la permanence et répondre au téléphone. Voilà, conclut-elle, je crois que c'est tout. M. Beck vous mettra au courant et vous donnera les fichiers. Ah, le voilà ! Je vais vous présenter.

Un vieux monsieur à carrure massive, portant d'énormes lunettes à monture d'écaille, s'avançait vers nous, une serviette noire sous le bras.

— *This is Miss Gaggery*, annonça la secrétaire gaiement, *our new financial secretary !*

— *Good morning, Miss Soames*, s'inclina M. Beck.

Puis il se tourna vers moi et nous échangeâmes des saluts cérémonieux.

Miss Soames ouvrit un coffre-fort et en sortit plusieurs plateaux chargés de billets de banque qu'elle remit à M. Beck.

— *Oh, I see !* s'exclama-t-elle. *Could you start right away ?*

— *Yes, of course...* fis-je, un peu abasourdie par le développement rapide des choses.

Miss Soames me passa un des plateaux et ce geste consacra mon entrée au service de la Cathédrale.

Je suivis M. Beck à travers la galerie et nous montâmes un grand escalier en chêne sombre. La salle de la comptabilité était immense, à double jour, aux murs et au plafond garnis de boiseries. M. Beck s'installa devant une petite table et m'indiqua une chaise en face de lui.

— Vous êtes entrée à la Cathédrale ? me demanda-t-il en m'examinant.

— Oui, je crois...

— Il faudra me donner vos papiers pour que je puisse établir vos feuilles de paie.

Ces simples paroles me bouleversèrent. Elles signifiaient que j'étais casée, elles mettaient fin à ma situation de chômeuse non secourue, elles me donnaient droit aux allocations familiales, à la Sécurité sociale, aux congés payés. Je cachai à M. Beck mon émotion et répondis simplement :

— Oui, oui, certainement.

Nous nous mîmes à trier, assembler et épingler les billets et à les aligner selon les catégories. Les plateaux contenaient aussi de nombreuses enveloppes enfermant des chèques et des lettres de souscription pour le soutien de la Cathédrale. Certains billets étaient tout froissés, quelques-uns roulés en boule. M. Beck m'expliqua qu'il y avait des donateurs qui voulaient ainsi exprimer leur humilité.

Quand tous les billets furent soigneusement dépliés et rangés, M. Beck les enferma dans son bureau et nota dans un grand livre le résultat de la quête. On passa ensuite à la correspondance et je tapai quelques lettres sur une vieille machine délabrée.

A 11 heures, M. Beck se leva, me souhaita une bonne journée et s'en alla.

Etait-ce un rêve ? Au-dessus de moi s'élevait une haute voûte en ogive discrètement illuminée à travers des vitres colorées. Une odeur de bois, de cire et de miel flottait délicatement dans l'air, le silence était total. Tout cela avait quelque chose d'irréel, comme sorti d'un autre âge.

A midi et demi je fermai la porte avec une clef gigantesque et, suivant les instructions de M. Beck, la déposai dans un coffre en chêne sur le palier. En passant devant la sacristie, j'hésitai : devais-je prendre congé de Miss Soames ?

C'est à ce moment-là que j'aperçus un homme en tablier noir tenant un grand plumeau.

— Qu'est-ce que vous faites là ? me cria-t-il.

Interloquée, j'allai le lui expliquer, quand Miss Soames sortit de la sacristie.

— *It's all right*, Lucas, dit-elle, *the lady is our new secretary.*

Puis, se tournant vers moi :

— *Never mind Lucas, he just cannot be nice.*

J'appris qu'il était le sacristain, bedeau et gardien de la Cathédrale, connu pour son exécrable caractère et son incurable mauvaise humeur. Le doyen recevait régulièrement des plaintes au sujet de ses manières, mais Lucas restait incorrigible. Il n'était poli qu'avec le doyen et les notables de l'église. Les simples mortels ne lui inspiraient

187

que mépris. On le gardait malgré tout à cause de son service irréprochable et son dévouement à la Cathédrale. Je sus tout cela dès le premier jour et m'abstins par la suite de lui adresser la parole. Lui dire bonjour ne servait à rien, car il vous tournait le dos en réponse.

Je ne rencontrai le doyen que le jour suivant et sa prestance me fit grande impression. C'était un homme de haute taille et de belle allure, conscient de sa valeur, de son importance, de son rôle religieux et social. Si ce n'était son col ecclésiastique, je l'aurais pris pour un magistrat ou un haut fonctionnaire. Son ton était condescendant, mais rempli de magnanimité. Il m'a toujours intimidée. Et cependant, il ne me témoigna jamais que de la bienveillance, de façon, il est vrai, un peu distante.

Je me sentis très vite intégrée dans la vie de la Cathédrale et à présent, en passant devant le grand panneau du porche, je me sentais, moi aussi, concernée.

L'atmosphère paisible qui y régnait avait une action bienfaisante sur mes nerfs déchirés. Le seul point noir de la situation était l'insuffisance de mon salaire. Si ce n'avait été ce détail, j'aurais pu me considérer comme arrivée au havre.

J'aimais les samedis matin quand j'étais seule à la sacristie, installée au bureau de Miss Soames et me sentant un peu comme le gardien du phare. Les heures s'écoulaient dans un silence presque total, ponctué par le tic-tac d'une énorme horloge. Même la lumière tamisée par les vitrages semblait planer sans heurter les choses, comme un voile flou.

Parfois un paroissien ou une dame patronnesse de la Société philanthropique faisaient une courte apparition, ou encore le jeune maître de chapelle Bob Wilkins venait s'exercer sur l'orgue de l'église. Une vieille dame française, très distinguée et très pauvre, chargée de l'entretien des vases sacrés et des chandeliers de l'autel, s'installait sur

188

un bout de la grande table et travaillait en parlant doucement d'une voix triste et monotone.

Souvent, avant de quitter la Cathédrale, j'allais passer un moment dans l'église, au risque d'y rencontrer Lucas en train de faire du nettoyage. Mais à cette heure-là, il était dans son sous-sol, occupé à nourrir sa chatte, qui seule au monde pouvait se flatter de son affection.

Je m'asseyais en face de l'autel, entourée des cinquante drapeaux qui se dressaient en demi-cercle à la naissance de la coupole. Emblèmes de grandeur et de puissance, de prospérité aussi et de dynamisme. Je me sentais, moi, appartenir à une race différente, celle qui avait joué son rôle et n'avait plus d'avenir. J'étais un des derniers maillons d'une longue chaîne arrivée à son terme.

Intriguée par mon bureau qui ressemblait à une église, Macha, un jour, vint me rendre visite.

— Oh ! s'exclama-t-elle en entrant, tu as un bureau d'évêque !

A peine M. Beck parti, elle fureta dans tous les coins et m'entraîna dans la salle de musique qui se trouvait sur le même palier. Moins grande et moins austère, elle avait quelque chose d'intime et d'hospitalier. C'est ici qu'avaient lieu les répétitions de la chorale. Autour d'un grand harmonium se dressaient les pupitres chargés de musique et des chaises laissées en désordre après la dernière réunion. Un vieux divan recouvert d'une lourde draperie servait à dépanner un visiteur de passage ou Wilkins lui-même quand il restait travailler tard dans la nuit. Le long des murs des placards à portes coulissantes renfermaient les aubes blanches des choristes, des soutanes et des surplis.

Macha grimpa aussitôt sur le tabouret placé devant l'harmonium avec l'intention de l'essayer, mais je me précipitai pour l'en empêcher. Le doyen devait se trouver encore à la sacristie, en train de dicter des lettres à Miss Soames.

Elle passa alors une aube, mais il n'y avait pas de miroir pour juger de l'effet, et elle l'abandonna.

En quittant la salle elle voulut fermer la porte elle-même et la clef géante l'impressionna, jamais elle n'en avait vu d'aussi grande. Nous descendîmes dans la galerie sans manquer de tomber sur Lucas. Il portait sa chatte sur l'épaule et, pour ne pas l'effrayer, n'éleva pas la voix, se contentant de nous jeter un regard soupçonneux.

Sa vigilance exacerbée n'était pas sans fondement et son mauvais caractère avait son côté utile. L'église était assaillie par les quêteurs, quémandeurs, démarcheurs de tout genre, sans parler des simples mendiants. Le prestige et la richesse de cet îlot américain éveillaient la convoitise et suscitaient les espoirs parfois très indiscrets. Lucas jouait le rôle de gendarme et le jouait bien.

Le doyen ne pouvait pas interdire l'accès à la Cathédrale et, sous prétexte de la visiter, certains malins s'introduisaient à la sacristie. Miss Soames, suivant l'ordre du doyen, expédiait les demandeurs à la comptabilité. Je dois ajouter que parmi ces quémandeurs je n'ai jamais vu une femme.

Ces intrusions étaient particulièrement pénibles quand nous étions en train de compter l'argent. Les billets s'étalaient sous les yeux d'un pauvre bougre qui, assurait-il, n'avait pas mangé depuis trois jours, même s'il paraissait avoir bu récemment. Nous ne pouvions soustraire un centime de l'argent qui appartenait à l'église sans la permission du doyen. M. Beck, habitué à ce genre de situation depuis des années, ne s'en émotionnait plus, mais pour moi c'était insupportable et je donnais de ma poche une pièce de cent francs, ce qui paraissait bien mince en face de tant de richesse. En guise de remerciement je récoltais souvent une remarque désobligeante, parfois même une menace. M. Beck me prévint que mon salaire y passerait si je m'engageais dans cette voie.

Comprenant combien il avait raison, je décidai de

procéder autrement. Je me fis une liste de toutes les organisations de bienfaisance de Paris et me documentai sur leurs activités respectives. Je pouvais ainsi diriger chaque quémandeur vers l'adresse qui semblait la plus indiquée. J'appris à distinguer ceux qui méritaient de l'intérêt de ceux qui avaient déjà fait le tour de toutes les institutions charitables et dont personne ne voulait plus entendre parler. Car, il faut bien le dire, il y en avait pour qui mendier était un métier.

Il y avait aussi de nombreux solliciteurs épistolaires. Aucune demande ne devait rester sans réponse et j'écrivais de bonnes lettres chrétiennes remplies de sympathie et de conseils utiles.

Je n'avais pas jusqu'ici assisté à la messe à la Cathédrale. Un dimanche nous décidâmes, Macha et moi, de nous y rendre.

Une foule élégante se pressait sous le porche et dans les galeries. Des huissiers en tunique noire choisis parmi les notables de la colonie américaine recevaient les fidèles et les escortaient à l'intérieur de l'église. Auprès de la porte, sur une table recouverte de velours rouge, s'étalaient des brochures religieuses et des feuilles dactylographiées contenant les derniers sermons. Les quarante choristes en aube blanche encadraient l'autel d'un large demi-cercle. Bob Wilkins en soutane noire se tenait immobile et grave auprès de son pupitre. L'éclat des lustres illuminait les drapeaux déployés qui semblaient protéger l'assemblée.

L'orgue éclata soudain, remplissant l'église. Le brou-haha, le remue-ménage, le murmure des voix s'éteignirent. Tout le monde s'assit et on n'entendit plus que l'orgue et le bruissement des missels.

La porte de la sacristie s'ouvrit à deux battants et le doyen, revêtu de somptueux vêtements sacerdotaux, les mains jointes sur un Crucifix, fit son entrée solennelle. L'assistance se leva, tandis qu'il avançait lentement vers l'autel, suivi de son assistant et du lecteur.

Le service divin commença. Les chants, les lectures, la musique se succédèrent jusqu'au moment du sermon. Le doyen monta en chaire et se tint pendant quelques instants immobile, le regard posé sur ses ouailles.

Mais le silence tardait à intervenir à cause des enfants qui occupaient les premiers rangs. En dépit des efforts des deux jeunes filles préposées à l'école du dimanche, ces jeunes Américains turbulents continuaient leur remue-ménage, les petits rires et les chuchotements à peine réprimés. Le doyen posa sur eux un regard grave et consterné et attendit. Les jeunes filles redoublèrent de zèle pour obtenir le silence, ne réussissant qu'à moitié.

Enfin le doyen parla.

Le sermon était consacré à la charité. J'écoutais en observant à la dérobée les fidèles. Ils semblaient pénétrés par les paroles du Doyen. Je songeai à cette charité dont on parlait tant, surtout parmi les privilégiés de la vie, et que je rencontrais si rarement sur mon chemin. Je me demandais dans quelle mesure les conseils du prédicateur seraient suivis.

J'admirais Macha qui jusqu'au bout du sermon garda une tenue irréprochable, ce qui était d'autant plus méritoire qu'elle ne le comprenait pas. Mais la mauvaise conduite des enfants américains lui avait déplu et elle ne voulait pas leur ressembler.

La fin de la messe et la sortie du clergé furent magnifiques. L'orgue secouait littéralement la voûte par une cantate triomphale. La chorale défila en chantant, suivie du lecteur, du prêtre assistant et du doyen. Lucas terminait la procession en portant une bannière. Le défilé descendit l'allée centrale, longea la nef et s'engouffra dans la sacristie. Lucas ferma la porte. C'était fini.

Les fidèles s'ébranlèrent vers la sortie et, maintenant que le service divin était terminé, échangèrent des propos et des poignées de main.

Après la messe, l'assistance était conviée à la salle des

réceptions où le doyen et son épouse offraient du café. Cette petite réception était destinée au rapprochement du doyen et de ses ouailles et, en même temps, à celui des membres de la colonie américaine. Elle s'appelait « *The coffee hour* ».

Ne me sentant pas à mon aise au milieu de cette foule d'inconnus, j'allais me diriger vers la sortie, mais Macha, curieuse de tout voir, m'entraîna dans la salle.

Sur de longues tables nappées de blanc s'alignaient d'innombrables tasses que les domestiques du presbytère remplissaient de café.

Dans la cohue, je butai contre Miss Soames qui, avec sa vivacité habituelle, s'empara de mon bras.

— Vous devez présenter votre fille au doyen, dit-elle.

— *Be welcome, my child*, dit celui-ci quand nous nous fûmes approchées.

Et, s'adressant à moi, il ajouta :

— *Send her to our Sunday school.*

Plus tard, dans le métro, je demandai à Macha si elle voulait y aller et, à mon grand étonnement, elle y consentit.

Elle y alla plusieurs fois avec les meilleures intentions du monde, mais n'en tira aucun profit. Ces cours étaient chaotiques. Les enfants, abusant de la liberté accordée aux enfants américains, se comportaient de façon scandaleuse et les maîtresses n'avaient sur eux aucune autorité. Leurs tentatives désespérées de leur inculquer la Bible se perdaient dans le néant.

*1937. On offrit à mon mari une situation d'ingé-
nieur agronome au Maroc. Nous acceptâmes volontiers car notre exploitation florale d'Antibes n'était
pas florissante... Je voyais ce changement de vie
avec optimisme et curiosité. Il y avait une petite
communauté russe à Rabat et nous savions que
nous ne serions pas seuls.*

J'ai conservé les photos d'identité des ouvriers de mon mari.
Les paysans arabes lui rappelaient les paysans ukrainiens et
il s'entendait très bien avec eux. La propriété où travaillait
Odik appartenait à une cousine mariée à un médecin
français. Mon mari fut engagé pour créer une plantation
d'orangers à Souk-el-Djemaa, le long de l'oued Sebou. On
construisit cette maison pour le loger.

Comme nos filles allaient à l'école à Rabat, nous y avions loué un appartement. Mon mari venait nous rejoindre les samedis et les dimanches et nous allions au bled pour les vacances.Ci-dessus : *Hélène et Elisabeth avec notre cuisinier.*

Notre fatma, Isa, qui nous a été fidèle pendant dix ans.

1940. Naissance de Marie-Madeleine (Macha), neuf ans après les autres. Je ne pensais plus agrandir la famille, mais le maréchal Pétain était d'un autre avis...

Macha à cinq ans, l'année de la mort de son père.

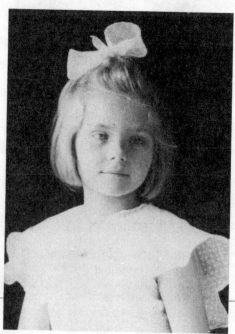

1945. Hélas, la guerre a emporté mon beau-fils Yourik à l'âge de vingt-trois ans. La croix de guerre et la médaille militaire sont remises à son père. A côté de lui, un petit garçon qui reçoit les mêmes décorations pour son papa tué au front. Mon mari ne survivra pas à ce chagrin et mourra du typhus au cours de son pèlerinage sur la tombe de son fils, au cimetière militaire de Strasbourg où étaient rapatriés les soldats tombés en Allemagne.

ECHANGES D'APPARTEMENTS

Paris, années 48-49. La crise fait rage. Le chômage aussi. De surcroît, les hivers sont rudes et ce fut un choc pour mes filles qui n'avaient jamais vu de neige au Maroc. Notre venue à Paris fut audacieuse. En raison de la crise du logement, on pratiquait le système des « échanges ». J'avais échangé notre appartement de Rabat contre un pavillon à Bagneux (ci-contre) sans l'avoir vu. Il était inchauffable et à peine habitable. J'ai déménagé trois fois dans Paris grâce à ce système.

Bien que parlant quatre langues, je n'avais pas de vraie profession et ce fut le début de la succession de mes divers métiers. Ci-dessous : l'église américaine, avenue Marceau, dont j'étais secrétaire. Parmi mes fonctions, je comptais les piles de dollars de la quête du dimanche.

1959. Ma fille Macha débute au cinéma dans « La Main chaude » de Gérard Oury, avec Jacques Charrier. (Photos D.R.)

Mes trois filles et moi-même. Après de nombreux déménagements et des séjours à l'étranger, nous nous sommes finalement toutes établies à Paris où chacune vit à sa manière dans son propre appartement. Je leur dédie ce livre et je leur souhaite avec toute mon affection beaucoup de succès et de bonheur. (Cl. François Darmigny-Gamma.)

De beaux messieurs

Les fêtes de Noël et du Nouvel An amenaient une grande animation dans la vie de la Cathédrale. Le doyen recevait d'innombrables félicitations et envoyait en réponse des centaines de lettres de bons vœux, que Miss Soames n'arrêtait pas de taper. M. Beck établissait le bilan trimestriel et je tapais de longs rapports farcis de chiffres. La chorale se réunissait plus souvent dans la salle de musique pour répéter les cantiques pour la messe de Noël. La *Sunday school* préparait un arbre de Noël dans la grande salle et la Société philanthropique américaine une vente de charité. Sur tous les plans donc, il régnait à la Cathédrale une activité intense.

Le lendemain de la fête, le Doyen partit avec sa femme pour deux semaines en Espagne, laissant la charge de l'église à son assistant Mr. Fergusson.

Mr. Fergusson était un homme d'une quarantaine d'années, de haute taille, élégant et distingué. Instruit et cultivé, il parlait un français irréprochable. Parmi ses attributions principales figuraient les relations publiques et la direction du comité de bienfaisance.

Il monta un jour à la comptabilité suivi d'un jeune homme en qui je devinai aussitôt un compatriote. En l'examinant attentivement, je reconnus le type même de l'éternel solliciteur qu'il est si difficile de caser. Mais

Mr. Fergusson, moins expert, était à son égard plein de bienveillance.

— Je vous présente M. Nikouline, dit-il. Il cherche une situation et j'ai pensé que nous pourrions peut-être l'employer.

— Ah ? fit M. Beck, étonné.

— J'ai pensé que Lucas n'a pas tort en se plaignant d'avoir trop à faire. La Cathédrale demande beaucoup d'entretien, ainsi que la sacristie, la salle des réceptions et les galeries. Ce travail n'incombe pas vraiment à un bedeau. Il nous faudrait à mon avis un homme supplémentaire pour aider Lucas.

— Nous en avons deux, dit M. Beck en ouvrant un registre. Tenez, les jeudis et les samedis il y a Henri...

— Je sais, je sais, l'interrompit Mr. Fergusson, mais ce ne sont que des journaliers. Il nous faudrait quelqu'un à demeure. On le logerait dans une des pièces du sous-sol.

— Et que dirait Lucas ? s'exclama M. Beck.

— Je lui en ai déjà parlé. Il souhaite avoir une aide.

— Et le doyen ?

— Il veut bien en principe, mais il exige des références. C'est vous que je charge de réunir des renseignements, ajouta Mr. Fergusson en se tournant vers moi.

Je regardai M. Nikouline de nouveau et il me sembla l'avoir déjà aperçu agenouillé devant la sainte table pour recevoir la communion des mains du doyen. Je l'avais remarqué car visiblement il n'appartenait pas à la colonie américaine.

— M. Nikouline est très pieux, dit Mr. Fergusson. Il vient à la messe chaque dimanche.

Je faillis demander pourquoi il n'allait pas à la Cathédrale russe, mais je retins ma question qui d'ailleurs était inutile, puisque j'avais déjà deviné la réponse.

Dès que M. Beck et Mr. Fergusson furent partis, M. Nikouline s'installa en face de moi et je pris une feuille de papier pour noter les renseignements qu'il allait me donner sur sa personne.

— Je suis licencié en chimie, dit-il.

Je levai mon crayon et laissai échapper une exclamation d'étonnement.

— Qu'est-ce qui vous surprend ? fit M. Nikouline, offensé.

— Vous avez un diplôme universitaire et vous demandez un poste d'homme de charge ?

— Je n'ai pas de diplôme. Ce qui ne m'empêche pas d'avoir des connaissances. J'avais fréquenté des cours libres et je m'étais présenté au concours. J'ai très bien répondu à toutes les questions. Quand j'en ai parlé à mes camarades, ils m'ont assuré que j'avais réussi.

— Et les professeurs ?

— Ils m'ont fait échouer parce que je suis russe.

— Voyons...

— Je vous l'affirme.

Ce n'était pas la première fois que j'entendais pareille réflexion. L'idée de ce genre d'injustice est très répandue chez les émigrés. Surtout chez ceux qui ont toutes les chances d'échouer.

— Laissons la chimie. Quels sont les postes que vous avez occupés ?

— J'ai eu de très belles situations.

— Où avez-vous été employé avant de venir ici ?

— J'étais à la S.N.C.F.

— Que faisiez-vous à la S.N.C.F. ?

— Voyez-vous, pour commencer, ils m'ont fait garçon de courses.

— Et pour finir ils vous ont mis à la porte ?

— Une humeur du chef du bureau qui avait un sale caractère. A vrai dire, je voulais partir moi-même. Etre garçon de courses pour un intellectuel !

— Oh, homme de charge, ce n'est pas mieux. Et encore sous les ordres de Lucas !

— Ici c'est différent, c'est pour l'église. C'est comme si je servais Dieu.

— N'exagérons rien... Mais dites-moi, combien de temps êtes-vous resté à la S.N.C.F. ?

— Je ne me rappelle pas. Trois semaines, je crois.

— Ce n'est pas la peine alors d'en parler. Et avant ?

— J'étais au chômage.

— Monsieur Nikouline, dites-moi où vous avez travaillé. Comprenez-moi, je suis chargée par Mr. Fergusson de réunir des renseignements sur vos capacités. Il nous faudrait une référence, au moins verbale, si vous ne possédez aucun certificat.

— J'ai travaillé au Cercle des marins russes. Le président du Club, M. Ladinsky, me connaît très bien.

— Que faisiez-vous au Club ?

— Je m'occupais du buffet.

— Que faisiez-vous au buffet ? Voyons, monsieur Nikouline, jusqu'à présent vous ne m'avez donné aucun renseignement sur vos capacités.

— Si, je vous ai dit que ma spécialité était la chimie.

— Laissons la chimie, je vous l'ai dit. Elle n'est d'ailleurs pas nécessaire pour l'entretien de l'église. Dites-moi où vous avez travaillé et finissons-en.

M. Nikouline prit un air outragé.

— Je ne comprends pas votre interrogatoire ! Pour un petit poste de rien du tout, vous me posez un tas de questions indiscrètes !

— Bon, dis-je en posant mon crayon, je vous remercie. Je ferai ce que je pourrai. Revenez dans une semaine quand le doyen aura pris une décision à votre sujet.

Quand il fut parti, je téléphonai au Cercle des marins russes et demandai le président.

— Nikouline ? dit celui-ci quand je l'eus mis au courant. Je crois bien que je le connais ! Vous pouvez lui donner du travail ? Tant mieux ! tant mieux ! S'il a travaillé chez nous ? Non, pas exactement... Il recevait des repas gratuits pendant quelque temps. Si je puis le recommander ? Oui, oui, c'est un brave type, quoique peu adapté à la vie. Mais, bien dirigé, je suis sûr qu'il pourra être utile. Vous voulez une recommandation de ma part ? Eh bien, je vous la donne !

Je communiquai à Mr. Fergusson le résultat de mon enquête en toute franchise et nous décidâmes de donner une chance à M. Nikouline en soutenant sa candidature. Mr. Fergusson réussit à obtenir l'accord du doyen et le chimiste manqué fut nommé aide-portier de la Cathédrale et livré à Lucas, ce qui, à mon avis, n'était pas une mauvaise école et ne pouvait que faire du bien à mon malchanceux compatriote.

— Comme vous êtes élégante, me dit un matin Miss Soames. Vous allez à un mariage ?

— Mieux que ça, fis-je mystérieusement, du moins je l'espère. Il ne s'agit pas du bonheur d'autrui, mais peut-être du mien. Tenez, lisez ça.

Miss Soames lut à haute voix la lettre que je lui tendis : « Votre nom m'a été donné par le chef du personnel de l'ambassade des Etats-Unis... vos capacités semblent correspondre... Veuillez m'accorder un entretien au salon de l'Hôtel George V à midi trente... »

— Ça a l'air sérieux ! s'exclama Miss Soames. Vous y allez ?

— Bien sûr, dès la sortie du bureau.

— Je vous souhaite bonne chance, même si votre départ nous ennuyait.

— Que faire ? J'en serais moi-même navrée, mais il faut vivre. Pour le moment ne dites rien à personne, il y a si peu d'espoir que ça marche.

— Bonne chance quand même, répéta-t-elle, et tenez-moi au courant.

Quand à l'heure exacte indiquée dans la lettre je

pénétrai dans le hall de l'Hôtel George V, je sentis mon assurance me quitter. Mais j'essayai de dominer ma nervosité et de garder une attitude digne.

Je dis au réceptionniste que j'avais rendez-vous avec M. Sisteroni, un client de l'hôtel, et il m'indiqua le salon sans plus s'occuper de moi.

J'étais seule et pouvais contempler à mon aise ma propre image reflétée dans les miroirs du salon. Je constatai que la vue d'ensemble était tout à fait correcte. Mon manteau ne paraissait pas son âge et mon petit chapeau en velours noir m'allait très bien. Rien dans mon aspect ne trahissait ma situation précaire.

Au bout de quelques minutes la porte s'ouvrit brusquement et un petit homme en complet foncé apparut sur le seuil puis s'élança vers moi, la main tendue.

— Madame Gargarini ? Jé régrétté dé vous avoir faite attendré !

Il me secoua la main et, sans la lâcher, me tira vers un fauteuil.

M. Sisteroni avait la voix enjouée, des manières familières, une gesticulation expressive et un accent qui ne trompait pas. « Naples », me dis-je in petto.

A peine assis, il sauta de nouveau sur ses pieds pour aller commander des apéritifs, revint en courant et sortit son étui à cigarettes qu'il posa sur la table sans cesser de parler.

— Aloré ? Aloré ? Vous cherchez oune sitouationé ? Et moi, je cherche une secrétaire ! Américaine ou Anglaise, c'est pour ça que je me suis adressé à l'ambassade américaine.

— Américaine ou Anglaise ? Oh, monsieur Sisteroni, je crains qu'il n'y ait malentendu, je ne suis ni l'une ni l'autre.

— Attendez, attendez, je vais vous expliquer.

Il fronça son visage mobile et se mit à parler de son affaire. Il s'agissait d'un commerce de produits pharmaceutiques sur une grande échelle internationale dont il était propriétaire et directeur. Il voyageait sans cesse, le plus souvent dans les pays de langue anglaise. Or, si son français était *perfetto*, son anglais se limitait à quelques mots que, de surcroît, il ne savait pas prononcer. Et les Américains parlent du nez, de sorte que lui-même ne comprenait pas ce qu'ils disaient.

— C'est embarrassante, comprenez-vous ? s'exclama-t-il.

Là-dessus il se mit à parler de l'Amérique, du Canada, d'autres pays qu'il lui fallait constamment parcourir, de sa vie bousculée et harassante et termina sur un ton tragique :

— Je ne suis jamais chez moi ! A vrai dire je n'ai pas de chez-moi ! Car, madame, ne vous étonnez pas, je suis célibataire ! Oui, célibataire à cinquante ans ! Ah, croyez-moi, ma vie n'est pas aussi gaie qu'on pourrait le croire. Je ne possède pas le bonheur !

Je dis que j'étais navrée de l'apprendre, mais que j'espérais que sa vie mouvementée et pleine d'imprévus ainsi que la réussite de ses affaires lui apportaient des compensations. Et, justement, en revenant aux affaires...

Il se souvint de l'objet de notre rendez-vous et changea de ton. Il me posa des questions non seulement sur mes aptitudes, mais aussi sur ma situation familiale, mes problèmes et même mes aspirations. Il ne me laissait jamais terminer mes phrases et sautait d'un sujet à l'autre. J'eus l'impression qu'il ne m'écoutait qu'à moitié.

Or, il avait tout saisi, tout compris et je fus frappée par la justesse avec laquelle il résuma la situation.

— Vous êtes veuve, vous avez trois enfants et vous avez besoin de travailler. Vous avez des connaissances en langues étrangères, de l'instruction, du courage et de très modestes prétentions. Mais vous êtes une femme du monde, je le vois, ne me dites pas le contraire. Vous voulez l'oublier ? Ah, mais les autres ne le peuvent pas !

Les patrons, voyez-vous, veulent avoir à leur disposition un personnel qu'ils peuvent — comment vous dire ? — dominer. C'est ça, dominer. Même ceux qui sont corrects ne peuvent s'empêcher de traiter leurs secrétaires en subordonnées. Une dame comme vous, c'est gênant. Ah, je ne doute pas de votre discrétion et vous êtes sûrement plus consciencieuse que tant de petites écervelées. Mais vous ne serez jamais une professionnelle. Si vous aviez vingt ans, cela n'aurait pas autant d'importance. Mais une mère de famille...! En dépit de tout cela, ne croyez pas que je ne sois pas tenté de vous engager. Seulement... il me faudrait une secrétaire de langue anglaise ou bilingue.

— Pourquoi alors...?

— Pourquoi je vous ai convoquée ? Ah, mais j'avais deviné que vous étiez russe et les Russes, on ne sait jamais où ils ont grandi. Chez eux, tout est mystère. Il faut avant tout les voir.

Je ris.

— Monsieur Sisteroni, je n'ai grandi ni en Amérique ni en Angleterre. Mettons par conséquent que je ne vous conviens pas.

— Je n'ai pas dit ça ! Laissons la question ouverte pour le moment. Je chercherai encore dans les milieux américains. Mais en attendant, parlons d'autre chose. La vie, la vie... Quelle drôle d'affaire !

— Il me semble que vous n'avez pas à vous en plaindre.

— Vous croyez ça ? Ce n'est pas parce que je réussis dans le commerce que je possède le bonheur. Tenez, je pense que, de nous deux, vous êtes la plus riche. En rentrant chez vous, vous trouvez vos enfants, l'affection, le sens même de l'existence. Moi, pour oublier que je n'ai rien de tout ça, je passe mes soirées dans les boîtes de nuit à m'abrutir d'alcool ou avec des femmes de passage qui me dégoûtent. Et rien de tout cela ne me fait plaisir.

210

— Vous le faites parce que vous le voulez. Personne ne vous oblige à dépenser votre temps et votre argent de façon aussi absurde.

— Oh ! vous êtes merveilleuse ! Je vais essayer de suivre votre conseil. Je n'y réussirai pas, je le sais à l'avance. Mais laissez-moi vous dire : je veux vous revoir pour me faire gronder par vous. Votre personnalité m'impressionne !

— Pourquoi vous gronderais-je ? Chacun vit comme il veut.

— Mais je veux que vous me grondiez ! Ça me fait plaisir de vous confesser mes péchés.

— Voyons, monsieur Sisteroni, je suis venue vous proposer mes services pour votre bureau, non une morale pour votre vie privée. Malgré tout ce que vous me dites, je suis persuadée que vous ne voudriez pas échanger votre sort contre le mien. Et maintenant, laissez-moi vous quitter, j'ai été enchantée de faire votre connaissance.

— Je vous téléphonerai, promit l'Italien, je ne veux pas vous perdre de vue. Cet entretien m'a beaucoup intéressé.

Je me demandai ce qu'il appelait entretien. Je n'avais pas dit grand-chose et c'était lui surtout qui avait parlé. Mais les gens bavards croient toujours qu'ils ont écouté leurs interlocuteurs, tandis qu'ils n'ont écouté qu'eux-mêmes. Il était donc possible que l'entretien l'eût intéressé.

Je me trompais en croyant que je ne reverrais plus le turbulent Italien. Une semaine plus tard il me téléphona en me priant de venir à la Closerie des lilas, car il avait à me parler. Avait-il renoncé à la secrétaire américaine ? Ou éprouvait-il de nouveau le besoin de se confesser ?

Je ne pouvais me permettre de négliger une chance, même minime. Je considérais de mon devoir de me rendre au rendez-vous, ne serait-ce que par acquit de conscience.

Je trouvai M. Sisteroni installé dans un coin, occupé à

griffonner sur un bloc-notes. En me voyant, il sauta sur ses pieds et courut à ma rencontre.

— Toujours exacte ! Toujours à l'heure ! s'écria-t-il joyeusement.

Je faillis demander comment il savait que j'étais toujours à l'heure, mais me retins. Il valait mieux ne pas trop faire attention à son exubérance.

— J'ai beaucoup pensé à vous, reprit M. Sisteroni, et j'ai décidé de vous proposer quelque chose.

Il me regardait d'un air malin.

— Une soirée au théâtre !

Je soupirai avec soulagement, ce qui n'était pas raisonnable, j'aurais dû regretter une proposition qui ne concernait que le théâtre.

— Donnez-moi des idées, bavardait l'Italien tandis qu'on apportait des boissons. Je voudrais organiser ma vie de façon plus amusante. Je m'occupe trop de mes affaires et les affaires, ce n'est pas tout. Je vous ai dit l'autre jour que je voyageais continuellement. Et le résultat ? Je n'ai nulle part de domicile fixe.

— Même à Naples ?

Il s'arrêta net et fronça les sourcils.

— Pourquoi à Naples ? Vous me trouvez un air provincial ? Qui vous a dit que j'étais de Naples ? Je suis citoyen du monde !

— Eh bien, puisque le monde vous appartient, choisissez un endroit qui vous plaise et établissez-y votre port d'attache.

— Ce n'est pas si simple. J'aime trop d'endroits pour en aimer un particulièrement. Tenez, Paris...

Il parla longuement des pays qui se trouvaient sur sa trajectoire et termina d'une voix désespérée :

— Et aloré, qué faré, qué faré ?

— Je ne puis pas vous conseiller, monsieur Sisteroni, la plupart des villes que vous venez de décrire me sont inconnues. Et d'ailleurs, ce n'est pas sur un conseil que l'on choisit sa résidence, vous le savez vous-même.

— Je vous envie, je vous envie, reprit-il avec nostalgie. Vous n'avez pas à choisir, vous. Vous savez ce que vous avez à faire.

Ses jérémiades commencèrent à m'agacer.

— Mais si, j'ai constamment à choisir, même s'il ne s'agit pas de décider où je pourrais le mieux m'amuser. Je suis responsable d'une famille décimée et sans ressources. Croyez-moi, monsieur Sisteroni, ce n'est pas le problème de mes distractions qui m'empêche de dormir !

Il prit un air contrit.

— Ne pensez pas que je suis un égoïste. Je comprends très bien votre situation difficile.

Il s'occupa pendant quelque temps de son verre, puis reprit :

— Tout m'ennuie. Au théâtre, au cinéma, au lieu de suivre le spectacle, je pense à mes affaires. C'est agaçant à la fin ! J'ai pensé que si vous vouliez passer une soirée avec moi, ça me distrairait de mes préoccupations. Nous pourrions bavarder, échanger nos impressions.

— Je ne crois pas que ma compagnie vous distrairait. Je ne parle pas pendant le spectacle. Je préfère écouter et, aussi, laisser écouter les autres.

Je regardai ma montre et allais me lever. M. Sisteroni me retint et, se penchant vers moi, dit à voix basse :

— J'ai une maîtresse dans chaque pays, elles m'agacent toutes.

— Comme ça, vous restez libre.

— Très juste, très juste. Mais la liberté, on en a marre aussi !

— Je ne sais vraiment pas quoi vous conseiller.

— Ne pensez-vous pas...?

Il jeta un regard circulaire, mais nous étions seuls dans notre coin.

— Ne pensez-vous pas que je devrais devenir pédérasté ?

— Oh, quelle question ! Je ne suis pas compétente en la matière. Vous devez savoir vous-même si vous êtes...

— Je ne le suis pas ! Je ne le suis pas ! Mais le trouveriez-vous choquant ?

Que fallait-il répondre ? Où voulait-il en venir ? Ça m'était égal s'il était ou non « pédérasté » comme il disait. Je me demandais surtout pourquoi j'étais venue.

Cette fois, je me levai résolument. M. Sisteroni ne tenta pas de me retenir. Il me ramena chez moi dans sa voiture.

En prenant congé, il me baisa la main, en véritable homme du monde, en disant :

— Je vous présente mes hommages, chère madame. J'ai passé une soirée enchanteresse.

Au mois de mai il y eut des changements dans la vie de la Cathédrale : Miss Soames nous quitta et le doyen me désigna pour la remplacer. Lui-même passait tout l'été aux Etats-Unis. Pendant cette période de vacances, tout allait au ralenti et je pouvais facilement assumer les deux postes sans abandonner la comptabilité. M. Beck était d'ailleurs lui-même en congé.

Nous nous trouvâmes ainsi en tête à tête à la sacristie, Mr. Fergusson et moi, seuls à veiller sur la paroisse.

Macha, depuis qu'elle était en vacances, venait à l'heure du déjeuner. Nous sortions ensemble ou préparions notre repas sur le réchaud de la salle de réception sur lequel on préparait le café. Lucas essaya de nous déloger, mais Mr. Fergusson l'en empêcha.

— Tant que le doyen n'est pas là... dit-il.

M. Nikouline venait souvent nous tenir compagnie et ne paraissait jamais pressé de se remettre à l'ouvrage. Il avait bien changé depuis son arrivée à la Cathédrale. Toute humilité l'avait quitté, il affectait un air désinvolte et négligeait de plus en plus son travail.

214

— Je considère, disait-il, que pour le salaire que je reçois, j'en fais encore trop !

Lucas, bien entendu, se plaignit à Mr. Fergusson. Se sentant responsable de M. Nikouline, le pasteur le gronda sur un ton paternel, lui reprocha son laisser-aller et le mit en garde contre les suites que pourrait avoir son manque de conscience. Pendant quelque temps Nikouline fit semblant de travailler.

Une douce lumière d'après-midi s'infiltrait dans la sacristie à travers ses vitres colorées, dorait les boiseries, chassait l'austérité de la salle. Mes yeux quittaient sans cesse les colonnes de chiffres que j'alignais sur les pages pour suivre les rayons obliques qui d'un moment à l'autre allaient s'éteindre. J'entendis soudain une voix suave :

— Puis-je entrer ? Suis-je au secrétariat de la Cathédrale ?

Un monsieur d'allure importante s'avançait vers mon bureau.

— Quelle charmante ambiance ! s'écria-t-il en promenant les yeux autour de lui. Quel calme ! Quelle douce lumière ! Puis-je avoir l'honneur d'une entrevue avec M. le doyen ?

— Le doyen est en voyage.

— A vrai dire, l'objet de ma visite ne mérite pas l'attention de M. le doyen. Voici mon petit problème.

Sur mon invitation, il s'installa dans un fauteuil et reprit :

— Je commencerai par me présenter : Laurent de La Rivelongue, écrivain. Je travaille en ce moment sur l'adaptation d'un de mes romans à l'écran. Américain, soit dit en passant. L'action de cet ouvrage se déroule au Maroc et embrasse la vie de ce pays : habitants, coutumes, folklore, superstitions. En parallèle, l'aventure d'un jeune militaire français et, naturellement, son roman avec une belle Arabe. Mais mon producteur exige l'introduction d'un personnage américain et je le fais entrer dans l'histoire en plein désert. Voilà donc mes deux héros sous une tente au milieu des sables, en train de discuter de questions spirituelles. Les Américains adorent ça. A un moment donné, mon Américain doit chanter un psaume. Voilà, vous avez deviné : je viens vous demander un psaume !

— Il faut le demander au maître de chapelle. Je veux bien m'en charger.

— Merci mille fois, vous êtes infiniment aimable. Je repasserai dans quelques jours si vous le permettez.

— Mais naturellement. Dites, monsieur, comment décrivez-vous le Maroc ?

— Oh, vous savez, dans mes livres il y a de tout. Une beauté arabe avec des yeux noirs à vous rendre fou, des guerriers sauvages galopant sur des chevaux magnifiques, des chameaux et des troupeaux de moutons. Tout ce qui, en somme, fait le Maroc. Quelques batailles, des galopades dans le désert, des sorciers et des mangeurs de feu. Et, évidemment, des histoires d'amour entourées de périls. Bref, pour tous les goûts. Mais que votre bureau est paisible !

— Vous écrivez beaucoup pour l'écran ?

— Exclusivement. Mais j'insiste : pour l'écran américain.

— Et vous êtes sûr de... placer vos romans ?

— Absolument. Celui que j'écris en ce moment est déjà vendu à la Metro-Goldwyn-Mayer. J'ai signé le contrat.

— Etes-vous obligé de vous conformer aux désirs de vos producteurs ?

— Oh, ça ne me gêne pas ! rit M. de La Rivelongue. Ils peuvent d'ailleurs modifier tout ce qu'ils veulent — sauf le contrat !

— En un mot vous trouvez dans cet arrangement l'utile joint à l'agréable.

216

— Exactement ! J'aime bien écrire, mais j'aime aussi que ça me rapporte !

Quand M. de La Rivelongue eut pris congé en multipliant les remerciements, je restai songeuse. Non que le type de cet écrivain à gages me fut sympathique, mais j'admirais cette faculté de réussir. Quel genre de littérature naissait sous sa plume inspirée par un contrat en dollars ? M. de La Rivelongue paraissait connaître le goût des spectateurs américains, mais connaissait-il le Maroc ? Peu importe, ce qu'il ne connaissait pas, il l'avait inventé. En commençant par son propre nom.

Je racontai cette entrevue à Mr. Fergusson croyant qu'il allait en rire. A mon étonnement, il ne témoigna que de la mauvaise humeur et ne rit pas du tout.

— Je déteste ces messieurs, dit-il avec irritation. Ils prennent les Américains pour des imbéciles et se vantent de récolter des dollars en échange de leurs inepties. Qu'est-ce qu'un psaume a à faire au milieu de ce fatras ?

— Nous ne pouvons certes pas empêcher M. de La Rivelongue de vendre ses romans à ceux qui trouvent intérêt à les acheter. Mais nous pouvons au moins prévenir une faute de goût supplémentaire en choisissant nous-mêmes ce psaume. J'ai vu une fois un film sur la Russie dans lequel une cérémonie religieuse se déroulait aux sons des *Bateliers de la Volga*. Et dans un autre film, Catherine la Grande entrait dans une cathédrale à cheval.

Plusieurs jours se passèrent sans que j'aie eu l'occasion de rencontrer Bob Wilkins, de sorte que je n'étais pas plus avancée quand M. de La Rivelongue se présenta de nouveau. Cette fois, je me trouvais en compagnie de Mr. Fergusson.

L'affabilité de l'homme de lettres n'eut aucun effet sur le pasteur. Mais l'écrivain était rempli de bonhomie et roulait des phrases fleuries sans s'apercevoir de l'hostilité de Mr. Fergusson.

Plus pour se défaire du visiteur que pour lui rendre

service, il se décida enfin à indiquer le psaume le mieux approprié pour l'occasion.

M. de La Rivelongue se confondit en remerciements. Ce fut moi cependant qui reçus la récompense.

— Permettez-moi, chère madame, dit l'écrivain en ouvrant sa grande serviette noire, de vous offrir le livre qui a été l'objet de votre aimable collaboration. Vous me flatterez en acceptant ce modeste hommage de la part de son auteur.

Il me tendit un livre broché intitulé *Dans les sables ardents*. Je remerciai avec effusion tandis que Mr. Fergusson me jetait un regard ironique.

Là-dessus, M. de La Rivelongue nous quitta.

— Vous n'allez pas lire ça ? dit Mr. Fergusson avec mépris.

— Oh, que si ! Et avec quel intérêt !

— Vous avez du temps à perdre.

— Non, mais je le lirai tout de même. Et moins j'y découvrirai de valeur littéraire, plus j'admirerai son succès financier.

— Il ne faut pas se laisser impressionner par ce genre de succès.

— C'est le seul qui m'intéresse depuis un certain temps. Voyez-vous, Mr. Fergusson, vous raisonnez en homme dont la sérénité ne peut être troublée par les affres de la lutte pour l'existence. Vous devez considérer toute chose sous l'angle de la morale pure. C'est votre rôle. Moi, je m'intéresse à un autre côté de la vie : l'imagination, l'art de saisir les chances, l'adresse. J'admire, oui, j'admire et j'envie ceux qui sont capables de se frayer un chemin.

— Oui, mais berner les gens, vivre de leur bêtise...

— Si les gens sont bêtes, ce n'est pas la faute de M. de La Rivelongue. Il n'a pas à les éclairer, il n'est pas pasteur... Et s'il contribue à faire travailler un tas de gens, à procurer un divertissement à une foule de spectateurs, il n'en a que plus de mérite.

Une saison à Saint-Galmier

Mon amie Edith était une originale. Si le type qu'elle représentait est assez répandu en Angleterre, sa patrie, il est moins fréquent dans les autres parties du monde.

On ne la prenait pas au sérieux et on allait jusqu'à sourire en parlant d'elle. A tort, car elle avait des qualités qui ne courent pas les rues.

Je reçus une lettre d'Edith un beau jour au milieu du mois de juin. Je la reproduis ici intégralement.

« J'ai trouvé quelque chose de merveilleux pour vous, ma chère amie, et j'ai hâte de vous en parler. Je suis en ce moment à Saint-Galmier, charmant petit bourg perché sur une colline au-dessus de la Loire, en face d'une plaine verdoyante qui s'étend à l'infini.

Par un concours de circonstances que je vous raconterai de vive voix, j'ai échoué pour quelques jours au paradis ! Et ce paradis est la pension de famille de Mme Aubin.

Cette dame appartient à la noblesse (même si son nom s'écrit sans particule). C'est une personne de grand mérite et d'une énergie inépuisable. Figurez-vous qu'elle a eu l'idée de transformer son château en pension de famille, ce qui demande du courage et de la résignation. Grâce à Dieu, son affaire marche comme sur des roulettes ! Réussite étonnante d'une entreprise commerciale entre les mains d'une personne de qualité.

Les membres de la meilleure société du pays affectionnent ce cadre accueillant pour leurs vacances, sous l'égide d'une charmante hôtesse, dans une atmosphère calme et distinguée et, dois-je ajouter, en se délectant de la meilleure cuisine du monde. Mme Aubin est, en effet, une véritable artiste dans ce domaine et a assumé en personne la dure fonction de cuisinière pour le bonheur de ses pensionnaires.

Mais laissez-moi vous décrire le décor avant de vous transmettre l'offre que Mme Aubin vous fait par mon intermédiaire.

Le bourg, comme je vous l'ai dit, s'étend sur le flanc d'une colline, un amour de petit bourg, très calme, très vieille France. Le château n'est à vrai dire qu'une grande maison très simple d'allure sobre et un peu sévère, située au bord de l'agglomération. Il est entouré de vieux arbres qui vous enchanteraient. Au pied du parc commence la vallée avec ses sources d'eau minérale gazeuse. Cette eau nous est servie à tous les repas. Ses bienfaits sont universellement connus et attirent de nombreux estivants soucieux de leur santé et de leur ligne. Car cette eau miraculeuse fait perdre du poids tout en fortifiant la santé.

Quant à la pension de Mme Aubin, je ne saurais la louer assez. Il y a deux grands salons remplis de meubles anciens, de souvenirs du siècle passé et de cette atmosphère du bon vieux temps qui détend si bien les nerfs. Deux salles à manger où on dîne par petites tables en contemplant par les fenêtres les fleurs et la verdure du jardin.

Une énorme terrasse donnant sur le parc longe toute la façade et on y reste allongé dans des chaises longues en face d'une immense échappée entre les collines lointaines, si vastes qu'on n'en voit pas le fond. L'air pur arrive de loin et produit un effet des plus vivifiants.

Le château a deux étages qui contiennent une dizaine de chambres meublées à l'ancienne mode, très agréablement, quoique sans grand confort. Mais j'accepte volontiers ce petit inconvénient car l'installation de baignoires et de lavabos enlèverait beaucoup à ce charme vieillot.

L'aménagement de la cuisine n'est guère moderne, mais Mme Aubin en a l'habitude et évolue, tel un général au milieu de ses troupes, parmi ses ustensiles et ses fourneaux.

Sa fille Aline, toute jeune, la seconde dans ses travaux et une parente de la famille, qui n'est autre que la fille de la marquise de Pontin, vient aider à laver la vaisselle et éplucher les légumes. Le fils de Mme Aubin, Noël, se charge des achats et des courses en automobile. Comme vous le voyez, toute la famille est mise à contribution et réunit ses efforts pour la réussite de l'entreprise.

Ah non, M. Aubin n'apparaît que pour les repas et ne participe pas autrement. On l'appelle ici « prince consort » mais sans méchanceté.

Vous vous imaginez combien il y a à faire et comme tout le monde est débordé. Deux femmes de chambre ont été engagées pour la saison d'été, mais elles suffisent à peine pour l'entretien des chambres, des salles et des salons. Le problème qui se pose est celui du service à table.

Connaissant vos dures épreuves, ainsi que votre indomptable énergie, j'ai parlé de vous à Mme Aubin, sans oublier de vanter vos nombreuses capacités. En femme de cœur, aussi bien qu'en femme d'affaires, elle a tout de suite évalué l'intérêt que vous pourriez tirer réciproquement d'une collaboration.

Votre souci majeur, m'avez-vous souvent dit, est l'éducation et le bonheur de la jeune Macha, qui dépend encore entièrement de vous. De ce fait, votre situation est remplie de problèmes souvent inconciliables et tout cela crée des difficultés pour vous caser.

Mme Aubin a parfaitement compris cette situation et a trouvé une solution : elle vous invite toutes les deux, en échange de quelques services qui, à mon avis, seraient autant de distractions dans votre vie qui en est tellement privée. En résumé, voici ce que Mme Aubin vous propose : vous viendriez à Saint-Galmier dès que possible et vous chargeriez du service d'une des salles à manger, secondée peut-être de votre fille, si habile et intelligente. Sans salaire, bien entendu, mais vous seriez logées, nourries et accueillies avec amitié. Vous passeriez ainsi des vacances fort agréables, dans une région saine et pittoresque, entourées de personnes charmantes et distinguées.

Répondez aussitôt et permettez que mes conseils accompagnent vos réflexions. Votre situation à la Cathédrale américaine, si j'en juge d'après vos soucis persistants, ne résout pas vos problèmes. Ce ne serait donc pas une perte que de l'abandonner. Je vous vois déjà vous associant de plus en plus étroitement à l'affaire de Mme Aubin et, qui sait, devenant avec le temps sa collaboratrice principale. Mais ceci est l'avenir et, avant de faire des projets, il faut que vous veniez sur place pour juger vous-même des chances qui pourraient s'ouvrir pour vous dans cette voie. »

Cette proposition, contrairement à ce que croyait Edith, ne m'enthousiasma pas. Je soupçonnais que cette Mme Aubin ne cherchait qu'à mettre la main sur une domestique gratuite, profitant de l'occasion. Et je n'avais pas l'intention d'échanger mon poste de secrétaire contre celui de femme de chambre. A la rigueur, j'aurais pu offrir à Mme Aubin mon mois de congé, dans le but de sortir Macha de Paris, mais pas un jour de plus.

Je ne doutais pas de l'amitié d'Edith qui n'aimait rien autant que sauver ses amies, ni de ses meilleures intentions, toujours aussi fidèles que naïves.

J'abandonnai la lettre d'Edith et me tournai vers Mr. Fergusson avec l'intention de lui demander conseil. Le pasteur était plongé dans une méditation qui ressemblait fort au sommeil. Dès qu'il eut rouvert les yeux, je lui exposai mon problème.

D'abord un peu distrait, il ne refusa pas cependant de m'écouter et finit par lire la lettre de mon amie.

— Tout cela est du roman, dit-il. Mais, après tout, comment passerez-vous votre congé si vous restez à Paris ? Vous n'avez pas les moyens d'aller à la mer ou à la montagne. Alors, autant aller à Saint-Galmier, ce sera au moins un changement d'air et un séjour gratuit.

— Et il y aura encore un autre avantage, Mr. Fergusson... Un apprentissage...

— Un apprentissage de service de table ? Pour quoi faire ?

Je me troublai un peu, mais voulant pousser la franchise jusqu'au bout, je dévoilai mon projet pour l'avenir :

— J'ai pensé à une pension de famille moi-même. Plus tard, quand j'aurai de l'argent. Et l'expérience qui me manque...

— Vous n'apprendrez rien chez cette dame, sinon que vos projets sont fantaisistes.

— Pourquoi fantaisistes ? Mme Aubin n'est pas hôtelière non plus, mais sa pension marche très bien.

Mr. Fergusson haussa les épaules.

— Allez à Saint-Galmier pour passer un mois sans frais et sortir votre fille de Paris et ce sera déjà très bien. Quant au reste...!

Edith avait raison en disant : « Le château est plutôt une grande maison très simple. » Elle était en plus laide et triste. Nous étions là, Macha et moi, devant la grille du jardin, attendant que l'on annonçât notre arrivée. Nous regardions avec curiosité les pensionnaires du château qui, à l'ombre d'arbres séculaires, se prélassaient dans des transats.

Dans un grand fauteuil roulant, calée de tous côtés par des coussins, un plaid sur les genoux en dépit de la chaleur, se tenait une vieille femme dont le visage parcheminé, les yeux vides, les cheveux blancs faisaient penser à un fantôme. Son immobilité même était effrayante et l'on se demandait si la mort ne l'avait pas déjà saisie ou ne se tenait pas toute proche derrière ses épaules.

A côté de la vieille femme s'affairait une personne d'un certain âge, préoccupée du confort de l'aïeule et qui l'entourait de soins attentifs. Sans abandonner son ouvrage, elle lui jetait de temps à autre un regard rapide, chassait une mouche, rajustait une couverture, poussait le fauteuil un peu plus loin dans l'ombre.

Dans une chaise longue, le visage abrité par un grand chapeau de paille et les yeux par de grosses lunettes fumées, sommeillait un vieux monsieur la bouche ouverte. Assise auprès de lui sur une chaise de jardin, une petite femme noiraude tricotait rapidement avec des gestes saccadés. On sentait que le vieil homme lui appartenait et qu'elle le surveillait sans le regarder.

Plus loin, sous un acacia, dans une pose d'abandon et de langueur, une vieille dame aux cheveux blancs soigneusement frisés paraissait plongée dans une rêverie.

Deux personnes corpulentes, effondrées dans leurs transats, s'éventaient sans relâche sans interrompre leur conversation.

— C'est un asile de vieillards ? demanda Macha à voix basse.

Je me posais la même question. Mais il y avait peut-être d'autres clients à l'intérieur de la maison.

Mme Aubin surgit sur le seuil de la porte, courut vers nous et, saisissant mes deux mains, se mit à les secouer.

— Merci, merci d'être venue ! Vous n'allez pas le regretter ! Je suis sûre que vous vous plairez chez moi !

Et en se tournant vers le jardin, elle annonça :

— Voilà une amie qui vient nous aider ! Oh, mon Dieu, j'oubliais d'embrasser votre fille. Bonjour, mon enfant, comment vous appelez-vous ?

Mme Aubin était grosse et peu soignée, une odeur de cuisine flottait autour d'elle. L'accolade qu'elle donna à Macha ne dut pas l'enchanter.

— Venez, je vais vous montrer votre chambre, c'est au troisième étage, suivez-moi.

Nous montâmes deux étages et parcourûmes de vastes corridors sombres. De hautes portes de part et d'autre devaient donner sur les chambres des pensionnaires. Un étroit escalier en colimaçon nous amena sur un petit palier dans les combles.

— Voilà, chère amie, vous êtes chez vous. Ce n'est pas très grand, mais quelle vue ! On va vous monter votre valise. Si vous voulez descendre tout à l'heure, vous me trouverez dans la cuisine.

Notre chambre n'était qu'une petite mansarde à plafond bas en pente où on avait à peine la place de se retourner. Par contre la vue qu'on apercevait par la fenêtre était immense. La plaine aux teintes bleutées s'étendait à l'infini et faisait penser à la mer. Le léger vallonnement des collines se noyait dans une brume transparente. A nos pieds, embrassant la façade, une longue terrasse à balustrade dominait un terre-plein tapissé de gravier. Une large allée ombragée s'ouvrait au fond de l'escalier et descendait dans la vallée.

Il fallait s'installer au plus vite, puisque Mme Aubin m'attendait. Le mobilier de la petite pièce ne se composait que d'un lit de fer, d'une étroite couchette le long du mur opposé et d'une tringle dissimulée dans un coin derrière un rideau en cotonnade délavée. Il n'y avait rien d'autre.

Intriguée par la forme de la couchette, Macha souleva le mince tapis qui la recouvrait et nous vîmes que c'était une cantine sur laquelle on avait posé de vieux coussins effilochés pour remplacer le matelas. Macha partit d'un éclat de rire et se jeta sur le lit qui instantanément se plia en deux. Le fou rire me gagna à mon tour. A ce moment, on frappa à la porte.

— C'est Catherine, la femme de chambre ! Je vous apporte votre valise. Mais que se passe-t-il ? fit-elle interloquée en s'arrêtant sur le seuil de la porte.

Elle se mit à redresser le lit effondré sans y réussir.

— Je vais le signaler à Mme Aubin, décida-t-elle. Je crois qu'il est cassé.

Elle allait repartir.

— Attendez : où est la salle de bains ?

— Au fond du couloir, à l'étage en dessous. Vous pouvez y aller vous laver les mains... s'il y a de l'eau.

La salle de bains n'était qu'un ancien débarras récemment transformé. Tout y était neuf et sentait la peinture. Un mince filet d'eau sortait péniblement du robinet d'eau froide, l'autre restait obstinément sec. Nous fîmes tant bien que mal un peu de toilette et descendîmes dans le hall. A travers l'entrebâillement d'une porte nous aperçûmes une grande salle à manger remplie de petites tables. Catherine y mettait le couvert.

— Mme Aubin vous attend ! cria-t-elle. La cuisine est derrière l'office, là, tout au fond.

La cuisine de Mme Aubin était énorme et chaotique. Au centre une table monumentale était entièrement envahie d'objets hétéroclites : vaisselle sale et propre, plats avec des restes de nourriture, pots, casseroles, sacs en papier, bouts de pain, fromages collés à leur planche. Tout s'entassait dans une mêlée pittoresque qui se prolongeait sur le plancher.

Une rangée de fenêtres et une porte vitrée aux carreaux embués et ternes occupaient tout le côté jardin, ne laissant pénétrer qu'une lumière opaque et sale. Le colossal fourneau était flanqué de tas de bûches et de seaux de charbon. Un gros buffet voisinait avec une glacière géante. Au fond, séparé de la cuisine par une embrasure sans porte, un réduit béant abritait la plonge représentée par un profond lavoir en grès rustique et des vaisseliers grossiers à claire-voie.

Mme Aubin en tablier marbré de taches, le visage luisant d'huile et de sueur, était penchée au-dessus de ses marmites qui crachaient la graisse et la vapeur.

Une jeune fille en blouse de travail assise sur un tabouret pelait des pommes de terre, jetant les épluchures sur le plancher. En nous apercevant elle abandonna son grattoir, se leva et secoua les pans de sa blouse.

— Je suis Aline Aubin, dit-elle.

— Ah, c'est gentil d'être venue si vite ! s'exclama Mme Aubin en tournant la tête. Aline, montre donc à Mme Gagarine la grande salle à manger. Je vous la confie, chère amie, avec tous ses convives. Aline va vous mettre au courant du service et des habitudes des pensionnaires.

Son attention fut de nouveau absorbée par le fourneau tandis que nous sortions précédées d'Aline.

— Je suis heureuse que vous soyez venue, dit la jeune fille chemin faisant. Nous sommes débordées.

Nous entrâmes dans la salle déjà entrevue du hall.

— Voilà, dit Aline, ce sera votre salle.

Elle était immense et, comme l'avait annoncé Edith, les fleurs et la verdure montaient jusqu'aux fenêtres.

— Je vais vous mettre au courant de quelques détails de service et vous décrire les clients. Ils ne sont pas tous commodes. Il vaut mieux que vous le sachiez tout de suite.

Elle s'arrêta devant la première table.

— Celle-ci est réservée à Mme Tessier et à sa fille. Mme Tessier est très âgée et invalide et on l'amène aux repas dans son fauteuil roulant. Pour que sa fille puisse la servir, vous présenterez les plats de ce côté, comme ça. Mme Tessier a un menu spécial, on vous dira à la cuisine ce qui est pour elle. Sa vie ne tient plus qu'à un fil, il faut faire très attention. Ici, c'est le vieux couple Bon. M. Bon est très capricieux et s'offense très facilement. C'est un brave homme, mais un peu indiscret. Il veut toujours savoir ce que mangent les autres de peur qu'on ne le prive de bonnes choses. Or, il doit suivre un régime assez sévère par ordre du médecin. Quand il y aura des plats que le médecin lui aura interdits, vous passerez derrière son dos très rapidement. Là, dans le coin, la petite table est réservée à Mme Auzély. Elle aussi est au régime et, comme M. Bon, se laisse facilement tenter par les choses qui lui sont nuisibles. Et quand elle tombe malade, elle nous accuse de l'empoisonner. Soyez très ferme et ne la laissez pas faire d'imprudences. Là, près de la fenêtre, c'est la table de Mlle Picot. C'est une vieille cliente, nous la connaissons depuis des années et savons qu'elle n'est pas facile à contenter. A côté, la table de Mme Dufour. Pour elle, il faut surtout des égards, car elle est très susceptible et se croit supérieure au reste de la compagnie. Ici, c'est la place de M. Grizoni, croupier du casino et en même temps son directeur. Il est très gentil et aimable et ne réclame jamais rien. Maman le soigne avec une attention particulière car il nous procure beaucoup de clients. Et là, au fond de la salle, c'est Mme Chrétien. Elle se fait donner un menu réduit par avarice, sous prétexte de mauvaise santé.

Aline baissa la voix :

— Elle est millionnaire et essaie de le cacher. Mais tout le monde est au courant. A Lyon, elle vit dans une chambre de bonne et passe son temps à compter ses sous. Elle est un peu piquée. Mais pas assez pour oublier son intérêt. Elle a réussi à obtenir de maman une réduction sur le prix de la pension. Dans ces conditions, il ne faut rien lui donner qui soit en dehors de son menu.

Je compris dès la première heure que mes fonctions ne se borneraient pas au service de table. J'aurais à surveiller de près mes convives et lutter énergiquement contre leur gourmandise, leur mauvais caractère, leurs faiblesses et leur indiscrétion. Je ressentis une vive inquiétude au sujet d'un rôle auquel j'étais très mal préparée. Mais je cachai mes sentiments et demandai simplement :

— Mais puisque tous vos pensionnaires semblent être affligés d'infirmités, que ne faites-vous pas un menu de régime général convenant à tout le monde ?

— Oh non ! ça ne pourrait pas marcher. Les régimes ne sont pas semblables et il y a souvent des clients de passage qui viennent pour bien manger. Nous avons un casino à Saint-Galmier avec une roulette et des tables de baccara. Ça attire une masse de gens.

— Une roulette à Saint-Galmier ! en pleine province !

— Justement, et c'est là l'avantage. Des personnes connues de la région espèrent y passer inaperçues en venant jouer au casino ou passer un week-end libertin.

Je compris combien la discrétion me serait indispensable.

— Ne prêtez pas une oreille trop attentive aux bavardages des clients, poursuivit Aline. Les distractions manquent un peu dans la maison et les gens se divertissent par des papotages. Faites semblant de ne rien entendre. Voilà, je crois que c'est tout pour la salle à manger. Ah oui, votre fille pourrait vous aider. Je suis sûre que cela l'amusera et une paire de bras de plus vous sera très utile. Il y aura mille choses qu'elle pourra faire.

Macha ne fit aucune objection et il me sembla au contraire que la perspective lui plaisait.

— Venez voir nos salons, reprit Aline, je vais vous présenter à quelques dames. Toutes d'excellente famille. Certaines d'entre elles nous reviennent tous les étés.

En entrant dans le grand salon, je compris pourquoi il avait tant plu à Edith. Tout y était du dernier siècle, comme Edith elle-même. Les divans jonchés de coussins brodés ou ornés de dentelles, les bibelots sur la cheminée et les étagères, les grosses lampes sous leurs abat-jour en soie fanée, les lourdes draperies sur les portes, les tableaux dans leurs cadres dorés. Edith ne distinguait pas le vieux de l'ancien et tout cela la ravissait.

Quelques vieilles dames installées dans leurs fauteuils tricotaient dignement en causant ou somnolaient sur la terrasse allongées dans des transats.

Aline me présenta à Mme Dufour, Mme Béranger, Mme Auzély et je fus gratifiée de sourires bienveillants et de quelques mots d'encouragement. Macha récolta sa part de bonnes paroles et quelques compliments sur ses cheveux.

Le tour terminé, nous revînmes à la cuisine et Aline se remit à ses pommes de terre. Mme Aubin était toujours auprès de son fourneau auréolée de volutes de vapeur.

— Vous avez vu mes salons ? fit-elle. N'est-ce pas qu'ils sont beaux ? Avez-vous remarqué combien j'ai de belles choses ? J'ai gardé tous les souvenirs de famille et il y en a de bien précieux. Je dois vous dire que nous appartenons à la meilleure société du pays.

— Oui, dit Aline, il ne faut pas croire que, si nous tenons une pension de famille, nous ne sommes plus considérées.

— Je le fais parce que ça me plaît, dit Mme Aubin, et aussi parce que je suis réaliste. Au début, c'était difficile, je n'étais pas équipée. Mais à présent que j'ai mon linge, ma vaisselle, mes salles de bains, ça va marcher comme sur des roulettes.

— Et nous ne recevons que des gens d'un très bon milieu, insista Aline.

— Oui, Miss Edith a dû vous le dire, ajouta sa mère.

— Edith a beaucoup loué votre pension.

— Il y a en France des familles qui appartiennent à la noblesse, même si leurs noms s'écrivent sans particule, dit Aline. Nous comptons plusieurs noms illustres parmi nos ancêtres.

— Mon grand-père était amiral, dit Mme Aubin, et mon grand-oncle archevêque.

— Je sais, je sais... Vous avez beaucoup de courage à travailler comme ça.

— J'aime faire la cuisine, et puis je considère que ce

230

serait bête de ne pas profiter de tout ce que j'ai là. Ainsi au lieu de me coûter, le château me rapporte.

— Ils ne meurent jamais, vos clients ? demanda Macha qui avait écouté.

— Oh, j'ai l'habitude ! s'exclama Mme Aubin. Deux ou trois chaque année, surtout en hiver. Car j'ai des pensionnaires à toutes les saisons. Vous savez qu'il y a toujours des familles qui ne savent quoi faire de leurs vieillards, alors on les met chez moi. Il s'en trouve naturellement un près de passer l'arme à gauche. Mais tout est prévu, le curé et les pompes funèbres. Ça se passe très bien et ne surprend personne. Tout est organisé chez moi, pour les vivants comme pour les morts. C'est réglé comme du papier à musique !

La première impression de Macha se révélait assez juste. Mme Aubin reprit, tout en remuant une sauce sur le feu :

— Vous ne pouvez pas vous imaginer comme c'est agréable chez moi en hiver. J'espère que vous viendrez. On reste auprès de la cheminée, on bavarde, on tricote, on brode. Je veux dire les clientes, car moi, je m'occupe de mon linge, je reprise des draps, je fais des serviettes et des torchons. C'est très agréable. Dites que vous viendrez !

— Je vous remercie, je serais ravie, mais je travaille et Macha va au lycée.

— Nous en reparlerons. Vous allez voir, vous vous attacherez à cette maison, c'est moi qui vous le dis !

— Je n'en doute pas, mais en attendant, pourriez-vous faire redresser le lit dans la mansarde où vous nous avez logées. Il s'est plié en deux.

— Pas possible ! Pourtant j'avais dit au jardinier de faire quelque chose. Je vais m'en occuper, soyez sans inquiétude.

Nous fîmes nos débuts le soir même. J'entrai dans la salle à manger avec une soupière et Macha me suivait avec un plateau de croûtons. Tout le monde était au courant de notre arrivée et l'attention générale était fixée sur nous.

J'eus un moment d'hésitation : par qui commencer ? Si j'avais été une serveuse professionnelle, ça n'aurait pas eu d'importance. Mais j'avais été présentée comme une amie de Mme Aubin, donc une personne de qualité. On attendait de moi beaucoup de savoir-faire, on observait mes mouvements. Les vieilles dames aiment à paraître jeunes, mais ne renoncent jamais aux honneurs dus à l'âge. Tant pis, je commençai par la première table et terminai par la dernière, celle de Mme Auzély. Si elle en avait été contrariée, ce fut réparé par l'empressement de Macha qui, traversant la salle en flèche, lui apporta ses légumes bouillis.

— Ne cours pas si vite, lui soufflai-je en la croisant, tu peux renverser le plat ou glisser sur le parquet. Vas-y doucement et ne casse rien.

A la cuisine Mme Aubin me remit un grand plat contenant un lapin chasseur.

— Allez-y à tour de rôle, dit-elle. J'évite autant que possible le service individuel, c'est plus économique et ça fait moins de vaisselle. Tiens, Macha, porte ces nouilles à Mme Tessier et reviens pour la purée de Mme Chrétien.

A mon étonnement, Mme Tessier prit une importante portion de lapin pour sa mère. Un oubli sans doute, ou une distraction.

— Les nouilles sont prêtes, lui rappelai-je, ma fille va les apporter dans un instant.

— Oh, ça ne fait rien pour une fois. Et le lapin ne lui a jamais fait de mal.

En passant devant Mme Auzély, j'accélérai le pas, car j'avais remarqué qu'elle louchait de mon côté.

— Qu'est-ce que vous avez là ? m'appela-t-elle. Voulez-vous me laisser jeter un coup d'œil ?

— Je ne crois pas, madame, que ce soit bon pour vous.
Elle insista :

— Voulez-vous me laisser voir ?

Puis, se penchant avec dignité sur le plat :

— Ça a l'air inoffensif, j'en prendrai un peu pour goûter.

Je ne pus que la laisser faire et elle se servit abondamment.

L'inquiétude me gagnait : comment allais-je imposer la discipline à ces convives trop gourmands ? Mme Chrétien ne me quittait pas des yeux et, au moment où j'allais dépasser sa table, m'appela :

— Faites voir ce que vous avez là.

— Oh, du lapin chasseur très épicé. Votre purée arrive.

— Très bien. Mais je vais goûter à ce lapin pour voir comment Mme Aubin l'a préparé. Je lui ai donné une très bonne recette et je veux voir si elle l'a réussie.

— Vraiment, madame... Il est relevé, c'est peut-être imprudent...

— Oh, pour une fois ! Je n'en mourrai pas.

Mon plat était vide quand je revins à la cuisine.

— Votre lapin a eu grand succès, dis-je en riant, aucun de vos malades n'y a résisté.

Mme Aubin cala ses deux poings sur les hanches.

— Et voilà ! Ils sont tous pareils ! Ils me font faire un tas de choses, puis bouffent le menu avec !

J'aperçus dans la cuisine un personnage de haute taille, un peu voûté, au visage triste. Il restait en dehors de l'agitation générale et paraissait indifférent au vacarme et à la bousculade. Il se tenait l'air absent près de la porte vitrée, puis alla s'asseoir devant une table dressée dans le jardin à son intention. Peu de temps après un jeune homme boutonneux, des mèches de cheveux noirs tombant jusqu'aux yeux, vint s'attabler auprès de lui. M. Aubin et son fils Noël. On leur servit des fonds de casseroles et ce qui restait dans les plats.

Quand le service fut terminé et le dernier client parti, Mme Aubin se consacra à nous.

— Allez vous installer dans la salle à manger, dit-elle, je vous servirai moi-même.

La salle paraissait débraillée avec ses chaises en désordre, ses tables jonchées de serviettes chiffonnées et de bouts de pain. Mme Aubin apparut avec un grand plateau.

— A votre tour de goûter ma cuisine, dit-elle d'un ton jovial, et vous m'en direz des nouvelles !

J'avais déjà remarqué qu'elle ne manquait pas une occasion de se vanter. Mais sa suffisance ne choquait pas, car elle était naïve et sincère. Je regrettai de ne pouvoir faire honneur aux restes réchauffés qu'elle nous servit. Tout était gras, lourd et paraissait peu digeste. Je ne pouvais de surcroît m'empêcher d'évoquer l'antre d'où venait cette nourriture. Macha devait avoir les mêmes sentiments, car elle grignota à peine.

Je l'envoyai au jardin pour qu'elle pût au moins profiter d'un air frais, et retournai à la cuisine pour aider à ranger.

Tout était dans un désordre effroyable, on ne savait par où commencer. En transportant des piles d'assiettes au lavoir, je faillis glisser sur le plancher gluant et trébuchai sur la grille posée devant la décharge. Le cagibi de la plonge était d'une saleté répugnante et la crasse s'étalait jusqu'aux murs.

Aline, ébouriffée, les manches retroussées, se penchait au-dessus de la cuve, lavait à tour de bras et plaçait la vaisselle encore dégoulinante dans les vaisseliers. Catherine balayait, Mme Aubin rangeait les provisions.

Quand au bout d'une heure d'efforts conjugués tout fut remis en place, je me sentis tout à coup épuisée. Quelques heures seulement s'étaient écoulées depuis notre arrivée et pour ma première journée à Saint-Galmier je n'avais pas chômé. Il était 22 heures quand enfin nous pûmes monter nous coucher.

Quelle ne fut ma consternation en voyant le lit toujours plié. Je fis quelques tentatives pour le relever, mais abandonnai la partie. Il ne me restait qu'à jeter le mince matelas par terre et à m'y étendre le long de la caisse de Macha. La chaleur dans cette mansarde basse et mal aérée était suffocante, ce qui, ajouté aux autres inconvénients, nous fit passer une très mauvaise nuit.

Faire sa toilette n'était pas facile au château de Mme Aubin. Les pensionnaires en peignoir et bonnet de bain commençaient dès le matin à défiler avec leurs trousses à travers les couloirs vers les deux salles de bains et les W.-C.

Le plus souvent ces endroits étaient déjà occupés. Ils rebroussaient chemin en maugréant et retournaient dans leurs chambres de très mauvaise humeur. On pouvait à la rigueur attendre pour se laver. Pour le reste, c'était plus difficile. L'usage des pots de chambre était donc inévitable.

L'eau à Saint-Galmier était rare et par cette sécheresse manquait chaque jour plus cruellement. Les robinets fournissaient à grand-peine quelques gouttes d'eau trouble, les chasses des toilettes ne se remplissaient plus.

Les clients réclamaient des brocs d'eau chaude dans leurs chambres et se débarbouillaient tant bien que mal dans des cuvettes. Les coups de sonnette n'arrêtaient pas, les femmes de chambre n'avaient plus de jambes. J'offris de leur prêter la main et me joignis au service d'eau.

Nous plongions des cruches dans une lessiveuse juchée sur le fourneau et les déposions toutes dégoulinantes devant les portes.

Mme Aubin préparait les petits déjeuners et accompagnait chaque plateau de recommandations spéciales :

— C'est pour Mme Auzély. Elle a demandé qu'on la réveille. Tapez fort, elle a le sommeil dur.

Pour les dames Tessier, c'était le contraire : il fallait taper doucement et, si l'ancêtre dormait encore, il valait mieux rapporter le plateau.

Les servantes partaient en courant, un plateau en main, un broc accroché au bras.

— Ça, c'est pour Mme Chrétien, me dit Mme Aubin, vous savez, elle a cette petite chambre au bout du couloir. On ne lui porte pas d'eau chaude.

Je remarquai que son plateau était plus petit, sa tasse ébréchée, qu'il n'y avait pas de confiture et très peu de beurre. Je me souvins qu'elle bénéficiait d'une réduction.

La galopade dans les escaliers dura jusqu'à 10 heures. Je n'étais heureusement pas tenue de faire les lits ni de vider les pots de nuit. Par contre, Mme Aubin me chargea de quelques emplettes dans le village, ce qui était bien plus agréable.

J'emmenai Macha avec moi et nous partîmes munies de grands paniers.

Saint-Galmier s'accroche au flanc d'une colline escarpée dominant la vallée. Ses vieilles maisons, ses petites places, ses ruelles tortueuses lui donnent un air moyenâgeux. Cette impression est fortifiée par les odeurs qui flottent sous le soleil brûlant et rappellent que l'égout et l'eau courante ne sont pas encore entrés dans la vie du bourg.

Les constructions modernes et le casino tout neuf entouré d'un jardin naissant se trouvent au pied de l'agglomération, dans le voisinage des sources.

Le soleil montait rapidement et attaquait les pierres encore chaudes de la veille. La chaleur, le poids de nos paniers et les montées raides aidant, nous rentrâmes accablées de fatigue et couvertes de sueur.

— Dépêchez-vous ! me cria Mme Aubin. Il faut mettre le couvert !

Prévenue par l'expérience de la veille, je décidai de prendre en main ma salle indisciplinée et de suivre à la lettre les consignes de la cuisine. Chacun recevrait son menu et non celui des autres.

Je n'apportai le coq au vin qu'après avoir placé les nouilles et les légumes à l'eau. Si le fumet qui suivait mes pas avait éveillé des convoitises, je n'en sus rien, car je gardai les yeux sur mon plat.

Ce système eut un résultat très encourageant. Je pus rapporter à la cuisine de très beaux restes aussitôt servis à M. Aubin.

A l'heure de la vaisselle je vis apparaître une nouvelle collaboratrice — Mlle Paule de Pontin, grande fille rousse sans beauté, qui venait tous les après-midi « gagner un peu d'argent de poche », comme expliqua Mme Aubin.

— Mlle de Pontin ne peut travailler que chez moi, ajouta-t-elle. Mme de Pontin ne permettrait jamais à sa fille d'aller aider des gens d'un autre milieu.

Nous pûmes donc profiter de son concours et la laisser patauger dans l'eau grasse de la cuve.

Il y avait parmi le personnel de la pension un autre élément digne d'intérêt, même s'il n'émanait pas des hautes sphères : la femme de chambre Catherine. Elle n'était d'ailleurs que femme de chambre d'occasion, engagée pour la saison. Son vrai métier était bien supérieur : elle était couturière. De plus, elle possédait certains dons qu'on ne trouve pas souvent chez les femmes de chambre : elle était poétesse.

Je l'appris un jour tandis que nous descendions toutes les deux aux sources. Nous suivions l'allée unique du parc et j'admirais les coins charmants que les pensionnaires ne fréquentaient jamais. La propriété se terminait par un belvédère suspendu au-dessus de la route qui serpentait dans la vallée.

— C'est ici que vont passer les motos, dit Catherine, faisant allusion aux courses que tout le pays attendait avec impatience.

Catherine fut étonnée de mon indifférence pour un événement aussi passionnant. Je n'attendais en effet rien de bon de ces exploits dangereux et assourdissants et ne comptais certes pas me poster en spectatrice sur le belvédère.

— On verra bien d'ici, reprit Catherine en se penchant par-dessus la balustrade. On voit presque toute la piste. Mais je crains que nous n'ayons pas le temps de regarder, il y aura beaucoup de clients et Mme Aubin a l'intention d'installer un buffet devant le château pour vendre des boissons et des beignets.

Je me demandais si, moi aussi, je devrais m'occuper de ce commerce.

— Je vais écrire des vers sur ces courses, dit Catherine, et son visage refléta déjà un début d'inspiration.

— Vous écrivez des vers ?

— Parfois, dit Catherine d'un ton modeste. J'en ai fait quelques-uns. C'est la vie de Saint-Galmier qui me donne des idées.

— Saint-Galmier est très pittoresque et la vie doit y être pleine de charme.

— Oh non ! Elle est fort ennuyeuse au contraire et les gens d'ici sont mesquins, médisants et bornés. Justement j'ai écrit un poème, « Les potins de Saint-Galmier ».

La fontaine se trouvait au centre d'une petite place entourée de platanes. Quatre jets pétillants jaillissaient d'un socle carré au milieu d'une vasque en forme de trèfle. Il n'était pas si simple de remplir nos bouteilles, l'eau dansait et crépitait dans les goulots en lâchant des nuées de bulles.

Nous prîmes le chemin du retour, heureuses de retrouver l'ombre du parc. Catherine n'aimait pas le silence et, malgré la pente raide et la chaleur, continuait à bavarder.

— Je ne suis pas une femme de chambre professionnelle, vous savez, vous non plus, je suppose ?

— Non, pas vraiment. J'ai su par Mme Aubin que, par amitié, vous aviez consenti à donner une entorse à votre métier pour lui rendre service.

— C'est exact ! Je n'irais pas prendre le tablier chez des hôteliers, mais pour Mme Aubin c'est différent, c'est comme donner un coup de main à M. le curé pour la fête du patronage. Sans oublier qu'avec les pourboires, ça me fait une gentille cagnotte qui n'est pas à dédaigner.

— Mais c'est très bien.

— Et ça me fait courir un peu. Le métier de couturière vous donne un gros derrière.

— Vous avez beaucoup de clientes à Saint-Galmier ?

— Une couturière ne chôme jamais, vous savez. Je travaille souvent pour Mme Georgette, la belle-fille de Mme Aubin.

On oubliait toujours de nommer M. Aubin, ça m'avait déjà frappée.

— Le fils aîné de Mme Aubin est antiquaire. Il passe son temps à chercher de vieux meubles.

— Et M. Aubin ?

— Oh, lui ! — Elle fit un geste vague. — Il est retraité des Eaux et Forêts. Il ne se mêle de rien et ne gêne personne.

Dimanche. On sonne la messe. Nos dames en toilettes d'apparat descendent une à une le grand escalier pour se rendre à l'église.

Les chapeaux sont garnis de voilettes, de nœuds et de fleurs. Les robes sont en soie, en dentelles, en tissus légers et seyants. Mme Auzély porte une ombrelle rose dont les tendres reflets colorent ses cheveux blancs. M. Bon a revêtu un complet noir et sa femme a abandonné sa tenue sévère et on la reconnaît à peine. Mme Béranger est magnifique dans sa robe de soie grise, le cou entouré d'une écharpe vaporeuse. Seule Mme Chrétien n'a pas fait de frais et a toujours son air de chaisière.

Tandis que nos pensionnaires passent la matinée dans le recueillement et la prière, Mme Aubin et son équipe redoublent de zèle. On attend de nombreux convives pour les deux repas.

Tout le monde court, s'agite, s'affaire. Aline est rouge et décoiffée au milieu d'une impressionnante hécatombe de volailles égorgées. Mlle de Pontin est là depuis le matin entourée de paniers de légumes. Quant à Mme Aubin, on la voit à peine derrière un rempart de pots et de marmites.

Dimanche n'est pas un jour comme les autres, dimanche chacun doit donner un coup de collier supplémentaire. Dimanche tout est pour le client, pas de repos pour le personnel. Dimanche, c'est le jour qui rapporte le plus à la patronne.

Le service de table sera dur et je compte sur l'aide de Macha pour le mener à bien.

La salle est comble. Aux pensionnaires se sont ajoutés de nombreux dîneurs des jours de fête. Je suis inquiète et nerveuse à l'avance. Mais pas Macha qui ne manifeste aucune timidité. Elle paraît au contraire ravie de son rôle.

Je la croise sans cesse sur mon passage, elle file à toute allure et ses tresses lui battent les épaules.

C'est un véritable marathon entre la salle à manger et la cuisine. Deux pôles, deux mondes. Dans la salle règne une atmosphère de fête, les convives, endimanchés devant leurs tables nappées de frais, se donnent des airs mondains et dégustent sans se presser.

Je ralentis mes pas sur le seuil de la porte, avance avec précaution, m'incline avec un air prévenant et attentif.

Mais à peine la porte franchie, je me lance à toute allure vers la cuisine noyée de vapeurs, de fumée, de relents, me fraie un chemin à travers les obstacles, dépose où je peux mon plat vide et m'empare du suivant.

Le long repas se passe sans accidents et, si un petit scandale éclate à l'heure du dessert, la faute en est à M. Bon. On lui avait préparé une compote de régime, mais il l'accueille en bougonnant et ne veut pas y toucher. Toute son attention est fixée sur les beignets soufflés que porte Macha.

Les tables sont rapprochées et, à l'instant où elle contourne la sienne, il tend la main et la saisit par la jupe. Dans un mouvement brusque elle incline le plateau et M. Bon l'attaque avec sa fourchette. Les beignets se répandent sur la nappe et les genoux de Mme Bon.

— Tu es fou ? crie-t-elle en sursautant. Qu'est-ce qui te prend ? Mademoiselle, emportez tout ça !

Elle ramasse rapidement les beignets mais son mari en a déjà fourré un dans sa bouche.

Pendant qu'éclate entre les époux une dispute en règle, les voisins les observent d'un air goguenard. On se chuchote que M. Bon est insupportable et qu'on n'aimerait pas l'avoir pour mari. On n'oublie pas d'ajouter que sa femme est tout aussi mauvaise, méchante, acariâtre et despotique.

« Ma pension n'est pas comme les autres ! » disait Mme Aubin, et elle avait raison. Elle se distinguait surtout par le désordre et un manque de connaissances professionnelles dans sa direction.

Mme Aubin elle-même ne s'imposait aucune discipline et ne cachait pas ses préférences et sympathies. Ainsi M. Grizoni était son grand favori. Son plateau était préparé avec un soin particulier et accompagné d'un sourire bienveillant.

— Pour le petit Grizoni, disait-elle.

Mme Auzély lui en imposait par le prestige de son défunt mari, mais ses caprices l'agaçaient. Cependant, elle la ménageait car la respectable veuve lui rendait de précieux services dont dépendaient ses décisions. Chaque fois que Mme Aubin recevait une lettre émanant d'une personne inconnue, elle la portait à Mme Auzély et celle-ci en analysait l'écriture. Du portrait moral qui en sortait dépendait la réponse de Mme Aubin.

Je sus plus tard que ma lettre, ayant subi le même examen, avait suscité un avis favorable. C'est à cela que je devais l'accueil chaleureux que me témoigna Mme Aubin et non à la recommandation d'Edith comme je l'avais cru.

La grande compétition motocycliste débuta sous un ciel éblouissant et un soleil plus cuisant que jamais. Dix heures n'avaient pas sonné que les premiers vrombissements éclatèrent dans la vallée, se transformant très vite en fracas continu. Aux virages serrés de la piste, les roues sifflaient, les moteurs redoublaient de pétarades. Les spectateurs se pressaient tout le long du parcours, applaudissaient à grands cris les bolides qui brûlaient le pavé.

Une effervescence fébrile régnait dans la cuisine du château. Mme Aubin débordait d'énergie. De temps en temps, tendant l'oreille, elle s'exclamait d'une voix excitée :

— Ça marche ! Ça marche ! Il y aura du monde !

Les troupes de secours, telles que Mme Georgette, le jardinier et deux robustes paysannes, arrivèrent dès le matin. On plaça des tables supplémentaires dans le jardin, on dressa des tréteaux devant la grille. On y transporta des caisses de bouteilles et des piles de sandwiches. Un deuxième buffet fut installé à la sortie du parc, au bord même de la piste. Catherine en prit la charge, secondée par le jardinier.

Vers le milieu de la journée, l'agitation atteignit son paroxysme et, gagnée par la fièvre générale, je me sentis entraînée dans le tourbillon.

A peine débarrassées, les tables se repeuplaient. La glacière ne suffisait plus pour rafraîchir les boissons, les vivres manquaient. Les dîneurs, heureusement, ne prêtaient attention qu'aux événements du dehors.

Le personnel ce jour-là se passa de déjeuner. Même s'il nous avait été possible de nous arrêter un instant, nous n'aurions rien obtenu dans le chaos de la cuisine.

A 17 heures, il y eut un moment de répit, sinon sur la piste, du moins dans la maison. A ma stupéfaction Mme Aubin déclara :

— Il me reste beaucoup de blancs d'œuf. On va faire des meringues et les proposer le long de la route.

— Vous n'y pensez pas sérieusement ! m'exclamai-je. On ne tient plus debout !

— Que si, et ce sera un beau supplément à la recette de la journée.

— Vous ne devez pas quitter Saint-Galmier sans avoir vu notre casino, disait Mme Aubin. Un de ces jours je vous emmènerai toutes les deux. Pour une fois, nous ne penserons qu'à nous-mêmes. Nous allons faire la bombe !

Elle fixa un jour et pria M. Grizoni de nous réserver une table.

— Nous allons tenter notre chance à la roulette, fit-elle d'un ton espiègle.

Elle faisait grand cas de la sortie projetée et me prévint qu'il faudrait me rendre élégante. Elle avait l'intention de sortir ses bijoux et de se faire coiffer par Catherine. Elle invita pour nous accompagner son fils Armand, sa femme Georgette et Noël, le cadet, qu'elle trouvait particulièrement séduisant.

— Vous danserez avec Noël... me promit-elle.

Au cours du dîner elle revint à deux reprises pour prier M. Grizoni de veiller à notre réservation.

— Soyez sans inquiétude, la rassura le croupier. Nous sommes d'ailleurs un jour de semaine et il n'y aura personne.

Mme Aubin fut consternée, elle avait souhaité une grande assistance au milieu de laquelle elle ferait belle figure.

Le service terminé, nous allâmes, Macha et moi, changer de toilette, ce qui fut vite fait. Nous n'avions dans nos bagages que de simples robes d'été. Mme Aubin devait faire plus de frais car nous l'attendîmes longtemps dans le hall.

Quand enfin elle apparut, je ne pus retenir une

exclamation d'étonnement : elle portait une robe de soie noire et sa poitrine était constellée de bijoux.

— Regardez ! fit-elle en s'approchant.

Sa suffisance était si naïve et si sincère qu'elle en devenait attendrissante.

— Des bijoux de famille, remarqua Noël qui suivait sa mère, vêtu d'un complet noir et d'escarpins vernis.

— J'ai hérité ce collier de ma mère, reprit Mme Aubin en tapotant une double rangée de perles.

Ses mains étaient chargées de bagues et de bracelets. De gros diamants balançaient à ses oreilles et elle secoua la tête pour les faire briller sous le lustre du hall.

— C'est très beau, murmurai-je en me demandant s'il ne fallait pas lui déconseiller cet étalage qui faisait un drôle d'effet.

Mais je me taisais par crainte d'abîmer son plaisir et de la blesser. Plus spontanée, Macha s'exclama avec un franc éclat de rire :

— Oh, que de bijoux ! Il y en a trop !

— C'est que je les aime tant, se défendit Mme Aubin, et j'ai si rarement l'occasion de les porter. Ah, voilà Armand et Georgette.

Après avoir embrassé sa belle-mère, Georgette jeta un coup d'œil sur sa poitrine.

— Vous avez mis toutes vos broches... Il y en a trop, ma mère, vraiment trop. N'est-ce pas, Armand ?

— Vous comprenez, maman, ça diminue l'effet. On pourrait croire que ces pierres n'ont pas de valeur.

— Pas de valeur ! s'écria Mme Aubin, outrée. En voilà une idée ! Mais enfin, si tout le monde me critique...

Elle enleva quelques broches en faisant la moue, comme une petite fille que l'on prive d'un ruban ou d'une fleur.

Nous descendîmes une ruelle escarpée, suivîmes une allée bordée de platanes et, après quelques minutes de marche, arrivâmes au casino. Ses plates-bandes regorgeaient de fleurs, l'air chaud était imprégné de leur parfum.

M. Grizoni nous attendait devant la porte. Il nous escorta à travers les salles vides.

— Où est la roulette ? demanda Mme Aubin. Nous voulons jouer à la roulette !

Elle fouillait déjà dans son sac à la recherche de son porte-monnaie, mais le croupier s'empressa de l'arrêter.

— Les jeux ne sont pas encore ouverts, je suis désolé.

L'atmosphère était lourde et étouffante et on alla s'asseoir sur la terrasse dans de grands fauteuils en osier. Mme Aubin commanda de la limonade glacée. Notre soirée de bombance commençait bien modestement.

Pendant une heure rien ne se passa et nous suçâmes nos pailles en silence. M. Grizoni, qui n'avait rien à faire, prit une chaise à notre table. On parla de la saison qui tardait à démarrer, des vieux meubles qu'on pouvait trouver dans le pays, de gens que je ne connaissais pas. Je commençai à m'ennuyer ferme.

L'arrivée des musiciens amena un peu d'animation. Ils n'étaient que deux : un violoniste au visage triste et fatigué et un gros bonhomme chauve qui tenait le piano. Ils prirent place dans leur coin et déplièrent leurs partitions.

Mme Aubin tira sa chaise vers la baie ouverte et s'exclama pleine d'anticipation :

— Ça va commencer ! On va s'amuser !

Le violoniste attaqua *Le Beau Danube bleu* que nous écoutâmes avec recueillement. Quand ce fut fini, Mme Aubin applaudit en criant : « Bravo ! »

Et se tournant vers nous :

— Comme c'était beau !

Elle allait proposer de danser, mais les artistes se levèrent pour marquer l'entracte et disparurent dans le bar où ils restèrent un bon moment.

Quand ils furent de nouveau à leur poste, Mme Aubin exigea une autre valse et, aux premiers accords plaqués par le pianiste, se leva résolument, saisit le bras de M. Grizoni et l'entraîna dans le salon.

Si toute son attitude indiquait l'entrain, celle de son cavalier n'en trahissait aucun. Tandis qu'elle se balançait en cadence et cambrait sa forte taille, son partenaire restait raide et crispé et jetait des regards éloquents au violoniste. Celui-ci dut comprendre le croupier, car il ne tarda pas à passer au final. M. Grizoni en profita aussitôt et, sous prétexte de devoirs professionnels, quitta les lieux.

Mais Mme Aubin à présent était lancée.

— Continuez ! Continuez ! ordonna-t-elle aux musiciens qui reprirent mollement leurs instruments.

Nous fûmes tous tirés sur la piste et je me trouvai dans les bras de Noël. Armand et Georgette valsaient paresseusement à notre suite. Mme Aubin, se trouvant sans cavalier, saisit Macha par la taille et l'entraîna en criant joyeusement :

— Viens, ma chérie, je te ferai danser !

Et la tenant serrée contre sa poitrine constellée, elle lui fit faire plusieurs tours de piste.

Je lâchai dès que je pus les mains collantes de Noël qui transpirait éperdument dans son costume de gala, et allai me réfugier sur la terrasse. Les autres m'y rejoignirent peu de temps après. Au soulagement général, les musiciens s'étaient de nouveau éclipsés.

L'entrain continua à manquer et bientôt tomba complètement. Nous nous retrouvâmes assis autour de notre table et Armand, regardant sa montre, se mit à bâiller. Alors sa mère décida de faire appel à la musique et pria les musiciens de jouer la *Symphonie inachevée* de Schubert. Le violoniste expliqua qu'il lui était impossible d'exécuter tout seul une œuvre pour orchestre, même secondé par son collègue au piano. Il proposa *Les Yeux noirs* à la place. Il joua avec beaucoup de sentiment en faisant gémir son violon à la manière tzigane.

Vers 23 h 30 tout le monde se déclara enchanté de la

soirée et nous quittâmes le casino au grand soulagement de M. Grizoni.

Tout dans la pension ne marchait pas aussi bien que le croyait Mme Aubin. Les réclamations pleuvaient sur les femmes de chambre et j'en recevais moi-même ma part.

Je conseillai à Mme Aubin d'y prêter une oreille plus attentive, car certaines doléances paraissaient fondées.

La lessiveuse d'eau chaude était la source principale de nos drames quotidiens. Les brocs nous étaient souvent renvoyés sous prétexte que l'eau était à peine tiède, trouble et douteuse.

La lessiveuse se vidait vite et, remplie à nouveau, tardait à se réchauffer. Les pensionnaires s'impatientaient et faisaient passer leur mauvaise humeur sur la sonnette.

J'eus une fois un pénible incident avec Mme Béranger qui découvrit une épluchure de pomme de terre flottant dans le broc que je venais de lui apporter. Elle me rappela aussitôt pour me le signaler et remarqua d'un ton aigre :

— Je m'attendais à plus d'égards de votre part.

Je me confondis en excuses :

— Je suis désolée... Je ne comprends pas...

En réalité, je comprenais très bien : l'épluchure avait dû se coller au fond du broc pendant qu'il attendait par terre, et s'était décollée quand je l'avais plongé dans la lessiveuse.

Je l'emportai en renouvelant mes excuses.

— Rapportez-moi de l'eau chaude propre ! ordonna Mme Béranger.

A la cuisine je trouvai toutes les réserves épuisées. Le jardinier qui nous dépannait aux moments critiques était déjà parti. Que faire ? J'eus l'idée qu'il restait quelques bouteilles d'eau minérale sur les tables de la salle à manger. Je les vidai dans une casserole que je mis à chauffer. Cette fois l'eau était pure et chaude, mais il y en avait très peu. Mme Béranger était capable de m'envoyer promener.

A ce moment j'aperçus Macha sous les fenêtres et l'appelai.

— Veux-tu porter cette casserole à Mme Béranger ?

Elle partit en courant sans se douter du piège.

Sa longue absence m'inquiéta : Mme Béranger l'avait-elle prise comme bouc émissaire ? Je fus soulagée en voyant enfin ma fille dévaler l'escalier. A ma surprise, elle était radieuse.

— Comme Mme Béranger est charmante ! Elle ne me laissait pas partir, elle m'a raconté un tas de choses et m'a montré toutes ses toilettes ! Elle trouve que j'ai un visage très intéressant et veut me photographier pour son album de souvenirs !

A part les problèmes d'eau chaude, il y avait ceux de l'eau gazeuse.

Les sources de Saint-Galmier étaient renommées et nos clients comptaient sur leurs qualités curatives, soit pour rétablir leur santé, soit pour maigrir ou grossir, selon le cas.

Mme Aubin en faisait un de ses atouts et promettait la fameuse eau à tous les repas.

— Voilà une eau minérale qui passe directement des sources aux tables ! disait-elle. Aucun commerçant ne l'a tripotée. C'est pour ça qu'elle est si efficace et qu'elle a si bon goût.

Or, justement, ce goût était des plus fugitifs. Pour le préserver, il fallait soigneusement boucher les bouteilles et les garder au frais.

Mais ce résultat, en apparence si simple, n'était pas facile à obtenir. Il fallait en effet rassembler les bouteilles, les vider, les rincer, les porter aux sources, les remplir, les boucher, les monter au château, les mettre dans la glacière, les en sortir de nouveau et les disposer sur les tables. Bref, s'en occuper sans cesse. Aucune de nous n'en avait le temps.

Tout se passait autrement : le jardinier allait à la fontaine, en rapportait un seau d'eau et le déposait devant la porte de la cuisine en plein soleil. On l'y oubliait le plus souvent. Chaude et plate, cette eau perdait tout son charme et sans doute ses vertus. Les pensionnaires m'en faisaient l'observation que je transmettais à Mme Aubin.

— Que voulez-vous que j'y fasse ? s'exclamait-elle avec agacement. Qu'ils aillent eux-mêmes aux sources !

Les scandales qui éclataient de temps en temps à la pension étaient parfois inattendus et provenaient de causes imprévisibles. Comme, par exemple, celui que provoqua Mlle Picot un beau matin.

On entendit soudain des cris épouvantables et l'idée d'un accident vint à tous les esprits. Mme Aubin resta figée, la louche en l'air au-dessus d'un pot de lait.

— Mon Dieu ! Que se passe-t-il ? Allez vite voir !

J'abandonnai les toasts que j'étais en train de griller et me précipitai dans l'escalier.

Au milieu du couloir, rouge et tremblant de colère, Mlle Picot hurlait :

— Me faire ça à moi ! La plus ancienne cliente de cette pension ! Je le prends comme une offense personnelle ! Ce n'est pas la première fois qu'on me fait un affront, mais ce sera la dernière ! Je quitterai cette maison dès ce soir !

— Mais qu'y a-t-il, mademoiselle ? Qu'est-il donc arrivé ?

— Venez voir, fit-elle en suffoquant, venez dans ma chambre.

Et désignant le plateau du petit déjeuner :

— Regardez ce beurre !

Je me penchai sur le beurrier. Voyant que je restais perplexe, Mlle Picot reprit, irritée :

— Vous ne voyez rien ? Mais approchez-vous donc de la fenêtre !

Je portai le beurrier à la lumière et compris. Le beurre était parsemé de grains de charbon, avec un brin de paille collé en plein milieu.

— Il a dû tomber... Je vais vous en apporter un autre tout de suite.

— Me servir du beurre qui a traîné par terre ! reprit Mlle Picot en éclatant de nouveau. Me traiter comme un chien !

Aline accourait, suivie de Catherine.

— Que se passe-t-il ? Qu'est-ce qui vous arrive, mademoiselle Picot ?

— C'est plus que de la négligence, c'est une insulte ! criait celle-ci sans l'écouter. Je n'ai jamais vu une maison si mal tenue !

Je me sauvai avec le beurre, laissant Aline se débrouiller. C'était peut-être elle qui l'avait laissé tomber, ou Catherine, ou Mme Aubin elle-même, ce qui était le plus vraisemblable. Je la voyais très bien le ramassant avec les mains et le replaçant à sa place. Et ça ne devait pas être la première fois.

Les cris de Mlle Picot l'avaient alarmée et je la vis monter l'escalier en hâte.

— Mon Dieu ! Que se passe-t-il ?

Je lui montrai le beurre.

— Oh, fit-elle soulagée, ce n'est que ça ! Je vais aller lui parler.

Elle ne réussit à calmer Mlle Picot qu'à moitié, car la vieille demoiselle tenait à rester offensée et jouissait de sa vexation. Elle en fit ses délices en racontant à tous les pensionnaires l'outrage qu'elle avait subi. Son auditoire se montra plein de sympathie et de compréhension. L'épreuve de Mlle Picot réveilla une foule de souvenirs que chacun eut plaisir à raconter. On n'avait pas voulu faire d'histoires, mais vraiment... On ne peut tout de même pas tout accepter... On veut bien comprendre, mais...

Et tout le monde tomba d'accord qu'on était mal dans cette maison si mal tenue, que la nourriture était néfaste pour la santé, que la cuisine de Mme Aubin n'était rien d'autre qu'un cloaque, que le manque d'eau relevait du scandale et qu'on aurait mieux fait de ne jamais venir.

Cependant, tout le monde restait et les récriminations si bien fondées ne servaient que de distraction à ces vieilles personnes qui s'ennuyaient à périr.

Je pus juger de la popularité de Macha à l'occasion d'un petit accident qui lui arriva au cours du déjeuner.

Comme je l'ai déjà souligné, Macha n'était pas gênée par la timidité et montrait plus d'assurance et de présence d'esprit que moi. Cependant la vivacité de ses gestes m'inquiétait un peu et je renouvelais sans cesse mes conseils de prudence qui d'ailleurs avaient peu d'effet car, j'en avais l'impression, elle ne les écoutait pas.

Quand je la vis ce jour-là démarrer au pas de course en emportant un grand plateau de fromages blancs fraîchement démoulés par Aline, je répétai par acquit de conscience, presque machinalement :

— Fais attention, ne cours pas si vite.

— Je sais, je sais, lança-t-elle sans ralentir, j'ai l'habitude !

Quand j'entrai à mon tour dans la salle, je sentis quelque chose d'anormal planer dans l'air et je suivis les regards des dîneurs qui tous convergeaient vers le centre du parquet.

Les fromages y étaient tous, alignés auprès du plateau vide. Macha, par contre, avait disparu.

Mes yeux firent le tour de la pièce sans la découvrir et glissèrent le long des croisées. J'aperçus sa tête filer entre les branches des rosiers, puis disparaître derrière l'angle de la maison.

Je n'eus pas le temps d'ouvrir la bouche ou de faire un geste, que de tous côtés s'élevèrent des exclamations :

— Et qu'est-ce que ça peut faire ? On peut glisser,

n'est-ce pas ? On se passera de ces fromages, voilà tout !
La pauvre enfant, ce n'est pas de sa faute ! Ne la grondez
surtout pas !

Après avoir quitté la scène avec précipitation, Macha
se réfugia dans le parc pour se changer les idées, grimpa
dans l'énorme érable qui se dressait au pied de la terrasse
et y resta très longtemps. Mme Auzély l'y découvrit après
le déjeuner et trouva sa pose parmi le feuillage si gracieuse
qu'elle alla chercher son appareil photographique et la
photographia. Mme Béranger apporta le sien et fit de
même.

Mon mois aux eaux tirait à sa fin. Je constatai que
j'avais considérablement maigri, ce qui pouvait illustrer
l'efficacité de la cure tant vantée par la publicité.

J'étais seule à savoir que ce résultat spectaculaire avait
été obtenu par d'autres moyens que ceux que l'on
préconisait aux estivants.

Une nouvelle pensionnaire était attendue dans la maison, jeune pour une fois et n'appartenant pas à la société
de la région. Tout le monde l'attendait avec impatience,
moi surtout, car c'était Elisabeth revenant d'Angleterre.

A peine fut-elle arrivée que Mme Aubin s'en empara
et tint à la présenter elle-même aux vieilles dames réunies
dans le salon.

Mon air éreinté frappa Elisabeth et elle proposa de
m'aider, ce que Mme Aubin accepta avec empressement.

Je dois lui rendre justice, elle nous entoura d'attentions
et fit tout pour nous gâter. Croyant nous combler, elle
préposa son fils Noël à notre table, au grand plaisir du
jeune homme, sinon au nôtre.

Encouragé par sa mère, Noël nous proposa une soirée
au casino, mais je déclinai résolument ce projet.

Mme Auzély nous témoignait, elle aussi, beaucoup de
sympathie. Ne possédant pas d'échantillon de l'écriture

d'Elisabeth, elle la jugea à vue et tint à me faire part de son impression :

— Si Macha possède l'étoffe d'une vedette, Elisabeth a celle d'une ambassadrice !

Je ne lui demandai pas si c'était par elle-même ou par le moyen du mariage qu'elle s'élèverait à cette dignité. La vision de Mme Auzély n'allait peut-être pas aussi loin.

Sur ces entrefaites, je reçus un télégramme d'Hélène. Elle arriverait de Genève pour passer avec nous le dernier dimanche du mois. Sa curiosité avait été piquée par mes descriptions de cette pension originale et au désir de nous voir s'ajoutait celui de jeter un coup d'œil sur ce château-pension.

Elle arriva donc le jour annoncé, rayonnante de gaieté et de bonne humeur. Son apparition bouleversa la maison et elle conquit sur-le-champ tous ses habitants. Tous, en commençant par la maîtresse de la maison et en finissant par le jardinier. Elle réussit même à arracher un pâle sourire à M. Aubin.

Voyant l'effet que produisait l'exubérance d'Hélène, Mme Aubin en mesura aussitôt l'avantage. Il devait y avoir un dîner de gala le soir même commandé par un groupe d'amis fêtant un jubilé. Mme Aubin eut l'idée de gratifier la compagnie d'une surprise en leur déléguant Hélène. Non comme convive, bien sûr, mais comme serveuse.

Hélène accepta ce rôle de bonne grâce et ce fut un succès. Chaque fois qu'elle apparaissait avec un plat, l'assistance éclatait en un tonnerre d'applaudissements.

Mme Aubin observait la scène par une porte entrebâillée et ne cachait pas sa satisfaction.

Quant à Mme Auzély qui, elle aussi, suivait les événements, son impression était très nette et elle tint à me la communiquer :

— Celle-là épousera un milliardaire !

L'euphorie fut troublée le lendemain matin quand,

consciente du devoir accompli, j'allai dire à Mme Aubin que j'avais l'intention d'accompagner Hélène à Genève. Mon mois étant terminé, je me considérais libre.

Elle me regarda avec stupéfaction.

— Comment dites-vous ? Partir ? Au milieu de la saison ? Vous plaisantez !

J'étais stupéfaite à mon tour.

— Mais, madame, mon mois est terminé ! Je dois rentrer à Paris !

— Comment, rentrer à Paris ? Sans me prévenir ?

— Sans vous prévenir ? Mais vous oubliez nos conventions !

— Nos conventions ? Quelles conventions ?

— Je suis venue pour un mois, mon mois de congé. Je dois reprendre mon travail le 1er août. Vous le savez très bien.

— Non ! Et je ne veux pas le savoir ! Vous êtes là pour la saison. Je vous tiens et je vous garde !

— Mais non, madame ! Ce n'est pas possible. Je suis employée à la Cathédrale américaine, pourquoi faites-vous semblant de l'oublier ?

— Je ne veux rien savoir de la Cathédrale américaine, vous n'aviez qu'à vous rendre libre !

— Voyons, madame, je ne puis pour vous rendre service abandonner ma situation !

— Vous pouvez rester chez moi toute l'année si vous voulez.

— Mais je ne le veux pas ! J'ai un appartement à Paris et Macha va au lycée.

— Je ne puis pas entrer dans tous ces détails.

C'était inutile de discuter et j'allais m'en aller, quand elle se mit à gémir :

— Voilà, voilà ce qui arrive quand on s'attache aux gens ! Voilà ce qu'on récolte ! Je vous ai reçues toutes à bras ouverts et vous...

— Mais, chère madame, je vous en suis profondément

reconnaissante ! Aussi avons-nous toutes essayé de nous rendre utiles.

— Bon, partez, dit Mme Aubin d'un ton résigné. Mais dans ces conditions je ne vous paierai pas votre voyage. Vous me mettez dans une situation très difficile et votre geste n'est pas très correct.

Tout cela prenait une tournure bien désagréable et j'en étais à la fois fâchée et peinée. Mme Aubin avait-elle vraiment oublié notre arrangement ou jouait-elle la comédie ? Elle devait posséder encore ma lettre, celle que Mme Auzély avait si bien analysée.

J'appelai mes enfants et nous allâmes dans un coin du parc pour nous consulter.

— J'ai trouvé la solution, dit Elisabeth. Va tranquillement à Genève avec Hélène et repose-toi un peu. Tu as encore trois jours, profites-en. Je resterai ici une semaine avec Macha et nous te remplacerons de notre mieux. Ça donnera à Mme Aubin le temps de chercher une femme de chambre.

Ainsi fut décidé et j'allai proposer cette solution à Mme Aubin.

— D'accord ! s'écria-t-elle, soudain enthousiaste. Et soyez rassurée, je prendrai le plus grand soin de vos enfants ! Et c'est Noël qui sera content !

Elle avait un côté naïf et spontané qui la faisait faire des maladresses, mais en même temps attirait la sympathie.

— Tu entends, Noël ? cria-t-elle à son fils qui affectait un air nonchalant accoudé à la fenêtre. On nous laisse Elisabeth ! Tu es content ?

Noël, pris au dépourvu par cette question gênante, ne sut que répondre, craignant de se rendre ridicule. Il se dandina, prit un air détaché, bredouilla des phrases incohérentes, regarda sa montre et, prétextant un rendez-vous, se sauva.

Elisabeth entra en fonctions sans heurt et se montra à la hauteur de la situation. Porta aux vieilles dames leurs petits déjeuners, ne cassa que quelques tasses et un pot au lait, servit avec l'aide de Macha les repas sans se presser, se prêta à l'appareil photographique de Mme Auzély, soutint des conversations dans les salons, profita de quelques leçons de couture offertes par Catherine, écouta ses vers, bavarda avec Aline et Noël et termina son mandat avec honneur, sans dommage pour elle et à la satisfaction générale.

Quant à moi, je filai à Genève avec Hélène et ce n'est qu'en arrivant que je sentis à quel point j'étais fatiguée.

Je passai vingt-quatre heures couchée sur le dos avant de retrouver un état normal, me permettant de jouir des deux jours de congé qui me restaient.

— Ah ! vous voilà, dit Mr. Fergusson en levant la tête de sa machine à écrire et en posant un regard distrait sur moi. Vous avez passé de bonnes vacances ? Je ne vous trouve pas très bonne mine.

Il se replongea dans son travail sans attendre ma réponse. Il avait apparemment oublié mes confidences au sujet de certains projets et je ne tenais pas à les lui rappeler. Il n'y a rien d'agréable à évoquer une prédiction pessimiste qui s'est réalisée.

Mais Mr. Fergusson aimait l'humanité, non les individus, et ne s'intéressait pas aux cas particuliers. Son oubli était sincère et je n'avais pas à exhiber mes désillusions.

Je me laissai gagner par le calme et la sérénité qui régnaient dans la sacristie et sentis à quel point mes vacances avaient été harassantes et combien j'étais contente d'être rentrée.

Tout changea en septembre et l'atmosphère familiale disparut de la Cathédrale. Le doyen était de retour.

Non que cet homme courtois et bienveillant exerçât la moindre pression sur ses subordonnés, mais sa présence seule suffisait pour donner un ton de majesté et de recueillement au monde où il régnait. Chacun se reprit et se surveilla dans son désir accru de rester à la hauteur.

Cependant à ce sentiment général il y avait une exception : M. Nikouline ne changea en rien son attitude, bien pis, provoqua un scandale.

Ainsi un matin je trouvai toute la Cathédrale en émoi et le nom de M. Nikouline résonnant partout. Son nom seulement, car lui-même n'y était plus : le doyen venait de le mettre à la porte.

L'origine de la catastrophe était celle-ci : la femme du doyen avait une bonne allemande, grande fille blonde, attrayante et efficace, qui s'appelait Greta.

Or voilà que, sans s'en douter, la jeune fille tapa dans l'œil de Nikouline qui entreprit des manœuvres pour la séduire.

Greta commença par le railler gentiment mais, comme les assiduités de Nikouline ne faisaient que s'accentuer, l'envoya promener plus énergiquement. Ces mesures restant sans effet, elle alla se plaindre à Mr. Fergusson. Le pasteur sermonna sérieusement son protégé et le prévint des suites graves que pourrait avoir son comportement.

Mais M. Nikouline était de ceux qui ne peuvent s'empêcher de créer leur propre malheur. Au lieu de s'appliquer à son travail, il employa toute son énergie à guetter les allées et venues de la jeune Allemande pour renouveler ses déclarations.

Il réussit un matin à la surprendre dans la buanderie où elle était en train d'étendre du linge, et la saisit dans ses bras avec l'intention de l'embrasser.

Greta poussa des cris perçants et le gifla, mais sans parvenir à refroidir ses sentiments. Nikouline se jeta à ses pieds, entoura ses genoux de ses bras et se mit à les couvrir de baisers.

Hors d'elle, Greta hurla de toutes ses forces, se défit non sans peine de son encombrant admirateur et courut se plaindre au doyen.

Indigné et furieux, ce dernier fit venir Lucas et lui ordonna de mettre Nikouline à la porte sur-le-champ et de lui interdire l'entrée de la Cathédrale. Les lamentations et les sanglots de Nikouline ne purent rien y changer.

— Quel mal ai-je fait ? criait-il d'une voix pathétique. Je n'ai voulu qu'exprimer mon admiration, mes sentiments purs et innocents ! Je l'ai fait d'un geste spontané... Tenez, comme un enfant !

Quand la crise éclata, ce fut naturellement la curée. Tout le monde se plaignit, Lucas surtout, qui depuis longtemps ne supportait son assistant que par égard pour Mr. Fergusson. Mille petits délits, négligences et indiscrétions qu'on n'avait pas voulu signaler par charité, remontèrent à la surface. On se demandait comment ce triste personnage qu'était M. Nikouline avait pu être toléré à la Cathédrale si longtemps. On en était débarrassé, c'était bien fait.

Le doyen, cependant, avait un côté vulnérable qu'il était impuissant à protéger : la porte de l'église. S'il pouvait interdire la sienne et celles de ses bureaux, il ne pouvait refuser l'entrée dans l'église. Et par cette porte ouverte à tous, M. Nikouline entra dès dimanche et tous les dimanches suivants.

Se plaçant au premier rang, sous les yeux mêmes du doyen, il prenait des airs contrits et des expressions tragiques, s'agenouillait, chantait, communiait. Comme s'il invoquait la médiation de Dieu entre lui et le doyen.

Mais toute cette stratégie resta sans résultat et les rapports entre Nikouline et le doyen ne dépassèrent pas la limite du domaine spirituel.

M. Nikouline déploya une persévérance et une ténacité dont on ne l'avait pas cru capable. Pour reconquérir son poste perdu, il dépensa dix fois plus d'énergie qu'il ne l'avait fait pour le garder.

Il n'y avait toujours pas de secrétaire et le doyen devait taper lui-même son courrier, ce qu'il faisait avec une stupéfiante virtuosité. On reprit les recherches interrompues par les vacances et le défilé des candidates commença. Mr. Fergusson se chargea de recevoir, d'examiner et de trier les postulantes pour ne présenter que les meilleures à l'approbation du doyen.

Il y eut pendant une semaine une petite Américaine aux doigts véloces et à l'esprit lent ; une Russe aussi éveillée que faible à la machine ; une Française rapide mais incapable de maîtriser l'anglais. On parvint enfin à atteindre l'idéal en la personne de Mlle Cordelier dont l'expérience, le calme et l'efficacité ravirent le doyen.

Je remontai définitivement à la comptabilité, retrouvai la liberté de mes après-midi et perdis la moitié de mon salaire.

J'allais entreprendre mes propres démarches dans la recherche d'un emploi à temps complet, mais n'en eus pas le temps : cet emploi tomba tout seul dans mon panier. Ou plus exactement avec l'aide de Mrs. Clift, chef du personnel de l'ambassade américaine.

Je fus surprise qu'elle ait pensé à moi pour ce poste de traductrice et bibliothécaire qu'une organisation américaine, ouvrant une filiale à Paris, était en train de rechercher. Lors de notre dernière entrevue, Mrs. Clift m'avait vue en train de sécher sur une dictée sténographique. Mais elle avait dû penser que pour le poste en question on n'avait pas besoin de sténographie.

Toujours est-il que je me présentai et fus engagée. Le vent devait avoir changé et soufflait enfin dans mes voiles !

Godell : histoire d'un krach

Il était une fois un grand industriel — Gordon Delton. Il était, comme il se doit, milliardaire. Mais un milliardaire pas comme les autres : il avait un idéal.

Son credo peut s'exprimer en peu de mots : l'humanité trouverait le bonheur par l'épanouissement de l'Industrie. D'où la morale — servir l'Industrie c'est servir l'Humanité.

Mr. Gordon Delton se fixa donc comme but de promouvoir l'Industrie. Pour cela il fallait développer la recherche scientifique, encourager et soutenir les nouvelles idées, fonder de nouveaux centres expérimentaux, propager les meilleures méthodes de travail, en un mot développer par tous les moyens le progrès industriel.

N'ayant pas d'héritiers, il légua toute sa fortune à son idée et fonda une société non lucrative consacrée à la recherche et à l'expérimentation. Et la baptisa Godell.

Selon le statut établi par le fondateur, les collaborateurs de l'organisation devaient considérer leur tâche comme une mission, presque un apostolat. De sorte que le dévouement à la cause était exigé autant que la compétence.

Godell connut un développement prodigieux. Ayant débuté avec une équipe de douze savants, elle en comptait à présent deux mille. Les plus grandes industries des

Etats-Unis s'adressaient à ses experts, ses laboratoires et ateliers pour résoudre leurs problèmes et étudier leurs projets. Le gouvernement lui-même confiait à Godell des travaux d'importance nationale.

Conformément à la volonté du fondateur, Godell s'étendit au-delà des frontières des Etats-Unis et des branches filiales commencèrent à naître dans d'autres pays.

La branche française naquit dans le ciel, dans un avion qui volait vers New York. Par un heureux hasard dont seul le destin a la clef, M. Dobson et M. du Grandmoulin se trouvèrent installés dans des fauteuils voisins.

M. Dobson rentrait aux Etats-Unis après une randonnée en Europe et M. du Grandmoulin se rendait aux Etats-Unis pour y faire une randonnée.

La conversation commença par les banalités de voyage et se termina huit heures après par un grand projet qui concernait deux pays.

M. Dobson ne tarda pas à parler du sujet qui le préoccupait, éveillant chez M. du Grandmoulin le plus vif intérêt. Tandis que M. Dobson développait les perspectives de nouveaux centres Godell en Europe, en soulignant le caractère humanitaire et non lucratif de cette organisation, M. du Grandmoulin, plus pragmatique, évaluait les avantages matériels qui pouvaient en découler.

Il proposa son concours, offrit son influence dans les hautes sphères, ses relations et, avant tout, sa personne. En descendant de l'avion, les deux hommes se serrèrent la main avec le sentiment d'avoir donné naissance à une nouvelle organisation.

Invité par M. Dobson, M. du Grandmoulin se rendit à Columbus au siège central de Godell. Visita ses établissements et entama des pourparlers avec M. Morgan, le directeur général.

L'accueil que reçut M. du Grandmoulin fut, paraît-il, triomphal. On le conduisit à travers les ateliers, les laboratoires et les usines en prêtant une grande attention à ses appréciations.

Celles-ci vraisemblablement ne s'exprimèrent que par des remarques laconiques, du genre « I see... » ou « Of course... », prononcées de temps à autre avec un air grave et ponctuées par des silences significatifs. On sait combien le silence peut être impressionnant.

M. du Grandmoulin n'avait aucune formation scientifique, par contre il était excellent diplomate.

A la fin de la visite, il se déclara très satisfait de tout ce qu'il avait vu. D'autre part, sa personne, affirma-t-il, et à travers elle la France, impressionna énormément les dirigeants de Godell.

Les pourparlers continuèrent, des délégués de part et d'autre échangèrent des visites et au bout de quelques mois le projet se réalisa : Godell ouvrit une filiale à Paris.

Deux directeurs d'importance, sinon de compétence, égale furent nommés pour la France. M. Cracker du côté américain et M. du Grandmoulin du côté français. Leurs rôles étaient différents et correspondaient à leurs capacités. M. Cracker était chargé de prendre contact avec les industries françaises, d'examiner leurs problèmes et de les soumettre aux spécialistes de l'organisation mère.

L'activité de M. du Grandmoulin s'adressait à un autre domaine, plus mondain que scientifique. Il comprenait les relations avec les sommets du monde industriel et les contacts avec les usines et les centres de recherche.

Chacun des directeurs engagea ses collaborateurs selon son propre choix. M. Horner, envoyé par Columbus, secondait M. Cracker et une secrétaire sténotypiste recommandée par l'ambassade américaine fut engagée comme secrétaire de direction.

M. Horner était un jeune homme brillant et plein d'entrain. On comptait sur ses dons plus que sur sa formation scientifique, car il était géologue. Mais en plus de la vivacité de son esprit, il y avait un autre fait qui détermina son choix : il avait fait la guerre sur le territoire français. On jugea à Columbus que ça devait lui avoir laissé une affinité avec le peuple français.

Le comptable, M. Junot, avait été, lui aussi, recommandé par l'ambassade américaine. Il ne semblait pas posséder de qualifications particulières sauf celle d'être marié à une Américaine.

Les collaborateurs de M. du Grandmoulin étaient d'un tout autre genre. M. Jules Meunier, qu'il engagea comme adjoint et conseiller technique, était avant tout son ami personnel. Il convenait d'ailleurs parfaitement au poste que M. du Grandmoulin lui offrit. Ingénieur de formation avec un esprit extraordinairement multilatéral et une imagination étonnamment fertile, il savait tout, connaissait tout le monde et ne doutait de rien. Il était de surcroît inventeur et avait constamment de nouveaux projets. Ils ne concernaient généralement pas l'Industrie et très peu l'Humanité, mais ça c'était un détail.

Il arrivait toujours en courant et se dirigeait avant tout vers le bureau de M. du Grandmoulin. C'est à lui qu'il confiait tout d'abord son dernier projet.

M. du Grandmoulin, qui à l'heure de l'arrivée de son ami ne somnolait pas encore dans un fauteuil et essayait de tuer le temps en arpentant la pièce ou en contemplant la rue par la fenêtre, recevait son conseiller avec plaisir et l'écoutait avec intérêt. L'idée, disait-il, était bonne et il fallait l'exposer aux experts de Godell.

Ainsi encouragé, M. Meunier courait chez M. Horner. Hélas ! M. Horner avait l'agaçante manie de tout juger avec les principes de Godell dans la tête, ce qui éliminait dès le départ toutes les inventions de M. Meunier.

Pour revenir de sa déception, celui-ci allait trouver les secrétaires et leur expliquait longuement son idée. Il passait ensuite à d'autres sujets, comme par exemple ses aventures pendant la guerre ou simplement les potins de Paris.

Les suggestions de M. Meunier arrivaient rarement jusqu'au cabinet de M. Cracker et ça valait peut-être mieux. M. Cracker était un chimiste émérite, mais un timide et un indécis. Il croyait de son devoir de tout soumettre à l'appréciation de M. Morgan auquel il écrivait de longs rapports sur l'activité de notre branche.

En plus de M. Meunier, M. du Grandmoulin associa à la maison deux autres collaborateurs de marque : M. Robert, grand vieillard austère, érudit, ingénieur et inventeur à ses heures. M. du Grandmoulin pensait qu'il ferait le poids en face des spécialistes américains et ferait valoir le point de vue français. L'autre était M. Roth, chimiste réputé, dont les relations dans le monde industriel étaient très étendues. En outre il parlait anglais très couramment et partageait la passion du ski avec M. Horner.

L'équipe était ainsi formée quand, munie de la lettre de Mrs. Clift, je sonnai moi-même à la porte de Godell.

Un petit homme entre deux âges, qui se présenta comme M. Petit, me conduisit dans le bureau. M. du Grandmoulin me reçut de façon charmante, en vrai homme du monde qu'il était. Il ne me posa pas de questions embarrassantes sur mes capacités et passa très vite à la description des siennes. C'est ce jour-là que j'entendis pour la première fois le récit de son voyage à Columbus.

Nous en étions là quand arriva M. Meunier. M. du Grandmoulin me présenta et énuméra lui-même mes mérites avec beaucoup de bienveillance. Je compris qu'avant de prendre une décision à mon sujet, il voulait connaître l'opinion de son conseiller.

Heureusement, elle me fut favorable et je fus acceptée. On mentionna en passant la sténographie « pour les cas d'urgence » et je pris le risque d'affirmer que je serais capable de dépanner les secrétaires. Mes références jouèrent enfin leur rôle et mes capacités ne furent pas mises en doute.

M. du Grandmoulin raconta encore une fois son voyage aux Etats-Unis que M. Meunier écouta avec le recueillement d'un croyant qui écoute la même litanie à chaque messe.

Il fut convenu que je commencerais dès le lundi suivant et je pris congé sans passer dans les bureaux.

J'arrivai ce matin en même temps que M. Petit et nous prîmes l'ascenseur ensemble. M. Petit détenait les clefs de la maison et devait par conséquent être là à l'heure.

Je ne compris pas très bien quel était son rôle à Godell et appris qu'il ne le savait pas lui-même. On l'avait engagé d'urgence en le faisant quitter le poste de manutentionnaire qu'il occupait dans une usine, mais sans préciser à quelle activité on le destinait. Mais M. Meunier avait été si persuasif et avait parlé de l'avenir de Godell avec tant d'éloquence que M. Petit s'était laissé convaincre.

J'appris que, dans le passé, M. Petit avait été subrécargue sur un bateau de la marine marchande sur lequel M. Meunier naviguait en qualité d'enseigne de vaisseau. C'est de cette époque que datait leur connaissance, empreinte d'une grande considération de la part de M. Petit pour M. Meunier.

Pour l'instant, dans l'attente d'une affectation plus précise, M. Petit était chargé d'ouvrir la porte le matin et de la fermer le soir, de répondre à la sonnette et veiller sur les fournitures de bureau telles que papier de machine, rubans, crayons, gommes, etc. Ainsi que sur l'équipement des toilettes — savon et papier hygiénique. Il devait également surveiller la femme de ménage chargée de l'entretien des bureaux.

Nous passâmes quelque temps à causer dans un grand bureau où deux tables pourvues de machines à écrire indiquaient l'activité de deux secrétaires.

Un coup de sonnette assez brutal fit sursauter M. Petit qui se précipita vers la porte.

— Ça doit être M. Horner ! s'écria-t-il en courant et il me sembla que dans sa voix il y avait un son d'inquiétude.

Un grand jeune homme joufflu portant de grosses lunettes traversa la pièce d'un pas martial et disparut dans le bureau contigu qui était le sien.

Il eut le temps de me jeter un regard furtif, mais sans prononcer un mot.

Après lui apparut une petite femme brune. Tout en elle était vivacité et mouvement, même les paroles dans sa bouche semblaient se bousculer et se poursuivre. Courant vers moi elle me tendit la main et se présenta :

— Je suis Mme Fallas, secrétaire de direction.

Je me dis qu'elle devait être agaçante à la longue, mais avait sûrement un bon cœur.

La porte à peine fermée s'ouvrit de nouveau devant la deuxième secrétaire, d'aspect calme et bien plus distingué. Elle me secoua la main à son tour et me dit que son nom était Mlle Chevalier.

Les présentations faites, les deux secrétaires s'installèrent à leurs bureaux. Je demandai où je devais me mettre, mais personne n'en savait rien. Je remarquai que M. Petit se trouvait dans une situation analogue et se tenait la plupart du temps dans le vestibule, prêtant l'oreille à la sonnette.

Par gentillesse et peut-être pour me rassurer, Mme Fallas me dit d'un ton amical :

— Nous sommes bien contentes d'avoir enfin une *filing clerk*. Nos lettres sont en vrac et nous ne retrouvons plus rien.

Elle fit un geste vers une pile de papiers par terre.

Je priai M. Petit de me donner une chaise et m'assis à côté du tas, mais sans savoir ce que je devais en faire. Je jetai un regard interrogateur aux secrétaires, mais elles

266

ne le remarquèrent pas. Mlle Chevalier enfilait du papier dans sa machine avec une évidente intention de taper, mais Mme Fallas ne manifestait pas la même disposition d'esprit et, en se penchant par-dessus son bureau vers sa collègue, racontait avec animation comment elle avait passé le dimanche.

Mais la porte de M. Horner s'ouvrit brusquement lui coupant la parole. Une phrase inachevée resta suspendue dans l'air.

— *Will you type this letter for me ?* fit-il en tendant une feuille de papier à Mme Fallas. Et il ajouta d'un ton sévère : *Right away !*

— *But of course, Mr. Horner !* s'exclama Mme Fallas faisant semblant de n'avoir attendu que ça.

Je distinguai un ton d'agressivité dans la voix de M. Horner et compris que les bavardages dans le bureau ne lui plaisaient pas. Avant de disparaître derrière sa porte, il laissa glisser sur moi un regard rapide qui me parut dépourvu de sympathie.

Pendant quelque temps on n'entendit que le cliquetis des machines et le fracas de la circulation sous les fenêtres. Une odeur de cigare commença à s'infiltrer dans le bureau à travers la porte de M. Horner, ce qui ne me le rendit pas plus sympathique.

Tout changea à 11 heures avec l'irruption de M. Meunier. Il traversa les bureaux en trombe et, s'étant assuré que M. du Grandmoulin n'était pas encore arrivé, se précipita chez M. Horner, en ressortit, échangea quelques mots avec M. Petit, revint, jeta un regard sur la lettre que tapait Mlle Chevalier, bavarda un moment avec Mme Fallas et finalement s'approcha de moi. Et c'est à ce moment-là que j'eus l'occasion d'apprécier sa présence d'esprit et son imagination.

— Il n'y a pas de bureau pour vous ? Vous ne savez pas où vous mettre ? Eh bien, venez avec moi avec tous ces papiers !

En ouvrant la porte d'un bureau absolument vide, situé un peu à l'écart, il fit un large geste embrassant le plancher.

— Mettez donc tout ça par terre ! Vous avez là une belle moquette toute neuve et toute la place que vous voudrez !

C'était simple, mais il fallait y penser.

Je fis comme il me dit et m'en trouvai très bien. En plus de la place, j'avais le calme et j'étais à l'abri des regards indiscrets. Je pouvais réfléchir au meilleur système de classement à appliquer.

Je commençai mon travail par terre.

Les jours suivants n'apportèrent pas de grands changements sauf qu'on me chargea du bureau d'ordre et que c'est à moi que le concierge de l'immeuble remit le courrier. Je le triais sur un coin de table d'une de mes collègues et M. Petit le transportait dans les bureaux respectifs. Ensuite chacun s'installait à sa place, et moi sur ma moquette.

Ces conditions de travail étaient, il faut bien le dire, un peu inhabituelles et cependant ce n'était pas ça qui m'ennuyait. C'est que les lettres pleuvaient chaque jour plus sérieusement et je ne savais toujours pas où et comment les ranger.

Pour mieux comprendre l'activité de l'organisation, je me plongeai dans la lecture de cette correspondance, mais les sujets traités étaient pour la plupart techniques et incompréhensibles. Je savais que mes archives ne resteraient pas toujours sur le plancher, mais pour le moment elles y étaient, et, après tout, ce n'était pas très commode.

M. Junot, chargé de procurer l'équipement nécessaire, parcourait les bureaux inlassablement, un bloc à la main. Se penchant sur moi du seuil de la porte, il demandait avec sollicitude :

— Il vous manque quelque chose ?

Et je répondais invariablement :

— Oui, monsieur Junot, tout.

— Vous l'aurez ! déclarait-il avec assurance et continuait sa ronde.

Mais le temps passait n'apportant que de nouvelles lettres qui à présent jonchaient le sol comme les feuilles d'automne.

Pour comble de malheur, on m'expulsa de mon refuge pour y installer M. Junot et je dus déménager dans la salle des réceptions où j'eus enfin une table. Mais cette nouvelle étape ne dura que peu de temps et j'échouai finalement dans le bureau des secrétaires, tout près de la porte de M. Horner. Mais cette fois j'obtins un bureau et une chaise.

Comme on voit, mes débuts n'ont pas été faciles. Aussi mon classement était loin d'être au point.

Le désordre d'ailleurs était général et régnait surtout dans les dossiers de nos directeurs. Les documents se baladaient sans laisser de traces et j'ai vécu bien des moments d'angoisse en essayant de les retrouver. Je vois encore M. Horner planté en face de moi et criant de sa voix nasillarde :

— *I want the letter NOW !*

Je fouillais fébrilement dans mes papiers mais sans succès et pour la simple raison que la lettre se trouvait soit dans les tiroirs de M. Cracker, soit chez M. Meunier, soit encore dans la serviette de M. Horner lui-même.

Mais à quelque chose malheur est bon et c'est grâce à un petit drame de bureau que mon classement fut enfin lancé sur la bonne voie.

Un matin, M. Horner arriva sombre et menaçant et, sans répondre à nos « *Good morning, Mr. Horner !* » empressés, alla s'enfermer dans son bureau en claquant la porte.

Nous n'eûmes pas le temps de spéculer sur la cause de sa mauvaise humeur, car il resurgit et, se postant au milieu de la pièce, éclata : il était temps de mettre de l'ordre dans les bureaux de Godell, car rien ne marchait plus ! Godell n'était pas un club où on va pour claquer de la langue ou faire acte de présence pour empocher un salaire.

Chacun de nous reçut son paquet, moi en particulier. M. Horner termina son réquisitoire en s'adressant à moi :

— *And you, don't tell me fairy stories about missing this or that ! Your files are lousy for all I know !*

Plus tard, remises du choc, nous discutâmes de l'incident. Mme Fallas était persuadée que nous n'étions que des boucs émissaires et que la source de l'irritation de M. Horner était plus haut. Elle avait, assura-t-elle, entendu et remarqué certaines choses... Et l'autre jour, en sortant de chez M. du Grandmoulin, M. Horner avait vraiment l'air...

Le temps était donc orageux dans les hautes sphères. Quant à moi, je décidai d'employer les grands moyens : sans plus écouter les promesses de M. Junot, j'allai commander mon matériel moi-même. Dès que mes fichiers, mes classeurs et mes casiers furent en place, mon travail commença à s'organiser.

Comme je l'ai dit plus haut, Godell s'occupait de brevets d'invention et finançait ceux qui lui paraissaient valables.

Les inventeurs généralement ont plus d'imagination que de fonds, et les meilleures idées dorment souvent dans les tiroirs. Aussi Godell apparut comme une chance inespérée pour plus d'un génie désargenté.

Les projets les plus divers commencèrent bientôt à arriver dans nos bureaux et M. Cracker devait les examiner et choisir ceux qui méritaient d'être présentés au siège central. La première chose à faire était donc de les traduire en anglais.

Nous parlions toutes cette langue, mais aucune de nous ne possédait de formation technique. On voulait cependant éviter les traducteurs du dehors. On jugea qu'en tant que chargée de la documentation du bureau, j'étais la mieux indiquée pour faire ces traductions. J'eus d'ailleurs la maladresse de me vanter de mes travaux au service de la Jeunesse et des Sports de Rabat. Le moment était venu de m'en repentir !

Je ne compris que trop tôt combien les comptes-rendus des *Jamborees* et les descriptions des villages d'enfants avaient été plus faciles à rendre que les phénomènes magnétiques, les orages telluriques, les expériences avec le chrome dur ou la fabrication d'une nouvelle brique réfractaire. Je m'y attaquai avec l'aide de dictionnaires et d'ouvrages spécialisés.

Je commençais par lire le texte et constatais que je ne comprenais rien. Qu'il fût écrit en français ou en anglais ne faisait aucune différence. Je poussais un gros soupir et recommençais pour arriver à la même constatation.

Prenant alors mon courage à deux mains, je me mettais à traduire. Et à mesure que je traduisais, une lumière commençait à percer entre les lignes.

Et le miracle se produisait : ma traduction était cohérente. Je me demande encore comment j'y arrivais.

Consciente de mon ignorance et persuadée d'avoir fait des contresens, j'allai demander la correction à M. Horner. A ma grande stupéfaction, il me félicita ! Il y eut même au fond de ses yeux une petite flamme de sympathie comme s'il découvrait en moi une autre personne, moins bornée qu'il n'avait cru.

Par malheur, mes capacités de traductrice furent signalées à nos conseillers techniques qui ne tardèrent pas à me charger de leurs exposés. De sorte que j'étais éternellement plongée dans les dictionnaires et les manuels les plus rébarbatifs.

Un facteur inattendu joua en ma faveur : la rivalité entre M. Robert et M. Horner. M. Robert, je l'ai déjà signalé, avait un caractère aigri et intransigeant. Par ailleurs son âge avancé le rendait méfiant à l'endroit des savants plus jeunes. Un petit conflit qui se solda par le renforcement de mon prestige éclata un jour entre les deux géologues.

Il s'agissait d'une longue étude sur les orages magnétiques souterrains que je venais de traduire. Malheureusement, c'était là le sujet favori de M. Robert et il voulut lire cette traduction que M. Horner venait de corriger. La critique que le vieux savant ne manqua pas de faire alla donc à l'Américain.

— Vous avez été très mal inspirée en allant demander l'avis de M. Horner, fit-il sévèrement. Il ne peut en donner de valable. Il n'y a que moi dans cette maison capable de juger de cette matière. Il faut refaire cette traduction. Je vais vous dicter la version correcte.

Nous passâmes toute la matinée enfermés tous les deux dans le bureau de M. Robert qui médita longuement sur chaque phrase et modifia plusieurs passages. Me prenant constamment à témoin, il murmurait en agitant son stylo :

— Vous voyez vous-même... Vous devez savoir...

Je prenais un air compétent et murmurais :

— Bien sûr... C'est évident...

Quand la traduction revue par M. Robert fut prête, c'est M. Horner à présent qui la réclama. L'ayant rapidement parcourue, il s'exclama :

— Mais votre traduction était bien meilleure ! Vous n'auriez jamais dû demander l'avis de M. Robert !

Ainsi, s'il y avait des maladresses, les deux spécialistes se les rejetaient à la tête en épargnant la mienne.

La veille de Noël, nous eûmes une réception au champagne offerte par Godell à ses employés et quelques invités de marque. L'ambiance était pleine d'enthousiasme, d'optimisme et surtout d'illusions. On leva les coupes à l'avenir de Godell et les toasts étaient d'autant plus sincères que chacun y associa le sien.

M. du Grandmoulin souriait avec bienveillance en

rectifiant sa cravate et prononçait des phrases banales mais très encourageantes. M. Meunier, plus remuant que jamais, veillait à tout, parlait avec chacun et reflétait une telle certitude de réussite que, rien que de le voir, on était sûr de l'avenir. M. Cracker souriait, mais son sourire était différent de celui de M. du Grandmoulin et, loin d'exprimer la suffisance, avait un petit air embarrassé dont il ne pouvait jamais se défaire et qui provenait sans doute de sa modestie et d'une grande timidité. M. Junot, enhardi par la présence de sa femme, grande Américaine autoritaire, se gonflait plus que jamais d'importance, mais ne souriait pas. M. Junot ne souriait jamais. M. Horner trinquait avec M. Roth et discutait d'une voix forte et nasillarde, mais sans méchanceté. Sa jeune femme qui se trouvait parmi les invités avait sur lui un effet lénifiant. Même l'austère M. Robert s'était un peu déridé et pour une fois semblait satisfait.

Quant à nous, les cadets de la famille, nous étions heureux et fiers d'appartenir à cette brillante compagnie et l'avenir nous paraissait vêtu de rose.

En un mot, chacun avait ses raisons de se réjouir et le leitmotiv de la soirée était : « *Long live Godell !* »

M. Junot nous quitta en février et nous fûmes dotés d'un autre comptable qui paraissait plus compétent, ce qui n'était pas difficile.

Comme M. Junot n'était pas communicatif et n'avait jamais montré de sympathie pour ses collègues, nous ne sûmes rien de ses projets sauf qu'il allait émigrer aux Etats-Unis conformément à la décision de sa femme. Grâce à l'indiscrétion de Mme Fallas à laquelle nous devions la plupart de nos nouvelles, nous apprîmes que M. Junot avait pris des précautions pour s'assurer un beau certificat : il le composa lui-même et pria M. Cracker de le signer.

M. Cracker fut, paraît-il, très embarrassé, mais ne sut

pas refuser. De sorte que M. Junot emporta de brillantes références.

Le nouveau comptable s'appelait M. Michou. C'était un petit homme sombre et aigri à fond. Selon lui, le sort l'avait toujours maltraité, sa vie entière n'avait été qu'une succession d'injustices. Jeté par les circonstances de son Marseille natal dans les brumes de l'Angleterre où il dut vivre pendant vingt ans, il semblait n'avoir gardé de ses origines que le teint foncé et l'accent. Le smog de Londres l'avait pénétré à jamais jusqu'aux profondeurs de l'âme.

M. Michou commença par critiquer sévèrement son prédécesseur et déclara que la comptabilité dont il héritait n'était qu'un parfait chaos. Rien d'ailleurs selon lui ne marchait bien à Godell et tout cela finirait par une catastrophe.

Il est vrai que de petites lézardes commençaient à apparaître dans notre organisation et qu'une atmosphère de discorde s'infiltrait entre les chefs français et américains.

Les délégués de Columbus inspectant les branches européennes se déclaraient mécontents des résultats obtenus par la nôtre qu'ils comparaient désavantageusement avec celles de l'Allemagne et de la Suisse. Tandis que les industriels de ces pays avaient compris le but de Gordon Delton et avaient accueilli l'organisation à bras ouverts, ceux de la France restaient méfiants et hostiles. Cet état de choses devait découler d'une mauvaise présentation de la société dans le pays et d'un manque de doigté impardonnable. Aucun journal, par exemple, n'avait parlé de Godell, sauf un journal communiste qui se chargea de le dénigrer.

En dépit de cette situation peu encourageante et jusqu'à nouvel ordre, on maintint le projet de la construction de laboratoires. Et à cette fin, on rechercha un domaine dans les environs de Paris où Godell pourrait s'installer pour de bon.

M. Meunier prenait une grande part à ces recherches

et chaque jour apportait de nouvelles propositions provenant de ses multiples relations et démarches. On allait visiter des châteaux et des propriétés et on alla jusqu'à engager un architecte qui, en attendant le moment de construire, servait d'expert.

Le rôle de M. Cracker dans tout cela était assez effacé. Son opinion, disait Mme Fallas, n'était jamais mentionnée et pour la simple raison qu'il n'en avait pas. Il accompagnait bien M. du Grandmoulin et M. Meunier, mais avait toujours l'air d'un comparse. Et moins il montrait d'autorité, plus M. du Grandmoulin soulignait la sienne.

A mesure que passait le temps, mes casiers se remplissaient de lettres, de croquis, de photos et de plans et les secrétaires tapaient sans fin de longs rapports pour le siège central. Je traduisis plusieurs descriptions de domaines et de ce fait étais au courant des résidences susceptibles de devenir par la suite notre lieu d'activité.

En prévision de futurs déplacements, on décida d'acheter une voiture. M. Horner suggéra l'idée d'utiliser M. Petit en qualité de chauffeur et dans ce but de l'envoyer à l'auto-école car il ne savait pas conduire.

M. Petit accepta avec joie et put enfin abandonner le bureau dans la salle d'attente. Depuis huit mois, il feuilletait des magazines techniques américains, ce qui devait être d'autant plus fastidieux qu'il ne comprenait pas un mot d'anglais.

Il suivit ses cours avec zèle et plus longtemps que prévu. Si au terme de ses études il échoua, ce n'était pas sa faute. L'inspecteur, raconta M. Petit, était un peu bizarre et ne savait pas lui-même ce qu'il voulait. Il avait commencé par s'énerver pour rien :

— Mais allez-y ! Allez-y ! Qu'est-ce que vous attendez ?

M. Petit avait naturellement accéléré, mais l'inspecteur cria de plus belle :

— Freinez, nom d'un chien ! Vous allez nous foutre dans la Seine !

— Vous comprenez, disait M. Petit d'un ton consterné, ce n'était jamais bien, tantôt trop vite, tantôt pas assez. Il n'était jamais content.

M. Horner, quand il eut entendu ce compte-rendu, haussa les épaules et ne dit rien. M. Petit retourna à ses cours et y alla longtemps jusqu'au jour où il échoua de nouveau. Mais à cette époque, ça n'avait plus d'importance.

L'été trouva l'atmosphère de Godell entièrement changée. On sentait que, si les personnages étaient encore en scène, la pièce qu'ils jouaient n'était plus la même. Il y avait d'ailleurs des manquants : M. Cracker avait été rappelé aux Etats-Unis et M. Horner passait la plupart du temps à Genève. L'élément américain n'était plus représenté que par des agents de passage et on ne savait pas quelle était exactement leur mission.

Quant à M. du Grandmoulin, il s'était transformé. Au lieu de somnoler sur son grand bureau vide, il passait des heures en conciliabules avec M. Meunier et des personnages étrangers à Godell. Contrairement à son habitude, il passait chaque matin dans notre bureau et nous tenait de longs discours sur lui-même pour terminer avec l'affirmation :

— Je serai bientôt nommé directeur général pour toutes les branches d'Europe, je vous en fiche mon billet !

Mais les événements avaient l'air de prendre une tout autre tournure et rien ne venait confirmer les prévisions de M. du Grandmoulin. On reçut l'ordre d'abandonner les recherches d'un domaine et de résilier les contrats de l'architecte et des conseillers.

Ces mesures de liquidation qui ne présageaient rien de bon amenèrent une angoisse comme celle qui précède l'orage. M. Meunier, qui n'avait pas de visées internationales, espérait ardemment sauver la maison du naufrage et multipliait les démarches pour persuader les Américains de revenir sur leur décision.

Il fallait avant tout prouver qu'il y avait malentendu. L'hostilité des industriels français ? Quelle idée ! Il pouvait citer ceux qui, au contraire, n'attendaient que le moment de conclure des contrats. La méfiance des pouvoirs publics ? Il se chargeait de prouver qu'il n'en était rien.

M. Meunier se plongea dans une intense activité et on sentait qu'il préparait une bombe capable de renverser tous les obstacles. A l'entendre, on aurait cru qu'il s'agissait de sauver la France. Plus il se démenait, plus il se persuadait lui-même que, sans Godell, l'industrie française était perdue.

Tout à présent était centré sur la grande question : allons-nous être ou ne pas être ? Et comme les autres affaires s'étaient arrêtées, nous ne faisions plus que discuter sur ce problème fondamental.

Si les discours de M. du Grandmoulin étaient monotones et toujours autour du même sujet qui était sa personne, ceux de M. Meunier étaient divertissants. Il nous parla beaucoup de ses inventions, dont aucune malheureusement n'avait vu le jour, faute de compréhension et de capital. Ni le bathyscaphe en plastique, ni le scaphandre muni d'un propulseur, ni les skis à voiles, ni l'avion à ailes d'oiseau. Ces inventions, pourtant géniales, n'avaient pas connu le succès qu'elles méritaient.

Je racontai une expérience d'un vieux monsieur russe, ancien officier de l'armée blanche, qui vivait seul à Carros près de Nice, dans une bicoque isolée. Lui aussi avait pensé à un engin volant sans moteur, imitant l'oiseau.

Aussi étudia-t-il pendant des années les ailes des volatiles, ne plumant jamais son poulet avant d'avoir examiné ses plumes et vérifié leur longueur. En découpant une volaille, il étudiait ses poumons, car, disait-il, les poumons bien gonflés allègent le corps. Il trouva une fois une hirondelle morte et la disséqua avec une attention toute particulière.

Lorsqu'il sentit que ses observations lui avaient donné

des connaissances suffisantes, il commença la construction de son appareil.

Ses moyens d'existence étaient les plus modestes, pour ne pas dire inexistants. Les petits travaux de bricolage chez les voisins ne lui assuraient pas toujours son pain quotidien.

Il ramassait où il pouvait, parfois en paiement de ses services, des matériaux de toute sorte et les accumulait dans sa bicoque.

L'appareil en construction était suspendu à la poutre du milieu de la cuisine, en face d'une grande fenêtre agrandie à dessein, par laquelle il devait prendre le large au moment suprême.

Après des années d'étude et de labeur, le grand jour arriva. M. Gordine monta dans son appareil, fit un grand signe de croix et coupa la corde.

Je m'empresse de rapporter que M. Gordine se tira indemne de ce premier et, hélas, dernier vol. Il me raconta lui-même comment tout s'était passé. L'appareil sortit parfaitement par la fenêtre, comme prévu, de sorte qu'on peut considérer l'expérience comme réussie.

Par mesure de précaution — on ne sait jamais —, M. Gordine avait étalé pas mal de paille devant la fenêtre et cela s'était avéré très utile.

Quand je demandai à M. Meunier si son appareil avait été conçu sur les mêmes principes, à mon grand étonnement il se fâcha. J'aurais dû me souvenir que la rivalité chez les inventeurs est toujours très aiguë.

Il faut croire qu'à part une certaine déception d'avoir été mal compris, M. Meunier avait subi quelques dommages matériels. Les coups de téléphone que nous recevions se rapportaient très souvent à certaines affaires du passé et nous avions la consigne de trier très attentivement les appels pour distinguer ceux pour lesquels M. Meunier était là de ceux pour lesquels il était justement sorti.

Un beau jour M. Meunier arriva bouillant d'enthousiasme : il l'avait ! La bombe était prête à être lancée.

M. du Grandmoulin était, lui aussi, visiblement excité et les deux amis s'enfermèrent dans le bureau directorial.

Nous fûmes bientôt au courant du coup qui se préparait. Ils revinrent avec une longue lettre à taper pour M. Morgan. Il s'agissait d'un don que la ville de Versailles faisait à Godell : un grand terrain aux portes de la ville où la société pouvait s'établir pour toujours. Ce don était accompagné de la promesse du maire d'aider l'organisation par tous les moyens. Cet homme clairvoyant avait compris combien un pareil voisinage pouvait servir le bien public.

M. Meunier exultait.

— Les Américains ne sont pas fous ! Ils vont accepter avec reconnaissance !

On lança la bombe et nous attendîmes pendant deux semaines son effet.

M. Michou n'avait plus grand-chose à faire et passait son temps à rôder dans les bureaux où il nous racontait ses mésaventures dont le monde entier semblait porter la responsabilité. Il avait un besoin maladif de médire, de préférence de ses chefs.

M. Horner avait plusieurs fois offusqué le pauvre homme qui, naturellement, l'avait pris en grippe.

— Ah, celui-là ! s'exclamait-il constamment, il se prend pour qui ? Il se croit tout permis parce qu'il est américain ? Eh bien, moi, je vous dirai la vérité : c'est un incapable ! Juste assez bon pour vendre des cacahuètes !

On était en plein juillet quand arriva la réponse de M. Morgan. Hélas ! l'effet de la bombe fut nul. Du moins le résultat fut-il très différent de celui qu'avaient attendu les deux amis. Au lieu d'accepter le don de Versailles, le conseil d'administration mettait un point final à l'expérience de Paris.

M. du Grandmoulin piqua une crise de colère terrible et qualifia la lettre de M. Morgan d'injurieuse, grossière et stupide et dit autant de mal des directeurs de Columbus qu'il en avait dit de bien auparavant.

M. Meunier, stupéfait et désorienté, faisait penser à un prestidigitateur qui aurait loupé son tour.

M. Michou, par contre, se délecta de sarcasmes et se vanta d'avoir tout prévu, tout prédit.

M. Petit prit un air d'enfant égaré qui ne sait plus où il doit aller.

Quant aux secrétaires et moi-même, nous ne fûmes pas surprises, ayant compris depuis longtemps que la cause était perdue.

A présent que son plan n'avait pas réussi, M. du Grandmoulin adopta une autre tactique qui, cette fois, ne se rapportait qu'à ses propres intérêts.

— J'ai fait des sacrifices en leur prêtant mon concours, disait-il, car ça m'a pris un temps précieux que j'aurais consacré à mes affaires. Mais en tout cas, je ne suis pas un enfant de chœur... Ils me le paieront, je vous en donne ma parole !

Il rassura M. Meunier en lui promettant une belle indemnité. Quant aux employés... on verra ce qu'on pourra faire. Un mois de salaire en tout cas et une belle référence.

Nous les eûmes peu de temps après, le salaire complet du mois en cours et des lettres nous donnant congé tout à fait correctes.

M. du Grandmoulin tint parole et défendit ses intérêts avec beaucoup d'énergie. Il obtint satisfaction et c'était juste, car c'était lui, après tout, qui avait introduit Godell en France et c'est à lui qu'on l'avait confié.

A ce sujet on ne peut que se demander comment les hommes les plus efficaces de la terre se montrent parfois aussi naïfs. C'est un des mystères américains : crédulité presque enfantine chez des hommes d'une trempe d'acier.

Ainsi mourut Godell de France à l'âge de un an, laissant des regrets, des rancunes et pas mal de dollars.

Le jardin d'enfants

Après le krach de Godell, le vent vira de nouveau dans le mauvais sens et m'amena beaucoup d'ennuis. Toutes les expériences qui suivirent se terminèrent par des échecs. Comme celle, par exemple, que j'eus pendant deux semaines dans une agence de voyages dirigée par un Anglais sombre et irritable qui me dictait des lettres avec un cigare dans la bouche et en ne prononçant les mots qu'à moitié. Il se fâcha tout rouge quand au lieu de « *for climbing the mountains we provide donkeys* [1] » j'écrivis « *we provide monkeys* [2] ».

M. Roth, qui avait apprécié mes talents de traductrice, me tint longtemps en haleine en me promettant des traductions techniques qu'il ne me donna jamais.

J'eus plus de succès auprès de M. Tissier, fabricant de filtres industriels. On me convoqua plusieurs fois à l'usine où, accompagnée d'un ingénieur, je devais examiner des appareils et, si possible, comprendre leur fonctionnement.

Je passais ensuite de longues et pénibles heures à traduire en anglais la description de ces engins.

Pour une autre maison, je traduisis une brochure entière

---

1. Traduction : pour les excursions en montagne, nous fournissons des ânes.
2. Nous fournissons des singes.

traitant de la protection des plantes par le gel, procédé appliqué aux Etats-Unis à l'aide de pulvérisateurs. La légère couche de glace qui se forme sur les branches des jeunes arbres sert de gaine protectrice sous laquelle les plantes sont à l'abri des grands froids.

De la protection des arbres, je passai à celle des tapis en louant un produit allemand qui leur garantissait la fraîcheur pendant un quart de siècle.

Parmi ces sujets difficiles et arides, il s'en trouvait parfois de plus attrayants. Comme par exemple le grand rapport sur le Cambodge qu'il fallait rendre en russe, car il était destiné à Khrouchtchev.

« A l'étroit, mais en bonne harmonie ! » disent les Russes quand manque la place dans un logement surpeuplé. Mais cette disposition optimiste est difficile à préserver quand on se marche sur les pieds. C'était le cas chez nous depuis le retour à Paris de mes deux aînées.

Bien des choses d'ailleurs avaient changé. Hélène et Elisabeth étaient devenues des jeunes filles qui toutes les deux travaillaient. Hélène poursuivait sa carrière de technicienne cinématographique, Elisabeth débutait comme secrétaire dans une organisation internationale.

En plus de leurs activités professionnelles, elles avaient de multiples intérêts mondains et évoluaient dans un cercle d'amis de plus en plus étendu. Constamment invitées, elles sortaient tous les soirs et commençaient à éprouver le besoin de recevoir à leur tour.

La divergence des intérêts et le fait qu'à présent elles avaient des situations, tandis que je restais dans ma position précaire, créait une division au sein de la famille, formant en quelque sorte deux groupes : les riches et les pauvres. Ce dernier groupe était représenté par Macha et moi.

Absorbée par mes problèmes, mise à l'écart de la vie par le manque permanent d'argent, je ne sortais jamais et ne fréquentais personne. Ma seule compagne, ma seule amie était la petite Macha qui partageait ma vie et dépendait de moi.

Son caractère enjoué, son esprit éveillé plein de ressources, ses dons multiples chassaient la mélancolie et étaient mon unique distraction.

Notre appartement, comme je l'ai dit plus haut, était devenu trop petit. Plus le temps passait, plus la situation devenait pénible. On avait l'impression que nous augmentions de volume, ou que l'appartement se rétrécissait. Chacune de nous avait ses affaires et on ne savait plus où les fourrer. Le jour vint où la nécessité d'un nouvel échange se posa encore une fois.

J'entrepris les démarches qui s'imposaient. A regret, car j'aimais mon appartement. J'avais acquis en matière d'échanges une certaine maîtrise et les choses allèrent vite. Ce que j'offrais était si charmant et si confortable que les propositions ne manquèrent pas.

Obsédée par le problème de la place, je fixai mon choix sur le plus grand des appartements proposés, en fermant les yeux sur quelques défauts un peu inquiétants.

C'était un grand cinq pièces boulevard Montparnasse, avec de hauts plafonds, des cheminées surplombées de miroirs, des parquets de chêne. Résidentiel, si on ne regardait pas par les fenêtres. C'était là, hélas, que se trouvait le revers de la médaille. L'appartement était au premier, flanqué de deux cours intérieures. Où que l'on mît les yeux, on ne voyait que des murs gris s'élevant jusqu'au ciel.

Les fenêtres du salon donnaient sur les cuisines d'une brasserie dont la façade se trouvait sur le boulevard. Une brasserie d'un autre âge, peut-être la dernière du genre, avec des attractions à l'heure du dîner. Les numéros étaient très appréciés des badauds qui stationnaient en foule sur le trottoir en face des baies illuminées. Chanteurs burlesques, divas maquillées à outrance, hommes déguisés en femmes, pitres grotesques se succédaient sur l'estrade.

Nous n'avions heureusement pas à subir ces spectacles, mais seulement les activités de la cuisine et de la plonge. Les odeurs de graillon, d'eau de vaisselle, de tabac montaient droit vers nos fenêtres. Nous entendions jusqu'à minuit le cliquetis des casseroles, les ordres lancés aux cuisiniers, tout le remue-ménage des coulisses d'une grande brasserie.

La soirée se terminait par *Alouette, gentille alouette* chantée en chœur par l'assistance et suivie d'un tonnerre d'applaudissements. C'était la fin, on fermait.

Du côté opposé, l'appartement donnait sur une autre cuisine, silencieuse celle-là sous son manteau de crasse. Elle appartenait au collège Stanislas qui, comme la brasserie, nous tournait le dos.

L'appartement nous paraissait d'autant plus grand qu'il était vide. Nos quelques meubles, acquis avec tant de peine, s'étaient avérés insuffisants. Je recommençai la chasse aux occasions.

Je m'aperçus très vite qu'il me fallait beaucoup de temps pour entretenir ma maisonnée. N'ayant pas de situation, je n'avais ni l'excuse ni les moyens d'engager une femme de ménage. Mes travaux étaient nombreux, mais ne rapportaient rien. Mes problèmes financiers par conséquent restaient les mêmes.

A force de m'en tourmenter, j'arrivai à un sentiment de culpabilité. Mon incapacité à sortir de l'impasse me diminuait à mes propres yeux. Je me comparais à une mouche qui dans un effort stérile se bat contre la vitre sans trouver une issue.

Mon énergie cependant n'était pas épuisée. Une idée fixe tournait dans mon esprit : la solution devait exister, il s'agissait de la trouver.

Il fallait entreprendre quelque chose me rapportant de l'argent et en même temps me permettant de m'occuper de ma famille.

Que pouvait-on entreprendre sans fonds et sans compétence ?

Je me promenais un jour au jardin du Luxembourg, décidée pour une fois à me reposer sans penser à rien. Je m'assis sur un banc dans un coin calme, mais m'aperçus bientôt que j'avais mal choisi l'endroit. A dix pas de là, il y avait un petit rond-point avec un tas de sable destiné au divertissement des tout-petits qui ne tardèrent pas à arriver.

Je les regardai quelque temps avec indifférence, prête à m'en aller. Je m'attardai à les observer tant ils étaient drôles. Je les comptai : ils étaient dix. Ils avaient tous à peu près le même âge, quelque chose comme quatre, cinq ans. C'étaient tous des garçons. Ils devaient venir jouer sur ce sable quotidiennement, car ils avaient l'air comme chez eux. Manœuvrant leurs instruments en plastique, ils creusaient, fouillaient, charriaient le sable.

Mais les mêmes outils d'aspect inoffensif se transforment parfois en armes d'agression. Voilà un petit chérubin tout blond et rose qui jette une pelletée à la figure d'un petit copain occupé paisiblement à creuser un trou. Son visage se crispe et il cligne des yeux, ce qui ne l'empêche pas d'allonger la jambe pour renverser le seau de l'agresseur. Celui-ci riposte en faisant marcher sa pelle. Gagné par l'attrait du combat, un petit joufflu se joint à la bagarre et tape où il peut. Aux hurlements des intéressés s'ajoutent ceux des spectateurs et bientôt c'est la mêlée.

— Vous avez fini ? crie une grosse voix de femme.

Et j'aperçois, assise sur un banc à quelque distance, une grosse personne en train de tricoter.

— Assez ! Vous entendez ?

L'agitation tombe et les joues encore mouillées de larmes, les bambins reprennent leurs travaux. Dans le calme à peine revenu s'élève une petite voix :

— Pipi !

— Oh, fait la femme avec humeur en déposant son ouvrage, tu pouvais pas le faire avant de partir ?

Elle se lève lourdement, déboutonne le pantalon du bambin et le conduit vers l'arbre le plus proche, tout en grommelant :

— Pourquoi t'as pas fait avant de partir ? Je te l'avais bien dit. Une autre fois, tu feras avant de partir, t'as compris ?

Avant de retourner à son banc, la femme regarde un moment les enfants, distribue quelques taloches pour assurer l'ordre et la discipline et reprend son tricot.

Pendant quelque temps, tout se passe sans drame, mais l'heure de la promenade doit tirer à sa fin, car la femme abandonne définitivement son ouvrage et se met à ranger les enfants par deux. La petite colonne se dirige vers la sortie.

Je les suivis des yeux. Etait-ce une garderie privée ? Quelle idée de confier son enfant à une pareille mégère ! Comme s'il n'y avait pas d'établissements spécialisés pourvus d'un personnel qualifié. Mais il se trouve toujours des gens qui ont la manie du privé. On se méfie des traumatismes — ce danger est à la mode — dont sont responsables, paraît-il, les écoles, les professeurs et les camarades trop turbulents. Et on croit son enfant en sécurité entre les mains d'une bonne femme de ce genre.

Tandis que je suivais le chemin du retour, mes pensées tournaient autour de l'enfance et des problèmes qu'elle pose aux parents. Nous avons eu la chance de disposer d'une propriété où nos enfants ont pu grandir en liberté. Les enfants chez nous étaient traités avec sérieux et simplicité et, si on peut dire, avec respect. « Une gifle à un enfant, disait ma mère, est avant tout une offense. » Nous n'avons jamais giflé les nôtres.

Si j'avais à organiser un jardin d'enfants...

Soudain je compris : la voilà, la solution ! Une garderie d'enfants. Etait-ce fantaisiste ? Etais-je moins douée que la concierge que je venais de voir ? Je ne savais pas de quel local elle disposait, mais il y avait gros à parier que mon cinq pièces était mieux.

Je n'ai jamais prétendu adorer les enfants et j'ai toujours préféré m'occuper d'autre chose. Les tout-petits, passe à la rigueur, encore que les soins physiques qu'il faut leur prodiguer n'aient rien d'emballant. Mais enfin, il y a l'innocence...

Mais ces garnements qui se démènent, se battent et bousculent tout, non, ils n'ont jamais attiré ma sympathie. Il paraît que c'est un symptôme de virilité et qu'un garçon sage est un futur raté. C'est possible, encore que cela reste à prouver. Mais même si la turbulence d'un garçon annonce sa réussite, cela ne change rien au désagrément de sa compagnie.

Je n'aime pas davantage les fillettes qui minaudent, pleurnichent pour des raisons futiles, essaient de se faire remarquer. A mon avis l'être humain en herbe n'est pas plus séduisant que l'être achevé, et le rôle de pédagogue est bien ingrat.

Il ne faut pas croire qu'en bas âge on n'a que des qualités, tandis que les défauts et les vices sont le privilège des grands. J'ai remarqué que tout est là dès le début.

On parle beaucoup de l'innocence de l'enfant, mais je crois qu'on emploie un mot pour un autre, car l'enfant est souvent un vrai petit coquin. Ce n'est pas son innocence qui nous met à sa merci, mais sa faiblesse. Et la nôtre.

Un proverbe polonais dit : la meilleure défense, c'est d'être sans défense. Et dans le peuple russe « plaindre » veut souvent dire « aimer ».

Rentrée chez moi, j'examinai mon appartement sous un angle nouveau. Oui, les lieux se prêtaient parfaitement à mon projet. Et ce projet lui-même, plus j'y pensais, plus il me semblait bon. En voilà un enfin qui ne demandait aucune mise de fonds.

Je m'assis dans un fauteuil et réfléchis. A la fin de la soirée le schéma de l'entreprise était prêt. Le voici.

Première démarche : visite au curé de notre paroisse. Exposition au curé du projet avec prière de me recommander aux familles du quartier.

Mise au courant de Mme Duffic, ma concierge, pour m'assurer de sa bienveillance.

Mise au point du programme pour le présenter aux parents.

La garderie recevra une douzaine d'enfants des deux sexes âgés de quatre à six ans. Ils arriveront à 14 heures. Le groupe au complet, je les mènerai au jardin du Luxembourg. Je ne tricoterai pas et les surveillerai de très près. Les jours de pluie, on restera dans le salon. Des livres d'images, des jeux, on verra bien.

A 16 heures, goûter dans la salle à manger.

A 18 heures, départ des enfants.

Le rapport : 4 francs par enfant, soit 48 francs pour l'après-midi.

Ça n'avait pas l'air compliqué et j'étais sûre de mon affaire.

Et cependant je sentais qu'il manquait quelque chose. Une qualité quelconque pour me distinguer des autres garderies. Quelque chose qui la rendrait plus agréable ou plus utile. Il y aurait évidemment ma personnalité, mon entrain, mon habileté à fabriquer des jouets avec du carton et du papier. Mais était-ce assez ?

A ce moment retentit la sonnette et en ouvrant la porte je me trouvai en face d'Edith. Je fus éblouie : l'originalité, mais la voilà ! Elle leur parlerait anglais et quelle garderie d'enfants peut se vanter d'un pareil avantage ?

Toute à mon idée, j'exposai mon projet à Edith. Son accord fut immédiat et son enthousiasme très vif. Quelle excellente idée ! Elle adorait les enfants ! Elle était libre et ne demandait pas mieux que de gagner un peu d'argent.

On discuta de chaque détail. Edith s'arrêta longtemps

sur la question du goûter. La vie en Europe n'avait pas diminué à ses yeux l'importance de la fameuse *cup of tea*.

Je suggérai le lait et les brioches, mais ça lui paraissait trop simple. Le thé ne convenant pas aux enfants de cet âge, elle proposa le chocolat accompagné de toasts beurrés. On décida finalement de suivre les indications des parents.

L'enthousiasme d'Edith me semblait un peu exagéré et après son départ, livrée à mes réflexions, je commençai à me demander si j'avais été bien inspirée en l'associant à mon affaire. Elle avait promis en me quittant d'entreprendre des démarches, mais sans préciser en quoi elles consisteraient. J'en étais un peu inquiète mais me dis que, puisqu'elle n'habitait pas mon quartier, elle ne pouvait pas me compromettre par une maladresse.

Le curé me reçut très gentiment et approuva beaucoup mon projet. Justement, il connaissait plusieurs familles qui seraient ravies de me confier leurs bambins. Et quand j'eus dit que les enfants auraient l'occasion d'apprendre l'anglais en jouant, il fut très impressionné et me promit le plus grand succès.

Ma conversation avec Mme Duffic fut aussi des plus encourageantes. C'est vrai que j'insinuai... Sans rien dire... Mais tout en disant...

Elle comprit parfaitement et me promit que, de son côté, elle saurait me faire un peu de publicité.

Tout allait donc bien et l'affaire commençait à prendre tournure, quand arriva Edith. Elle rayonnait.

— C'est fait ! annonça-t-elle en entrant. Notre affaire est lancée !

J'eus comme un choc.

— Comment, lancée ?

— Regardez !

Elle brandissait un bout de carton.

— Je l'ai recopié quinze fois et tout est parti !

— Je ne comprends rien, Edith. Qu'est-ce qui est parti ?

— Lisez, lisez, vous verrez.

Je lus et poussai un cri. Sur une carte découpée dans du carton, Edith avait calligraphié un genre de faire-part. Tout y était : mon nom précédé du titre, l'invitation cordiale au cercle distingué que j'organisais pour les enfants de mes amis, offre aux parents de se joindre aux enfants pour prendre avec nous une tasse de thé.

Voilà qui décrivait bien mon jardin d'enfants dans le goût populaire !

— A qui avez-vous envoyé ces cartes ?

— Mais à toutes mes amies, toutes celles qui ont des enfants en bas âge. Tenez, la marquise de Trécy a justement des problèmes avec ses petites filles qui sont depuis quelque temps sans gouvernante. Mme de Beaufort aussi sera ravie d'apprendre que nous nous occupons de jeunes enfants. Elle sort beaucoup les après-midi et son petit garçon est souvent livré à la compagnie d'une bonne qui manque de culture. Et mon amie Thérèse de La Verrière voudrait que sa fillette apprenne l'anglais. Et la comtesse Wallendorff, qui est russe et n'a pas beaucoup d'argent, serait sûrement enchantée si nous pouvions accepter ses enfants gratuitement. J'ai aussi envoyé quelques cartes aux grand-mères qui seront ravies d'amener leurs petits-enfants et passer elles-mêmes un après-midi avec nous en prenant une tasse de thé. Ce sera une excellente occasion de recevoir nos amies.

— Edith, dis-je gravement, je crois qu'il y a malentendu. Je n'avais pas envisagé de réunions mondaines mais une petite affaire de rapport. J'avais pensé aux enfants de mon quartier et non à ceux de nos amis. Je voulais m'occuper d'enfants et non de leurs grand-mères. Et je ne puis en aucun cas débuter en ouvrant une garderie gratuite. Je me suis adressée au curé de notre paroisse. Voilà le milieu auquel j'avais pensé.

— Je ne connais personne dans ce milieu, dit Edith avec humeur.

J'allais dire : « Tant mieux ! » mais remarquai simplement :

— Laissons faire le curé. Il a beaucoup approuvé mon projet.

Je savais à quel point Edith était fervente catholique et espérais que le prestige de l'Eglise remplacerait à ses yeux celui des quartiers de noblesse.

— Faites comme vous voulez, dit-elle, résignée.

Mais je voyais qu'elle était déçue.

Les faire-part d'Edith n'eurent aucun effet et c'est le curé qui nous envoya nos premiers enfants. Je reçus la visite d'un jeune couple accompagné d'une fillette de cinq ans et d'un garçonnet de quatre. Les deux parents, fort sympathiques, se déclarèrent enchantés de me confier leurs deux enfants et on décida qu'ils viendraient dès le lendemain.

Ce fut une surprise pour Edith quand elle vit les deux bambins dans le salon le jour suivant. Elle se précipita vers eux les mains tendues avec des petits cris de bienvenue entrecoupés de gloussements.

Ce qui suivit fut tout à fait inattendu : les enfants pris de terreur poussèrent des cris aigus et se ruèrent hors de la pièce.

Mon premier sentiment fut de la peine pour Edith. Elle resta là interloquée et son énorme sourire, qui découvrait ses si grandes dents, se transforma en une expression de douloureux étonnement. Je me rendis compte à ce moment que son aspect pouvait frapper ceux qui la voyaient pour la première fois. Les enfants, la voyant surgir du couloir sombre et foncer sur eux en émettant des sons bizarres, eurent un choc que j'aurais dû prévoir.

« Voilà un début qui promet ! » me dis-je.

Mais il fallait rassurer les enfants au plus vite, et aussi Edith.

— Ne faites pas attention, les enfants sont tous peureux. Ils m'ont fait le même coup, croyez-moi !

J'espérais qu'elle me croirait. Elle me crut.

Je trouvai les enfants à la cuisine, blottis dans un coin. Le petit garçon pleurait. Je les ramenai dans le salon et fis mille manœuvres pour les familiariser avec Edith. Mais ils restèrent cramponnés à mes jupes et lui jetaient des regards terrorisés.

— Allons nous promener ! dis-je gaiement en prenant les deux gosses par la main. Viens, Colette, viens, Rémi ! Vous allez jouer dans le sable !

Je savais que le sable avait un effet magique et en espérais beaucoup. Mais tout le long du chemin les enfants se serrèrent contre moi en s'écartant le plus possible d'Edith qui marchait à côté de son grand pas sautillant.

Au jardin du Luxembourg, les deux enfants se détendirent un peu et le sable joua son rôle.

Mais mes deux bambins n'avaient pas l'air de s'amuser et au bout d'une heure je décidai de rentrer.

J'ai toujours admiré l'optimisme étanche d'Edith. Cette fois encore, en dépit des apparences, elle conclut :

— Je crois que le mauvais moment est passé. Les enfants n'ont plus peur, ni de vous, ni de moi.

Et résolument, elle saisit les deux petits par la main. Ceux-ci poussèrent des hurlements sauvages et, arrachant leurs mains, se ruèrent dans l'allée comme des fous.

Je partis à leur poursuite et les rattrapai.

— Vous n'êtes pas sages, dis-je sévèrement, pourquoi vous êtes-vous sauvés ?

Ils se taisaient et je les ramenai en tenant fermement leurs mains que je ne lâchai plus jusqu'à la maison.

J'avais peur de regarder Edith. Elle devait être bouleversée. Mais non, elle souriait sans s'apercevoir des regards éloquents que les enfants lui jetaient à la dérobée.

A présent, j'étais inquiète au sujet de l'impression qu'elle produirait sur les parents qui ne tarderaient pas à arriver. Mais c'est leur bonne espagnole qui se présenta à

18 heures et la joie des enfants de la retrouver et de s'en aller me laissa songeuse.

Le jour suivant fut riche en surprises. Edith, qui avait une clef de la maison, fut sur place avant moi, retenue par une course. En entrant dans l'appartement, je vis une scène inattendue : Edith était assise sur le tapis et découpait des personnages en papier tandis que nos deux pupilles à moitié apprivoisés se tenaient côte à côte sur le bord du tapis et regardaient en suçant leur pouce. Les fauteuils et le divan étaient couverts d'autres personnages déjà prêts. Je fus frappée par leur nombre. Edith expliqua :

— J'ai travaillé jusqu'à minuit ! Et vous voyez le résultat : les enfants sont conquis !

Je poussai un grand soupir de soulagement et ne demandai pas si on avait essayé l'anglais. Il valait mieux remettre l'anglais à plus tard, les enfants étaient capables de piquer une autre crise. Plus tard, quand il y aurait d'autres élèves.

Le jour suivant, j'eus une autre surprise : en ouvrant la porte je me trouvai en face non de Colette et Rémi amenés par la bonne espagnole, mais de la mère des enfants. Elle venait s'excuser... Expliquer... Et me payer les trois jours de garderie.

— Mais, dit-elle, les enfants avaient tellement pleuré à l'heure du départ qu'elle n'avait pas insisté. Rien qu'à l'idée de retrouver la dame aux grandes dents... Elle était vraiment désolée... Elle espérait que je comprendrais...

Nous prîmes le thé en tête à tête, Edith et moi, avec une multitude de personnages en papier nous tenant compagnie.

J'allai voir le curé le soir même.

— Oui, dit-il, j'allais vous téléphoner. Ça ne peut pas marcher avec votre amie anglaise. Cherchez une autre collaboratrice qui ne fasse pas peur aux enfants.

C'était facile à dire. Je ne pouvais pas éconduire Edith et la remplacer. Je préférai abandonner l'affaire.

A l'école de couture

Ma tête était remplie d'idées et, parmi les projets qui se présentaient à mon esprit, j'essayais de distinguer ceux qui étaient réalisables. Pension de famille ? Ecole de langues ? Bureau de traductions ?

Je rêvais d'un château-auberge dans quelque belle région en province où je recevrais des hôtes payants. Le domaine culinaire m'était sympathique et je me flattais de posséder quelques dons. La bonne table est toujours populaire, n'a-t-on pas assez dit que, même dans la vie conjugale, le cœur du mari se gagnait par l'estomac ?

Malheureusement, pour une entreprise de ce genre, il fallait posséder plus que des dons. C'était donc inutile de m'attarder sur ce projet.

La couture présentait une issue plus accessible, du moins financièrement. Le vêtement pour la femme a une importance capitale ; pour elle, s'embellir est un besoin légitime et indestructible. Dans les pays où règne la misère, heureuse est la femme qui sait se fabriquer une robe avec la doublure de son vieux manteau ou découper une jupe dans un rideau.

Elisabeth m'écoutait avec étonnement.

— On dirait que tu souhaites devenir couturière ! Mais je me rappelle que tu nous as toujours raconté...

C'était vrai, j'avais souvent évoqué les souvenirs de

294

nos cours de couture à l'internat. La maîtresse était fort
antipathique et toujours de mauvaise humeur. Nous
cousions des chemises et des caleçons pour une œuvre de
charité, grands trucs en toile rêche qu'il fallait assembler
et bâtir. Je n'ai jamais su distinguer le devant du dos et
mes coutures n'étaient jamais du même côté. Je tournais
et retournais mon ouvrage bien plus que je ne cousais.
Cela attirait le regard malveillant du professeur qui
s'exclamait :

— C'est de travers ! Ne cousez donc pas avant de
vérifier ! On dirait que vous le faites exprès.

Je détestais l'aiguille et ce fil à bâtir velu et indocile. A
peine enfilé, il faisait un nœud, je tirais et il se rompait.
Pendant ce temps le caleçon avait glissé sous le pupitre et
en le ramassant je perdais l'aiguille. A la fin du cours
j'étais moins avancée qu'au début. La maîtresse, qui se
trouvait de nouveau auprès de moi, disait d'une voix
aigre :

— Vous méritez un zéro et si je vous ajoute quelques
points, ce n'est que par considération pour votre mère
que j'ai le plaisir de connaître. Si vous aviez un peu plus
de respect pour votre professeur, vous n'abuseriez pas de
la situation. Mais laissez-moi vous dire que votre travail
est nettement insuffisant. Je regrette qu'on ne fasse pas
plus grand cas de ce cours. La couture pourtant est parfois
plus utile que l'algèbre.

Elle ne croyait pas si bien dire !

La couture n'a donc jamais été mon fort. Mais à présent
je devais faire abstraction de mes préférences et m'arrêter
à la solution qui présentait le plus de chances. Je décidai
de m'inscrire à un cours de couture.

Le prestige de l'âge disparaît quand on assume l'humble
condition d'élève. Je me sentis toute drôle en me présentant
au cours des époux Ballo.

Mme Ballo ne m'ouvrit pas les bras, comme je l'avais

vaguement espéré, sans doute pour préserver les distances et souligner l'importance de son école.

Avec ses lunettes et son chignon, elle avait l'air digne et sévère.

— Notre école, dit-elle, est très sérieuse, je tiens à ce que vous le sachiez.

— Mais je n'en doute pas, m'exclamai-je, et j'en suis enchantée !

— Mon mari et moi avons consacré nos vies à la couture et nous avons écrit des livres.

J'inclinai la tête avec respect.

— Qu'est-ce que vous voulez apprendre exactement ? La couture ne s'apprend pas en quelques leçons. J'aime mieux vous en avertir tout de suite.

Je le savais, hélas, et comprenais qu'il avait fallu la vie entière à mes professeurs pour la maîtriser.

— Je veux apprendre la coupe, dis-je humblement, et bien entendu tout le reste. J'y consacrerai tout le temps qu'il faudra.

Son regard eut plus de bienveillance. Mes paroles laissaient prévoir des études de longue haleine et le cours ne paraissait pas particulièrement peuplé.

— Bon, dit Mme Ballo, vous prendrez cinq leçons par semaine : deux de coupe et trois de couture. On paie au début du trimestre. Les fournitures sont en plus.

Elle indiqua le prix des cours et énuméra les accessoires indispensables que fournissait l'école.

A ce moment apparut M. Ballo. C'était un petit homme trapu avec de longs cheveux blancs en crinière. Il faisait penser à un compositeur, un sculpteur ou poète. Ses livres devaient porter l'empreinte d'un artiste. J'appris que le principe de son enseignement était exprimé par le nom même de l'école : « Couture sur table ». Tout était basé sur les chiffres obtenus par le mesurage du modèle et on pouvait, si on les suivait bien, se passer d'essayage.

Je m'en voulus de n'éprouver pour cette intéressante

théorie aucune curiosité particulière et me promis de remplacer par l'assiduité ce qui me manquait en enthousiasme.

Après en avoir terminé avec mon inscription, je reçus des mains de Mme Ballo une énorme feuille de papier, un gros cahier à dessin, une règle et un crayon et la suivis dans la salle des cours. C'était une grande pièce nue avec deux rangées de longues tables au milieu.

Je m'étais imaginé la gêne que j'éprouverais en face d'une foule de jeunes élèves. La couture s'apprend généralement aussitôt après le certificat d'études. Mais la classe était vide et j'étais seule en face de mon professeur.

— Il n'y a pas encore beaucoup d'élèves, dit Mme Ballo, comme en réponse à ma pensée. Je vais pouvoir m'occuper de vous. C'est une chance, profitez-en !

Je m'empressai d'exprimer ma reconnaissance, tout en me demandant pourquoi les cours de mes éminents professeurs étaient si peu fréquentés. On ne pouvait supposer qu'ils fussent peu connus, étant donné l'ancienneté de l'école et l'âge vénérable des deux vies qui s'y étaient consacrées.

— La première chose à apprendre, dit Mme Ballo d'un ton grave, est de prendre les mesures correctement. Quand vous en aurez pris l'expérience, vous allez faire des fonds.

— Des fonds ?

— Oui, nous appelons ainsi les patrons de base sur lesquels on bâtit la façon.

Elle me dicta une liste de points du corps qu'il s'agissait de mesurer. Il y en avait bien plus que je ne l'avais pensé et certains mesurages me parurent un peu indiscrets.

— Et maintenant, dit Mme Ballo, prenez vos propres mensurations et notez-les dans votre cahier. Ensuite vous prendrez les miennes pour vous exercer.

Eh bien, ce ne fut pas si simple ! Il n'y a pas de limites nettes sur le corps humain et on ne peut affirmer où finit l'épaule et où commence le bras. Le tour de poitrine est lui aussi une mesure trompeuse et aléatoire : faut-il serrer les seins ou, au contraire, les tomber ? Et la taille donc ! Quoi de plus traître et de plus vague ! Seule la distance entre les deux bouts de sein s'avéra fixe, fournissant une mesure stable. Mais j'appris que c'était justement la moins importante.

Je mesurai, j'inscrivis et, quand ce fut fini, présentai mon tableau à Mme Ballo.

— Reprenez toutes les mesures encore une fois pour vérifier, ordonna-t-elle, en jetant un regard rapide sur la pendule et en se replongeant dans la lecture de son journal.

Je me remis à l'œuvre mais le résultat me remplit de consternation : aucune des mesures obtenues avec tant de soin ne correspondait. La couture, comme je l'avais toujours senti, était un art insaisissable et farci d'embûches. Je fus soulagée en entendant sonner la fin du cours. Ainsi je n'eus pas le temps de mesurer Mme Ballo.

Rentrée chez moi, je relus mes notes et, dès l'arrivée de mes filles, les attaquai centimètre en main. Elles se laissèrent faire en riant, mais refusèrent de se prêter à la vérification, m'épargnant peut-être quelques désagréables découvertes.

Le lendemain, j'avais cours de couture et y allai, pleine d'appréhension, munie d'un bout d'étoffe provenant d'une vieille robe décousue.

Cette fois la classe n'était pas vide, loin de là : trois jeunes filles étaient installées devant les tables recouvertes de tissus et de patrons, avec çà et là une boîte à ouvrage, une paire de ciseaux, un coussinet d'épingles.

Mme Ballo tapotait un beau lainage beige appartenant à une des demoiselles et allait incessamment y enfoncer les ciseaux. Tous les yeux étaient rivés à ce tissu dont le destin allait se jouer. Mon entrée par conséquent ne fut pas remarquée. Je me joignis au groupe pour suivre l'opération.

Le patron en papier était soigneusement cousu au lainage et son contour dessiné à la craie. Un deuxième tracé indiquait le chemin qu'allaient suivre les ciseaux.

— Alors, mademoiselle Boutet, j'y vais ? demanda Mme Ballo en se tournant vers la propriétaire du tissu et en levant une main armée d'énormes ciseaux de coupe. Ou voulez-vous y aller vous-même ?

— Allez-y, allez-y, fit Mlle Boutet, j'ai plus confiance en vous.

— Ah, mais couper n'est rien, protesta Mme Ballo, c'est le fond qui compte. Etes-vous sûre du vôtre ?

— Je l'ai fait d'après vos indications, dit Mlle Boutet.

— Il réussira peut-être mieux que le mien... remarqua une autre jeune fille qui se tenait à côté.

— Ah, si vous vous trompez dans vos mesures, mademoiselle Ollier, je n'y puis rien ! dit Mme Ballo d'un ton sévère.

— Allez-y, répéta Mlle Boutet, comme si elle avait décidé de risquer sa mise.

Les ciseaux crissèrent, mordirent l'étoffe, firent le tour du patron. Mme Ballo allait vite et les morceaux se détachèrent tels des fragments d'un puzzle.

Mlle Boutet se mit à les réunir et les autres retournèrent à leur travail. Mlle Ollier cousait une robe de chambre pour sa mère et Mlle Martin une jupe cloche en feutrine. Je m'exerçai à faire des coutures et des ourlets mais je n'appris pas grand-chose ce jour-là. Par contre, je fis connaissance avec mes collègues qui me racontèrent leurs projets.

Les demoiselles Boutet et Martin venaient d'Algérie où elles comptaient exercer la couture et Mlle Ollier habitait Gisors et n'avait aucun projet commercial. Les deux premières étaient élèves du cours Ballo depuis trois ans et préparaient un examen professionnel.

Toutes les trois étaient jolies, gaies et sympathiques et déjà compétentes en couture. Je me proposais de profiter de leur expérience.

M. Ballo ne venait jamais au cours et on ne le voyait qu'en arrivant, assis devant son bureau chargé de dessins et de livres. Il nous adressait quelques mots aimables, puis se replongeait dans ses travaux ou, comme je le remarquai par la suite, dans la lecture d'un roman.

La méthode de l'école était simple et, disait Mme Ballo, infaillible. En observant les deux principes de base, on était sûr du succès : mesurage, construction correcte du fond. Le reste allait tout seul.

Mme Ballo surveillait notre travail, allait d'une table à l'autre, expliquait, vérifiait, ajustait. L'essayage en principe était inutile, mais on y procédait pour vérification. Le résultat était le plus souvent décevant.

Seule Mlle Ollier était à l'abri de pénibles surprises, car le modèle de la robe de chambre était à Gisors. C'était un cadeau pour la fête de Mme Ollier qui se fabriquait en secret.

Quant à moi, pour souligner ma confiance et augmenter mon zèle, j'achetai un tissu en lainage bleu marine pour me faire une robe. J'aurais préféré coudre pour mes filles, mais le but était l'apprentissage et il fallait pouvoir vérifier très souvent.

Après de laborieuses journées consacrées à la création du fond, je parvins au moment décisif de la coupe. Mon lainage se transforma en un tas de pièces détachées et je passai à l'assemblage. Je dois avouer que tout en m'appliquant j'attendais avec impatience la fin du cours.

Au bout de quelques jours, mon travail avait très bien progressé et l'essayage, pour une fois, confirma la réussite.

— Vous voyez, dit Mme Ballo, maintenant il ne vous reste qu'à terminer.

Mlle Boutet avait l'air préoccupé car son essayage à elle lui avait laissé une impression très différente. Tandis que je rayonnais, elle semblait déprimée. Mais, après tout, j'étais peut-être plus douée.

Quand Mme Ballo s'absentait, les jeunes filles changeaient d'attitude et commençaient à tout critiquer. Mlle Boutet, sans doute sous l'effet de son corsage loupé, raconta que Mme Ballo avait perdu beaucoup de son talent depuis l'accident qui lui était arrivé quelques années auparavant. Elle avait été renversée par une voiture et avait subi un choc à la tête. Avant l'accident, elle cousait bien mieux.

Je demandai pourquoi dans ces conditions M. Ballo ne venait pas surveiller les cours.

— M. Ballo n'aime pas les cours. Il s'occupe de la théorie et fait passer les examens.

— Mais si vous jugez que l'école baisse, dit Mlle Ollier qui, comme moi, était une nouvelle recrue, pourquoi revenez-vous ici ?

— Pour passer notre examen, expliqua Mlle Martin. Vous comprenez, M. Ballo ne peut pas nous faire échouer. D'ailleurs pour Bône toutes les écoles se valent si elles sont de Paris.

Ces conversations me remplirent d'inquiétude : si la méthode était discutable et le professeur affecté par un regrettable accident à la tête, pouvais-je compter sur cet enseignement ?

— Regardez la jupe de Mme Ballo, reprit Mlle Boutet, c'est elle qui l'a faite et elle tombe très mal.

— Dommage pour le beau lainage que lui avait offert son mari, renchérit Mlle Ollier.

— Chut ! la voilà ! fit Mlle Martin et toutes les têtes se penchèrent sur l'ouvrage.

Le deuxième essayage devait confirmer que j'étais dans la bonne voie, après ça il ne resterait plus qu'à terminer.

Or, grand fut mon dépit quand je constatai que rien n'allait plus. Que s'était-il produit entre les deux essayages ? Pourquoi tout ce qui était juste quand c'était bâti ne l'était-il plus du tout quand ce fut cousu ? Tout était de travers et on ne pouvait pas comprendre pourquoi.

Mme Ballo, voyant ma détresse, vint à mon secours et s'efforça de me rassurer.

— Voyons, voyons, ce n'est pas si mal que ça... C'est parce que vous n'avez pas beaucoup de buste, mais autrement ça tomberait bien.

Dès qu'elle lâchait les pans du vêtement, celui-ci remontait à la fausse position et la taille se plaçait sous les bras. J'avais toujours entendu dire que c'est très mauvais signe quand la couturière se met à tirer sur le vêtement. Je songeai à celle qui me confectionnait un tailleur à Nice, il y avait quelques années de cela.

— Vous avez maigri, disait-elle d'un ton de reproche.

Une semaine plus tard, quand de nouveau la veste n'allait pas, elle se fâchait :

— Mais vous avez grossi !

Mlle Boutet, qui observait mon essayage, remarqua :

— Je crois que vos manches sont trop découpées.

— Ah bon, alors comme les vôtres !

— Mlle Boutet a raison, s'exclama Mme Ballo, c'est bien ça !

Et prenant un ton sévère :

— Je vous avais pourtant dit de faire attention à l'échancrure.

— C'est malheureusement irréparable, dit Mlle Boutet. Ma robe est fichue.

— Mais non ! s'écria Mme Ballo. Vous pouvez mettre des goussets. Faites voir.

Elle me quitta pour porter secours à Mlle Boutet, m'abandonnant à mes propres ressources.

— N'écoutez pas Mme Ballo, dit Mlle Martin, défaites tout et repassez vos morceaux. On verra ce qu'on peut en faire.

Je suivis son conseil et ma robe se transforma en un tas de pièces détachées, comme elle avait été la semaine précédente, avec la seule différence qu'à présent les bords étaient effilochés.

— Comment vont tes cours ? me demanda le soir même Elisabeth.

— Mais... très bien.

— Et ta robe sera bientôt prête ?

— Oui... enfin...

— Car après, si tu veux bien, si tu crois que ça peut être utile à ton enseignement, je voudrais que tu me fasses une robe.

J'eus sans doute une expression alarmée, car elle ajouta :

— Une robe toute simple, sans col et sans manches. Crois-tu que tu pourrais ?

— Je veux bien essayer... Mais n'achète pas de tissu trop cher...

C'est ainsi que commença la grande aventure de la robe du soir d'Elisabeth. J'allai moi-même acheter le tissu et, oubliant toute prudence, choisis un beau lamé bleu pâle parsemé de fleurs à peine marquées sur un fond légèrement plus foncé. Je sentais que ce joli tissu, qui irait si bien à Elisabeth, remonterait mon courage et me donnerait de l'inspiration.

Je pris et repris les mesures de ma fille et arrivai au cours pleine d'une nouvelle énergie. Mme Ballo et mes camarades applaudirent mon lamé et même M. Ballo prononça quelques mots approbateurs en vrai connaisseur et homme de goût.

On feuilleta tous les journaux de mode de la saison et je dus décrire Elisabeth en détail : sa taille, sa silhouette, son teint, la couleur de ses cheveux. J'ajoutai même qu'elle avait de très belles dents.

On choisit un modèle charmant : corsage ajusté au grand décolleté et une jupe longue s'évasant jusqu'à terre. Une large pèlerine ramassée dans la pointe du décolleté et tombant en plis autour des épaules donnerait un style romantique à la toilette et, je le notai tout de suite, dissimulerait, le cas échéant, les imperfections du corsage.

Je travaillai assidûment sur le fond jusqu'au moment où, vérifié sur le modèle, il me parut parfait. Je cousis alors le patron sur le tissu et Mme Ballo coupa.

Ce n'est que plus tard, en assemblant, que je fis quelques erreurs en prenant à l'envers certains morceaux. Mais je n'en soufflai mot à personne et d'ailleurs ça se voyait à peine. La pèlerine, comme je l'avais prévu, se montra très utile.

La robe, amenée à bon terme, fut ma grande et unique réussite. Ou, plus exactement, celle de toute l'école, car tout le monde y mit la main. Elisabeth la porta au réveillon et eut beaucoup de succès. On la complimenta sur sa toilette ! Je voyais que mon idée était bonne et que je n'avais qu'à continuer.

L'horizon commença à s'assombrir après les fêtes de Pâques, quand nous reprîmes nos cours. Je m'imposai comme épreuve ma première robe restée en panne et ne ménageai pas les efforts pour la sauver. Je frémissais à l'idée que ç'aurait pu être celle d'une cliente, car il n'y avait plus de doute, elle était ratée. Je me consolais en me disant que cela arrivait aux plus grands couturiers et qu'après tout je n'étais encore qu'une élève.

Le plus grave était ce mystère qui accompagnait toujours la construction des fonds. En dépit de l'infaillibilité de la méthode, ils se montraient capricieux et fantaisistes. Mme Ballo assurait que la réussite était mathématique et à la portée de tous. Je devais faire exception. Je persévérais cependant, luttant avec l'ennui et le découragement.

A part ça les cours étaient gais et agréables et les bavardages au-dessus des aiguilles souvent amusants. Mme Ballo se vantait de connaître à fond le monde de la haute couture et nous racontait des histoires vraiment étonnantes. Les mannequins, par exemple, étaient dans la plupart des cas des hommes ! Un peu spéciaux, mais en tout cas pas des femmes. Les cover-girls, par contre, sont toutes des lesbiennes et affectent des airs masculins pour impressionner les clientes.

Mme Ballo aimait les sujets à sensation et les faits divers scandaleux.

La fin de l'année scolaire approchait et avec elle les examens. Nos deux Algéroises étaient absorbées par l'étude des manches et des cols qu'elles prévoyaient comme sujet de l'épreuve. Mme Ballo ne s'occupait plus que d'elles.

Pour vérifier mes connaissances, j'entrepris la confection d'un costume. Avant de m'embarquer, j'allai trouver M. Ballo dans son cabinet de travail avec l'espoir qu'il me montrerait ses livres et dissiperait les quelques points obscurs qui me préoccupaient.

M. Ballo était un homme aimable, toujours prêt à causer. Il s'intéressait à beaucoup de choses et aimait l'échange d'opinions. Rien ne lui plaisait autant que de discuter sur la création du monde ou l'avenir de l'humanité.

A vrai dire, M. Ballo s'intéressait à tout, sauf à sa méthode. Aussi, m'ayant une fois de plus assuré qu'elle était infaillible, passa-t-il à d'autres sujets. Il était en ce moment en train de lire un ouvrage consacré à la place de l'homme dans le cosmos et voulut connaître mon point de vue à ce sujet.

Notre conversation fut passionnante mais ne m'aida pas dans ma tâche. Elle me rappela seulement que l'être humain, malgré toutes ses spéculations, restait victime de son ignorance.

Je luttai pendant deux semaines avec les mesures et les fonds, découpant d'innombrables patrons en papier. Ils étaient tous différents et il était impossible de décider lequel était le bon.

De guerre lasse, je dus appeler Mme Ballo au secours.

Elle examina mes fonds et en choisit un elle-même. C'est encore elle qui coupa la façon.

Je m'acharnai sur le travail, mais il était comme ensorcelé. Je fis et défis le sacré vêtement qui commençait à ressembler à un chiffon. Je finis par bâcler le tout, devenu odieux, sans me soucier du résultat.

J'endossai le détestable costume pour prendre congé quand le dernier jour du cours fut arrivé. M. Ballo le regarda longuement de face, de profil et de dos.

— C'est la faute du tissu, dit-il en soupirant.

Cette expérience me fut quand même utile. Je compris que ce n'était pas dans la couture que je trouverais mon avenir.

Les bonbons amers

— Je vous assure, dit Mme de Milensky avec considération, les bonbons c'est très bien. C'est mieux que les
concombres salés et le kvas. Tout le monde aime les
bonbons et surtout ceux que je sais faire !

— Oui, dis-je pensivement. Pourtant je ne les aime
pas moi-même. Je préfère le kvas.

— Le kvas, c'est très bien aussi. C'est une boisson
désaltérante en été. Le kvas de pain est très bon. Les
Français ne le connaissent pas, mais ils l'aimeraient
sûrement. Mais quand il fermente, il faut faire attention,
car souvent les bouteilles éclatent.

— Oui, je sais. C'est à cause des raisins secs que l'on
met dedans.

— Ça fait un jet très fort, plus fort que celui du
champagne. Les bouchons volent parfois jusqu'au plafond.
Chez nous, tous les plafonds étaient tachés de kvas. Tout
cela est trop compliqué. Et puis, je vous dirai tout de
suite que je ne sais pas le préparer.

— Moi non plus. Mais on pourrait demander. Le
boutiquier du magasin russe rue Vavin m'a raconté qu'il
avait essayé de faire du kvas de citron. Il l'avait très bien
réussi, mais un jour, quand il était descendu dans la cave
pour en chercher quelques bouteilles, il les trouva toutes

vides et son kvas répandu sur les murs et le plafond. Vous comprenez, ça fait des pertes.

— Oui, laissons le kvas. Les bonbons, c'est bien mieux. Les bonbons ou les champignons.

— Les champignons ?

— Oui, c'est très avantageux. Les champignons blancs qui poussent dans les caves.

— Je vois, les champignons de Paris.

— De Paris ?

Mme de Milensky eut un geste de protestation.

— J'ai connu des gens en Pologne qui ont fait fortune en très peu de temps en cultivant des champignons blancs. Il suffit d'avoir une cave. En avez-vous une ?

— Oui... Mais elle est petite et j'ai mes malles dedans. De toute façon, je ne crois pas que je pourrais l'employer pour y faire du jardinage.

— Et pourquoi pas ? Ça ne regarde personne. Et c'est si simple ! On installe des caisses avec du terreau. On sème des champignons et quelques jours plus tard ils commencent à sortir. On les ramasse tous les matins. Ensuite on les arrose et ils repoussent pendant la nuit.

— Ça pousse si vite que ça ? J'avoue que je ne connais pas du tout cette culture.

— Moi, je la connais. Et Janos aussi.

— Qui est Janos ?

— Et on les vend 1 000 francs le kilo ! conclut Mme de Milensky sans répondre à ma question.

— Je ne crois vraiment pas que cela soit permis. On s'apercevrait très vite que j'ai des plantations dans ma cave. Je rencontrerais ma concierge et mes voisins. Je craindrais qu'ils ne soient étonnés de me voir descendre tous les matins avec un panier et un arrosoir. Et puis, est-ce vraiment 1 000 francs le kilo ? J'en achète souvent à 225 francs la livre.

— Ce ne sont pas les mêmes. Mais enfin, puisque vous

faites tant d'objections, n'en parlons plus. Faisons des bonbons, c'est encore mieux.

— Comment est-ce qu'ils sont, vos bonbons ?

— Oh, je sais faire différentes variétés et elles sont toutes excellentes. Des pâtes de fruits, par exemple, ou des baguettes de coco. Et surtout des amygdales en sucre.

— Des amygdales…?

— Enfin, des mygdales ? Ou comment les appelez-vous ? *Mandeln*[1].

— Je vois, je vois, des amandes glacées. Ça doit être compliqué à faire. Où avez-vous appris tout ça ?

— Oh, ce fut une chance dans la malchance. Après avoir quitté la Yougoslavie, je m'étais réfugiée en Autriche. Mes deux fils étaient déjà partis en Suisse chez leur grand-mère. Mais moi, j'ai dû passer un an dans un camp de réfugiés. Nous attendions tous les visas, ou de l'argent, ou quelque chose. Et c'est dans ce camp, près de Vienne, que j'ai rencontré un confiseur qui m'a montré comment on faisait des bonbons.

— Et vous avez pu en faire dans ce camp avec lui ?

— Ce n'était pas dans le camp. C'est encore un autre réfugié qui avait trouvé une cave chez un pharmacien dans les environs de Vienne. C'est là que nous avons fait nos bonbons.

— Et vraiment… ils étaient bons ?

— Excellents ! s'exclama Mme de Milensky avec une telle conviction que le doute n'était pas possible. Nous sommes allés les vendre à Vienne, reprit-elle, à la foire. En deux heures il n'y en avait plus et nous avons regretté de ne pas en avoir fait davantage.

— Vous aviez un stand pour mettre votre marchandise ?

— Oh, juste une table. Comme les marchands ambulants. Et sous la table nous avions des bonbons à facture.

---

1. Amandes en allemand.

— Comment, à facture ?

— Oui. On n'a pas le droit de faire de la confiserie sans patente. Alors nous avions acheté des bonbons en cas de contrôle. Mais personne ne nous a rien demandé et nous avons gardé notre réserve pour une autre fois.

— Vous avez recommencé, je suppose, puisque ça avait si bien marché ?

— Oui, mais pour vendre dans le camp, parce qu'il n'y avait plus de foire.

— Qu'est-ce qu'il faut pour faire des bonbons ?

— Du sucre, des parfums, de l'agar et du glucose.

— Du...?

— De l'agar et du glucose. C'est spécial pour la confiserie.

— Mais où est-ce qu'on trouve ça ? Il y en a dans les magasins ?

— Il faudra chercher. Les confiseurs français en ont besoin comme les autres.

— Oui, bien sûr...

A vrai dire je n'étais pas tout à fait rassurée. Ces bonbons cachés sous la table me faisaient un peu peur. Mais Mme de Milensky était pleine d'assurance.

— Surtout, ne croyez pas que j'exagère ! Faire des bonbons, si on connaît le secret, n'est pas difficile, les frais ne sont pas grands et les bénéfices énormes. On ne trouvera rien de mieux pour gagner de l'argent.

— Si je comprends bien, il nous faudra une patente commerciale pour vendre cette confiserie. Je ne connais pas du tout les règlements.

— Renseignez-vous.

— Et où pensez-vous que nous pourrions exercer ce commerce ?

— Partout. A toutes les foires.

— Je voudrais être en règle avec la police. J'aurais peur de tricher.

— Qui ne risque rien n'a rien !

— Ne serons-nous pas un peu ridicules en jouant aux marchandes dans les foires ?

Mme de Milensky me regarda avec sévérité.

— Les gens qui travaillent ne sont jamais ridicules. Et cela ne regarde personne, je vous le répète.

Puis, d'un ton plus conciliant :

— N'ayez donc aucune crainte ! Ce ne sont là que des formalités et, si on faisait attention à tout ça, personne ne pourrait plus rien faire. Vous parlez de tricher ? Et qui ne triche pas dans la vie ?

Je soupirai. J'ai toujours entendu dire que, pour réussir dans le commerce, il fallait tricher. Ça faisait peut-être partie du métier.

J'avais peur aussi que nous n'ayons pas l'air de vraies marchandes de foire, surtout Mme de Milensky qui ne connaissait pas un mot de français. Son russe n'était pas très correct, mais ça, au moins, ne gênerait personne.

C'était la troisième fois que je la voyais. Elle était polonaise mais portait un nom et un titre russes, seuls biens que lui avait laissés son mari.

Elle ne me déplaisait pas, malgré un petit air emprunté sous lequel perçait une origine assez simple. Il me semblait qu'elle était énergique et j'admirais ses efforts pour trouver des moyens d'existence.

Elle était venue à Paris pour rejoindre ses deux fils récemment recueillis par une école russe à Versailles et habitait elle-même chez mon amie la baronne de Steig qui lui offrait une chambre de bonne contre quelques heures de travail dans son appartement. C'est un foulard sur la tête et un balai entre les mains que Mme de Milensky m'apparut pour la première fois.

— Une personne charmante et travailleuse ! s'exclama Mme de Steig qui était un brin sentimentale.

C'est à ce moment-là que l'idée me vint de lui proposer d'entreprendre quelque chose à nous deux.

J'appris bientôt que ma nouvelle amie n'était pas arrivée

en France toute seule. Janos, un grand gaillard tchèque de vingt-cinq ans, l'avait suivie jusqu'à Paris. Je ne sais pas comment elle expliquait à ses fils sa présence dans la chambre de bonne. Il travaillait chez Renault comme chauffeur de poids lourd et il me semblait bien qu'il mettait son salaire à la disposition de Mme de Milensky. Mais cela ne me regardait pas.

Quand je fis la connaissance de Janos, je compris qu'il participerait à l'entreprise en perspective, mais son concours ne pouvait que nous être utile. J'en fus donc enchantée.

Nous formions un trio slave un peu original. Mme de Milensky et moi parlions russe que Janos ne comprenait pas. Janos et moi parlions français, incompréhensible pour Mme de Milensky. Elle-même parlait à Janos en polonais et il répondait en tchèque, et c'était à mon tour de ne pas comprendre. De sorte qu'il y avait toujours un de nous trois qui ne comprenait pas.

Janos avait l'air d'approuver nos projets de confiserie, dont il connaissait tous les mystères. Je devinais que leur alliance avait commencé au camp de réfugiés et que lui aussi avait été initié par le confiseur viennois. Et de toute façon, il était évident qu'il suivrait tous les désirs de Mme de Milensky.

La première chose qu'elle exigea fut le plus grand secret. Elle tenait surtout à ce que Mme de Steig ne sût rien. Nous n'étions d'ailleurs qu'au stade de prospection et c'est à moi qu'incombaient toutes les démarches et toutes les recherches. Je devais me documenter sur une affaire dont je ne connaissais rien. Mais de nous trois, seule je pouvais obtenir une patente.

Par contre, mes associés détenaient le secret profession-nel et étaient capables de fabriquer notre marchandise. J'espérais de tout cœur apprendre très vite cet art si nouveau pour moi. Mais pour l'instant je devais me consacrer à l'organisation de l'affaire.

Et ce n'était pas facile ! Sans doute fallait-il trouver un endroit où l'on pouvait cuire ce mystérieux mélange de sucre, de parfums et de...? J'avais déjà oublié les noms de ces ingrédients qui étaient la base de la confiserie. Est-ce que ça se vendait en bouteilles ? ou en boîtes ? Et où les trouver ?

Je décidai d'aller demander conseil à la boutique russe de la rue Vavin.

— Hum... fit le brave M. Rostoff après m'avoir écoutée. Jamais je n'ai entendu pareille chose ! Faire des bonbons ! En voilà une idée !

— Vous en vendez pourtant vous-même. Tenez, je vois d'ici des fondants à la vanille, de beaux caramels et des pâtes de fruits. Tout cela a été fait par quelqu'un. Par qui ?

— Dieu seul le sait !

— Je ne plaisante pas. Qui vous fournit tout ça ?

— Pierre Popoff.

— Ah ! vous voyez bien !

— Notez que je ne vous ai pas dit que c'était lui qui les faisait. Je n'en sais rien.

— J'irai le voir. J'apprendrai toujours quelque chose.

M. Rostoff me regarda d'un air malicieux.

— Je vous souhaite du succès !

Mes compatriotes ne sont pas renommés pour leur solidarité, ni pour une amabilité excessive. J'avais donc entrepris une démarche audacieuse en allant voir M. Pierre, confiseur-pâtissier russe. Je dus chercher long-temps avant de le découvrir dans un étroit sous-sol, tout collant de sucre et de vapeurs sucrées, et d'un aspect très peu appétissant.

Le maître confiseur, petit, rabougri, habillé d'un grand tablier très sale, pétrissait une pâte verdâtre avec une spatule en bois, ou simplement avec les mains. Je frémis en me disant que j'avais dû manger plus d'une fois des gâteaux fabriqués avec une chose semblable...

Quand cette pâte s'attachait à ses doigts, il les grattait avec sa spatule et remettait le tout dans la motte. Puis il raclait les traînées qui restaient sur la table et recommençait à pétrir.

Je m'arrêtai sur la dernière marche d'un petit escalier en pierre tout gluant. Machinalement je saisis un genre de rampe et ma main y resta collée.

Au fond de moi-même je sentais que je n'aurais pas dû déranger M. Pierre, ni fourrer mon nez dans son laboratoire.

Des plateaux chargés de petits gâteaux de toute sorte étaient disposés sur des rayons le long des murs. Un grand four répandait une chaleur grasse et douceâtre et rendait l'air irrespirable.

— Bonjour, monsieur Pierre ! dis-je en saluant. Excusez-moi de vous déranger. Mais... puis-je parler russe ?

— Si vous voulez... Que désirez-vous ?

— Voilà. Je viens vous demander quelques conseils et renseignements sur la confiserie.

— Quelle confiserie ?

J'avais préparé un discours et, en termes qui me paraissaient émouvants, j'expliquai le fond du problème. Il s'agissait, dis-je, d'une réfugiée fort méritante qui voulait gagner sa vie en faisant des bonbons.

— Je ne fais pas de bonbons, m'interrompit M. Pierre.

— Oh, vous savez, des bonbons ou des pâtisseries fines, fruits confits, sorbets, fondants que vous faites...

— Je ne fais rien de tout ça.

— Mais vous savez sûrement comment font les confiseurs ?

— Ils achètent leur marchandise chez les commerçants en gros. Et eux s'approvisionnent à l'usine.

— Mais il existe sûrement des artisans ?

— Je n'en connais pas.

Puis, abandonnant sa pâte, M. Pierre se tourna vers moi et dit :

— Je ne comprends rien à ce que vous me racontez !

Je dus alors en dire davantage. J'insistai surtout sur le fait que mon amie était réduite à vivre dans une mansarde et à travailler comme bonne à tout faire. Elle avait deux jeunes fils qui n'avaient pas terminé leurs études et, n'ayant ni amis, ni métier, ni secours d'aucune sorte, elle espérait utiliser les quelques connaissances qu'elle avait acquises par pure chance.

Tout cela était vrai. Mais je ne soufflai mot du grand Tchèque.

— Et vous ? me demanda brusquement M. Pierre.

— Eh bien, je cherche, moi aussi, une solution à mes problèmes, qui sont les mêmes que ceux de cette dame, sauf que je suis française et que j'ai un appartement. C'est donc à moi de faire des démarches et de trouver le moyen de réaliser ce projet.

Heureusement, M. Pierre aimait causer. Il raconta avec plaisir sa propre réussite, se vanta d'avoir épousé une Française et d'avoir un fils étudiant en médecine.

A mesure qu'il parlait, son ton s'adoucissait et finit par devenir amical.

— Allez à la chambre de commerce et demandez une patente commerciale, conseilla-t-il. C'est tout ce que vous pouvez faire. Vous n'obtiendrez jamais une patente artisanale, ne connaissant rien à la profession. Et méfiez-vous : il est interdit de fabriquer des marchandises dans un appartement privé en cachette. Vous pourriez vous attirer de gros ennuis.

Il me raconta plusieurs histoires tragiques arrivées à des amateurs mal renseignés.

— Mais que faire alors ? m'exclamai-je, consternée.

— Vous pourriez travailler sous couvert d'un confiseur de métier.

Et, de plus en plus généreux, il ajouta :

— Je veux bien vous céder ce local une fois par

semaine, le dimanche, par exemple, à condition que vous n'en parliez à personne.

— Merci, vous êtes vraiment aimable. J'en parlerai à mon amie. Encore une question, monsieur Pierre, avant de vous quitter : où peut-on se procurer de l'agar et du glucose ?

— Qu'est-ce que c'est ?

— J'espérais que vous me le diriez... Vous n'en employez donc pas ?

— Je ne sais pas ce que vous voulez dire. Mais excusez-moi, j'ai du travail.

Je me sentais un peu plus compétente quand je revis Mme de Milensky quelques jours plus tard. Je lui racontai ma visite chez M. Pierre et son aimable proposition. Elle la refusa tout net.

— Ah non ! Pas chez lui ! Mes secrets, je tiens à les garder pour moi !

Elle me regarda comme si j'étais en faute et ajouta :

— Il faut nous dépêcher, nous sommes déjà en mai. Il faut que tout soit prêt pour le début de l'été.

J'eus une idée : ma concierge venait de me raconter qu'il y avait une foire à Nogent-sur-Marne. Elle décrivait cette foire comme étant « de toute beauté », « où il y avait de tout » et « où il ne manquait rien ».

Je suggérai une expédition de reconnaissance pour étudier l'ambiance et observer les stands de confiserie.

L'idée lui plut.

— Allons ! Janos viendra avec nous.

Nous nous rendîmes donc à Nogent-sur-Marne. Quelle foire ! Ma concierge avait raison, « il y avait de tout ». La foule surtout, le bruit et la poussière. Nous nous faufilâmes péniblement jusqu'à une grande boutique de confiserie entourée de badauds. Sous une bâche majes-tueuse, ornée de guirlandes multicolores, s'étalait une exposition de l'œuvre sucrière qui donnait le vertige. Bocaux scintillants, pyramides de boîtes décorées, bouquets de sucettes, longues barres de candi ressemblant à du verre rouge, jaune, violet, pavés de nougats, saucissons de guimauve. Et cette écume féerique qui sortait d'une corne d'abondance et s'enroulait autour d'un petit mât doré ! Et ces pâtes de fruits de toutes teintes si joliment saupoudrées de grains de sucre ! Et les bonbons ! Quelle variété, quel choix ! Ces papillotes qui frémissaient au vent comme des papillons, ces « Bêtises de Paris » pralinées, fourrées, truffées ! Ces « Douceurs de France » à la menthe, à l'anis, au citron ! Sans parler des chocolats dont la splendeur vous coupait le souffle.

Il faut croire que j'avais le goût complètement atrophié pour rester insensible devant tant de délices. A vrai dire, j'en étais plutôt écœurée.

Mais pas Mme de Milensky qui exultait :

— Vous voyez ! Vous voyez ! Je vous l'avais bien dit, c'est le stand de confiserie qui attire le plus de monde ! Et le nôtre sera encore mieux !

J'eus un mouvement d'étonnement, mais elle poussa un cri et fonça vers un petit attroupement à quelques pas de la grande tente.

Un chaudron en cuivre installé sur un feu de charbon crachait une épaisse vapeur de sucre brûlé. Un homme armé d'un bâton remuait sans relâche une masse brune et gluante.

— Amandes ! annonça Mme de Milensky en écartant la foule pour s'approcher d'une petite table sur laquelle étaient alignés des sacs en papier remplis d'amandes glacées.

Elle en acheta trois et chacun de nous se concentra sur la dégustation de cet article important.

— Excellent ! dis-je en mâchant une amande.

Mais c'était la première impression. La seconde, qui suivit très vite, était différente. Il me semblait que je ne pourrais jamais libérer mes dents de cette glu douceâtre qui, après tout, n'était pas si bonne que ça.

— Les nôtres seront meilleures, dit Mme de Milensky en polonais.

Janos hochait la tête en disant quelque chose en tchèque que je ne compris pas.

— Elles sont très bonnes quand même, dis-je, car je ne voulais pas faire la difficile. Je n'aime pas le sucre et c'est sans doute pour cela que la qualité de ces amandes m'échappait.

Je regardai avec curiosité les articles du stand en me demandant comment diable ils allaient s'y prendre pour fabriquer tout ça ? Puis je me rappelai que tout ce que je voyais là provenait d'usines et me réjouis à l'idée que nos marchandises seraient différentes. J'essayai de me les imaginer. L'amande, étant donné l'importance que Mme de Milensky lui attribuait, semblait indiquée comme notre principal cheval de bataille. Mais ces baguettes de coco dont elle avait beaucoup parlé, de quoi ça avait l'air ? Et qu'est-ce qu'on pouvait faire de comestible avec cette noix écœurante ? Mais les gens ont souvent des goûts bizarres.

Nous continuâmes notre inspection et découvrîmes d'autres chaudrons à amandes. Décidément, ça promettait.

Nous parcourûmes toute la foire, Mme de Milensky en tête. Elle ne perdait pas son temps, examinait les étalages, soulevait les pans des bâches pour voir comment c'était fixé, se baissait pour jeter un coup d'œil sous les comptoirs pour apercevoir ce qu'on y cachait.

Janos la suivait attentif, obéissant, et ne disait pas grand-chose. Nous passâmes ainsi le long d'une série de boutiques où se vendaient les objets les plus variés, mais qui ne nous intéressaient pas. Même la roulotte de « José Davilez — Horoscope » et la « Roue de la Fortune » nous laissèrent indifférents.

Aux abords de la foire il y avait des marchands plus modestes. Les uns vendaient des mouchoirs dans des parapluies ouverts, d'autres offraient des cravates entassées dans des valises en carton. Tout à fait au bout, un homme d'aspect exotique s'affairait devant un chaudron fumant. Sur une petite table en bois blanc s'étalaient des nougats et des amandes glacées en sachets.

— Voilà, s'écria Mme de Milensky, c'est comme ça que nous commencerons !

— Il faudrait lui parler, dit Janos.

— Oui, oui, dit Mme de Milensky, demandez-lui s'il est content de son commerce. Et aussi s'il est confiseur de métier. Mais ne dites rien de nos projets, il pourrait se méfier de la concurrence.

Nous fîmes des approches, Janos et moi, et pûmes bientôt entamer une conversation. Je traduisais au fur et à mesure les réponses du marchand.

— Il dit qu'il y a dix ans qu'il fait des bonbons... et qu'il est enchanté... car il ne dépend de personne... Il va bientôt acheter une camionnette... pour aller en province... Sa femme fait les nougats... Non, il n'achète pas de confiserie d'usine...

Mme de Milensky dressa l'oreille :

— Et la police ? fit-elle.

— Et la police ? demandai-je au marchand.

L'homme parut outré.

— Qu'est-ce que la police a à voir là-dedans ?

— Rien, certes... Je voulais seulement savoir si vous avez une patente commerciale ?

— Bien sûr ! Je ne suis pas fou. Mais je travaille pour quelqu'un.

— Ah bon ! Un confiseur de métier ?

— Naturellement. Mais je ne le vois pas souvent. Vous savez, on s'arrange...

« Un tricheur », me dis-je. Mais ça devait être dans l'ordre des choses.

Mme de Milensky était enchantée de notre excursion

et considérait que l'enquête avait été concluante. Nous pouvions passer à l'action sans appréhension.

Il fallait commencer par la chambre de commerce. J'y allai. J'y passai la matinée. Je fis la queue plusieurs fois pour apprendre, arrivée au guichet, que c'était celui d'à côté. J'aboutis enfin au bon guichet et exposai mon affaire. L'employée paraissait intriguée.

— Je ne comprends pas très bien ce que vous voulez, dit-elle.

— Il me faut une autorisation pour vendre des bonbons.

— Vous avez un magasin ?

— Non... c'est pour les foires.

Elle approcha la tête du guichet pour mieux m'examiner.

— Vous êtes marchande ambulante ?

— Non... c'est-à-dire oui... ou pas encore. Mais mes associés...

— La patente, vous la demandez pour vous ou pour vos associés ? Les personnes intéressées doivent se présenter elles-mêmes.

— Elles le feront de leur côté. Pour l'instant, je demande la patente pour moi-même.

— Bon. Remplissez ces feuilles et décrivez tous les articles que vous vous proposez de vendre. Rapportez-moi votre demande et je la passerai au contrôle.

J'emportai tout un paquet de feuilles et allai m'installer à une table où plusieurs personnes écrivaient déjà avec application.

Il m'est toujours très difficile de remplir un formulaire sans me tromper, et cette fois il y avait des difficultés supplémentaires : comment décrire les bonbons de Mme de Milensky que je n'avais jamais vus ? Elle m'avait parlé d'amandes glacées et de baguettes de coco, mais avec sa manie du secret, elle ne m'avait peut-être pas tout dit. Je n'énumérai donc rien et mis simplement : « Confiserie ».

Une surprise désagréable m'attendait au guichet : il

fallait débourser 12 000 francs séance tenante à titre de droits d'inscription.

Une semaine plus tard je reçus ma patente. J'étais enregistrée comme marchande ambulante pour la durée de un an.

— Voilà, annonçai-je à Mme de Milensky en lui montrant la patente, nous pouvons commencer.

Et j'ajoutai en plaisantant :

— J'ai fait ma mise ! J'espère que nous gagnerons la partie !

— Tous les frais seront partagés dès qu'il y aura des revenus, coupa-t-elle d'un ton sec. Soyez-en assurée.

— Mais je n'en doute pas ! Et qu'allons-nous faire maintenant ?

Janos dit quelque chose en tchèque et Mme de Milensky traduisit :

— Janos dit qu'il nous faut une camionnette.

— Une camionnette !

— Il faudra chercher une occasion, dit Janos en français et je traduisis en russe.

— On verra ça plus tard, décida Mme de Milensky. Mais en attendant nous irons chercher l'agar et le glucose.

Je poussai un soupir de soulagement. Ça coûterait sûrement moins cher qu'une camionnette.

— Où pensez-vous qu'on pourrait trouver ça ?

— Chez les marchands de gros, dit Janos.

— Gros en quoi ?

— En pharmacie.

Je trouvai dans le Bottin l'adresse d'un magasin tout indiqué dans le premier arrondissement.

L'employé qui nous reçut me fit répéter trois fois ce que nous voulions. Finalement, agacé et n'ayant rien compris, il nous envoya à un autre commis, aussi ignorant et encore moins aimable.

Nous nous trouvâmes bientôt seuls au milieu du magasin, personne ne voulant plus s'occuper de nous.

— Nous n'aurons pas beaucoup de concurrence, dis-je à Mme de Milensky. Voilà une marchandise qui n'est pas souvent demandée.

— Vous allez voir, fit-elle avec un air entendu, nous aurons tous les clients que nous voudrons.

Un vieux monsieur en blouse blanche, gérant ou chef de rayon, s'aperçut de notre présence et s'approcha de nous. Après nous avoir écoutés, il alla consulter un registre, téléphona au dépôt et nous fit descendre dans un grand sous-sol encombré de caisses, de boîtes, de bouteilles et de bidons.

On trouva un paquet poussiéreux contenant une herbe desséchée et un fond de bocal d'une étrange matière grisâtre.

— L'agar-agar, expliqua l'employé d'un ton compétent, est une herbe marine provenant du Japon. C'est un liant très puissant. Et le glucose est un extrait de la pomme de terre. Ces deux produits sont employés en confiserie.

Son air interloqué l'avait quitté et il parlait avec assurance. Je devinai que ces connaissances venaient du dictionnaire qu'il venait de consulter.

Je ne saurais décrire la satisfaction de Mme de Milensky. Certes, notre glucose n'était pas de bonne qualité. Le magasin n'en vendait pas et il fallait considérer ce fond de bouteille comme échantillon. Mais on nous donna l'adresse d'une fabrique près de la place d'Italie où on pouvait commander la quantité que nous voulions de glucose tout frais.

Un grand pas en avant venait d'être franchi et l'horizon s'éclaircissait.

J'allai seule à l'usine, mes associés s'étant excusés sous un prétexte quelconque.

Cette fois, c'est une jeune personne fort aimable qui me reçut. Je parlai avec prudence, sans rien révéler de nos intentions commerciales. Je n'oubliais pas que nous n'avions pas le droit de fabriquer nos marchandises nous-mêmes et que nous n'étions que des marchands forains. Je dis que j'organisais une vente de charité.

La jeune femme savait très bien ce qu'était le glucose et pourquoi on l'employait. Elle avait pourtant l'air étonné.

« Que diable pense-t-elle ? me demandais-je avec inquiétude. C'est clair, il me semble : une vente de charité ! Elle devrait m'encourager au lieu de me faire la tête ! »

On apporta un bocal de glucose de un kilo. Cette fois il était propre et transparent comme du verre. J'étais enchantée.

— Mais... dis-je, il m'en faut dix kilos.

— Dix kilos ! s'exclama la dame. Mais savez-vous combien de bonbons on fait déjà avec un kilo ?

— Non, non, bafouillai-je, je ne sais pas. Est-ce beaucoup vraiment ? Tant pis, j'aime autant en emporter pour plusieurs fois.

— Je crois que vous ne vous rendez pas compte, insista la dame. C'est beaucoup, vraiment beaucoup ! Ce n'est pas vous qui allez faire ces bonbons, bien sûr ?

— Mais si... je veux dire non... J'organise, vous comprenez.

« Pourvu qu'elle ne devine rien... », pensais-je.

On apporta dix bocaux de glucose. Je les payai, ça ne coûtait pas cher. Mais que c'était lourd !

De nouveau l'employée me regarda avec curiosité.

— Vous n'avez pas de voiture ?

— Non, je prendrai un taxi.

— Mais la station de taxis est assez loin. Comment allez-vous porter tout ça ?

Je fis semblant d'être un athlète et, empoignant mes deux sacs à provisions dont chacun contenait cinq bocaux, je me dirigeai vers la sortie.

J'employai toutes mes forces pour traverser la cour vaillamment et disparaître derrière le coin de la maison.

Je sentais sur moi le regard de la jeune femme qui me suivait.

Taxi ? Il n'en était pas question. D'ailleurs je ne savais pas où était la station. Je me dirigeai vers le métro et pendant le trajet, qui dura une éternité, je m'arrêtai tous les cinq mètres pour souffler. Je pensais aux malheureux ânes marocains que j'avais si souvent vus écrasés par leur fardeau. L'histoire d'une voisine du bled me revint à l'esprit. Elle avait prêté un mulet à l'un de ses ouvriers qui déménageait. L'Arabe lui mit toutes ses possessions sur le dos et continua à le charger jusqu'au moment où la pauvre bête, les pattes écartées, le souffle coupé, les yeux injectés de sang, s'effondra. L'Arabe se mit à la rouer de coups. En vain, le mulet était mort.

Je me sentis devenir ce mulet. Heureusement, personne ne me rouait de coups et j'arrivai au métro sans m'effondrer. Et j'avais assez de glucose pour sucrer une armée !

A part l'agar-agar et le glucose qui étaient, je le savais maintenant, les matières clefs de la confiserie, il nous fallait des amandes, de la noix de coco, des colorants et des parfums. Et avant tout du sucre, du sucre en grande quantité.

A présent notre affaire était assez avancée pour que nous puissions engager d'autres frais sans crainte.

Nous décidâmes de faire le tour des grands magasins pour acheter le mobilier du marchand ambulant, tel qu'une table pliante pour étaler la marchandise, des petits strapontins en toile, un parasol et des boîtes dans lesquelles serait caché sous l'étalage le stock de bonbons « à facture » qui ne serait exhibé qu'en cas d'urgence.

Le temps était devenu très chaud et lourd. Mme de Milensky était assez forte et supportait mal le soleil et le manque d'air. Son ton autoritaire était souvent doublé d'irritation. Moi, par contre, habituée aux grandes chaleurs du Maroc, je résistais mieux. Et je voulais surtout montrer que j'étais solide et ne craignais pas l'effort physique.

Janos nous suivait docilement, portait les paquets et parlait peu. Je trouvais que Mme de Milensky le traitait un peu comme un domestique. Mais je gardais mes impressions pour moi.

Par un après-midi particulièrement étouffant, nous parcourions péniblement les rayons des appareils ménagers du Bazar de l'Hôtel de Ville. Janos portait sous le bras une table de camping qui glissait sans cesse, ses mains étant chargées d'un énorme sac de sucre et d'un impressionnant paquet de poudre de coco. Je portais moi-même un assortiment de bouteilles de liquides de couleurs vives et tout un chapelet de petits sachets.

Mme de Milensky ne portait rien. Tout d'un coup, s'arrêtant devant un étalage de marmites et chaudrons, elle s'exclama :

— Voilà ! C'est ça qu'il nous faut pour les amandes !

C'était un joli caquelon en cuivre rouge. Elle l'acheta. Pour une fois, c'est elle qui alla à la caisse.

Elle seule avait encore les mains libres et je pensais qu'elle se chargerait de sa nouvelle acquisition.

— Prenez-le, ordonna-t-elle à Janos en polonais.

Il déposa tous ses paquets par terre, tâchant de trouver le moyen de lui obéir.

— Ne pourriez-vous pas…? hasardai-je.

— Non, répliqua-t-elle d'un ton tranchant, je ne le porterai pas !

C'est à ce moment-là, pour la première fois, que l'idée me vint qu'elle n'avait peut-être pas un charmant caractère.

C'est ici que commence la véritable histoire, celle de la fabrication de nos bonbons. J'étais certes pleine d'enthousiasme mais, malgré tout, assez inquiète.

Nous n'avions pas trouvé de local et tout devait se

passer dans mon appartement. Notre activité devait donc rester secrète et s'entourer de la plus grande discrétion. Or la cuisinière de mes voisins était très curieuse et bavarde. Je la voyais très bien de la fenêtre de ma cuisine, et elle me voyait encore mieux, puisqu'elle regardait plus souvent et avec beaucoup plus d'intérêt. J'avais peur que la vapeur du sucre bouillant n'attirât son attention.

L'appartement était envahi par des provisions sucrières. Dans le salon, la salle à manger et même le couloir, les paquets s'amoncelaient. Mes enfants commençaient à murmurer. Je me demandais ce qu'elles allaient dire quand nous serions parvenus à la phase active de la préparation.

Cet art si nouveau pour moi m'intriguait au plus haut point. J'étais impatiente de voir comment se produisait l'action de l'agar-agar sur le mélange de sucre et de parfums qui se transformerait en bonbons. Et à quel moment fallait-il introduire le glucose ?

J'étais confuse de mon ignorance et regrettais de ne pouvoir participer à un travail aussi passionnant.

Je souhaitais de tout cœur apprendre très vite pour arriver à la hauteur de mes associés.

Aussi fus-je douloureusement surprise quand, dès le début, Mme de Milensky parut vouloir m'écarter. Non seulement on ne me laissa rien faire, mais on ne répondait plus à mes questions. C'est tout juste si on ne m'invita pas à me retirer. Je me tenais d'ailleurs dans l'embrasure de la porte pour ne pas déranger.

Janos s'habilla d'un grand tablier blanc et Mme de Milensky enfila une blouse rose. Le chaudron fut posé sur le réchaud qui marchait à plein feu. Les deux confiseurs s'affairaient, vidaient des sacs, débouchaient des bouteilles.

J'essayais de regarder par-dessus leurs épaules, à travers une épaisse vapeur qui montait du chaudron. Mais je ne pouvais voir que le dos de Janos, le caquelon qui dansait sur la flamme et la spatule qui allait et venait sans interruption.

Il fallait garder la fenêtre fermée à cause de la voisine et l'air se remplit très vite d'odeurs âcres et violentes. Il faisait très chaud, Janos pantelait, les joues de Mme de Milensky s'empourpraient et sa voix devenait tranchante.

A 13 heures, je proposai un arrêt pour déjeuner. Il n'était pas question d'utiliser la cuisine et je préparai des sandwiches dans la salle à manger.

Mme de Milensky accepta mes services comme quelque chose qui lui était dû. Je la sentais tellement consciente de son importance que j'osais à peine l'approcher.

Aussitôt après cette collation improvisée, le travail reprit et dura jusqu'au soir. Vers 19 heures on m'annonça que pour cette fois, c'était terminé.

En entrant dans la cuisine, je trouvai un spectacle effarant : tous mes plateaux étaient remplis d'une masse gélatineuse couleur émeraude, qui tremblotait au moindre contact.

— Qu'est-ce que c'est ? demandai-je avec curiosité.

— Vous ne le voyez pas ? fit Mme de Milensky d'un ton énervé. C'est de la pâte de fruits !

— Ah oui, en effet. Mais quel fruit est-ce ?

— Ça se voit, non ? C'est de la poire.

Elle n'était pas de bonne humeur.

— Vous n'avez rien pour refroidir. Si vous croyez que c'est facile de travailler dans ces conditions ! Vos plateaux sont ronds, c'est très incommode. Ils devraient être carrés.

J'étais consternée, mais je n'y pouvais rien. Les plateaux étaient ronds, et ronds ils resteraient. Je passai en revue dans ma mémoire tous les récipients que je possédais, mais rien n'était carré.

Janos, voyant ma mine contrariée, promit que la prochaine fois on verserait la pâte directement sur la table. Cette perspective ne me rassura qu'à moitié, car je prévoyais d'autres inconvénients.

— Ne touchez à rien, dit Mme de Milensky, et laissez cette pâte refroidir tranquillement.

— Longtemps ? J'ai besoin de la cuisine pour faire nos repas.

— Madame, coupa Mme de Milensky, il s'agit de savoir si vous voulez, oui ou non, que nous fassions des bonbons.

— Mais oui, mais oui... Je voulais seulement dire...

— Le travail avant tout, m'interrompit-elle en enlevant sa blouse d'un geste agacé.

Janos était rouge et fatigué. Ses cheveux ébouriffés étaient caramélisés autour de son visage et avaient, comme la pâte, une couleur verdâtre. Le réchaud, la table, les murs et le plancher, tout était couvert d'éclaboussures de sirop. Une bouteille de colorant rouge était tombée par terre et une mare écarlate s'étalait sur le carrelage. Janos avait éteint le gaz mais le chaudron fumait encore et l'air était irrespirable.

Quand ils furent enfin partis, je regardai autour de moi, perplexe. Je voyais à présent qu'il n'était pas si simple de faire des bonbons. Et pourquoi l'attitude de Mme de Milensky avait-elle tellement changé ?

Un grand nettoyage s'imposait. Je me mis à refermer les sacs béants, à reboucher les bouteilles, à ramasser les papiers qui traînaient partout. Je cherchai l'agar-agar pour examiner à mon aise, car on ne me l'avait pas montré. Mais la précieuse algue avait disparu.

Dès mon réveil, le lendemain matin, je courus à la cuisine pour revoir la pâte de poire. A vrai dire, je fus un peu déçue, car elle n'était pas très appétissante. Sa surface s'était couverte de petites pustules blanches et son beau brillant s'était terni. J'y appuyai délicatement le doigt pour vérifier si elle était devenue solide et j'eus l'impression de toucher du caoutchouc. Elle sentait un peu la pharmacie et je me dis que c'était sans doute l'odeur de l'agar-agar. J'étais étonnée de la voir si différente des pâtes de fruits que l'on voit dans les confiseries.

« Pourvu que ce soit bon... », me dis-je. Je ne voulais pas me l'avouer, mais un doute germait au fond de moi à ce sujet.

Les maîtres confiseurs arrivèrent vers midi et s'affublèrent de leurs vêtements de travail. Se penchant sur leur œuvre de la veille, ils l'examinèrent, la palpèrent. Mme de Milensky en arracha un petit bout avec l'ongle, le goûta, le jugea. Puis elle dit quelque chose à Janos qui goûta à son tour. Je ne compris malheureusement pas leur appréciation.

Janos enleva les plateaux de la table qu'il saupoudra de sucre fin, et en renversa un d'un geste énergique. Mais la pâte s'obstinait à coller au fond. Il dut recommencer plusieurs fois et enfin, avec un grand « flop ! », la masse verte s'étala sur la table.

Mme de Milensky prit un grand couteau et la découpa en petits morceaux carrés, les recouvrit de sucre et les plaça dans un plat. Quand tout fut rangé et emporté dans la salle à manger, la cuisson recommença.

Cette fois, c'était le tour des amandes. Très vite tout l'appartement fut envahi de vapeur et de fumée. C'était encore plus violent que la veille. Chaque fois que je passais la tête par la porte entrebâillée, je voyais Janos ruisselant de sueur, courbé au-dessus du feu, et Mme de Milensky manipulant les ingrédients sur la table.

Voyant à quel point ma présence leur était désagréable, je les laissai faire. C'était évident qu'ils étaient jaloux de leur secret professionnel. Mais de quoi avaient-ils peur ? N'étions-nous pas associés ?

J'essayai de m'occuper d'autre chose, mais mes pensées ne quittaient pas les bonbons naissants.

Vers 17 heures, remarquant que la vapeur avait diminué, j'allai voir si c'était fini. Janos était occupé à sortir de la marmite des blocs marron foncé d'amandes collées et de sucre caramélisé. Mme de Milensky s'efforçait de séparer les amandes, mais ça avait l'air résistant et dur.

Janos me demanda un marteau et se mit à taper sur ces agglomérés. Des éclats volèrent dans tous les sens et Mme de Milensky étendit les pans de sa blouse pour les empêcher de tomber par terre.

Je me souvins des amandes que nous avions vues à la foire et qu'elle avait critiquées. Le bonhomme à qui nous avions parlé les manipulait avec facilité, car elles ne collaient pas au fond du caquelon et restaient entières. Elles ressemblaient à de gros haricots qu'il refroidissait sur une planche avant de les mettre dans leurs sachets. Les amandes de mes amis étaient très différentes. Il me semblait anormal que l'on dût se servir d'un marteau.

Un pénible soupçon me troubla de nouveau : nos amandes étaient-elles ratées ?

Comme en réponse à ma pensée, Mme de Milensky remarqua avec humeur :

— Rien n'est commode ici. Le chaudron ne tient pas en place et on ne peut pas remuer le sucre. Alors il brûle naturellement !

Elle croqua une amande qui, par miracle, était restée détachée. Janos tapait toujours et parvint à rassembler un tas de morceaux de caramel mélangé d'amandes cassées. Mme de Milensky en remplit quelques petits sachets qu'elle rangea dans une boîte.

Dès que je fus seule et avant d'entreprendre mon nettoyage, j'ouvris un des sachets et en retirai un fragment d'amande. Le goût n'était pas mauvais, mais c'était dur comme du verre. Je décidai de goûter également à la confection de la veille.

En examinant la pâte de poire, je fus étonnée de constater que le sucre dont Mme de Milensky l'avait saupoudrée avait totalement disparu. Les petits carrés étaient collants et mous. Non sans appréhension, j'en goûtai un.

C'était franchement mauvais et faisait penser à un médicament. Je le jetai à la poubelle et me rinçai les doigts.

Le jour suivant j'attendis en vain mes deux confiseurs et trois jours durant n'en reçus aucune nouvelle. Je commençais à croire qu'ils avaient abandonné la partie, quand un matin ils arrivèrent.

Mme de Milensky paraissait mieux disposée et j'implorai le ciel de lui rester favorable. J'espérais qu'elle ne s'apercevrait pas des changements bizarres de la pâte de poire qui, au lieu de durcir, s'entourait d'un liquide vert.

— Nous allons faire des baguettes de coco, déclara-t-elle. Mais nous n'avons plus de sucre. Voulez-vous nous en apporter ? Mettons cinq kilos pour cette fois-ci.

Je n'avais pas l'intention d'en apporter davantage avant de voir ce qui sortirait de la marmite à la fin de la journée. Sans être défaitiste, je me rendais compte que les résultats obtenus jusqu'à présent étaient assez minces.

J'aurais aimé décrire comment se fabriquent les baguettes de coco, mais une fois de plus je fus bannie de la cuisine.

L'odeur cette fois était différente : c'était le parfum fade et écœurant de la noix de coco.

Il faut croire que tous les bonbons demandent une cuisson prolongée, car ce n'est que le soir que je pus contempler les longs saucissons couleur chair que Mme de Milensky roulait puis coupait et saupoudrait de coco râpé.

Ils ressemblaient à des doigts recouverts de sciure. Il y en avait beaucoup, toute la table en était pleine.

— Demain ils seront durs, dit Mme de Milensky. Surtout n'y touchez pas.

Ma confiance avait été légèrement ébranlée par le comportement de la pâte de fruits, mais je promis de veiller sur la nouvelle marchandise et fis comme je pus pour me passer de la place qu'elle occupait.

Le lendemain, je constatai avec plaisir que nos baguettes étaient devenues dures et que la poudre qui les ornait était toujours là. J'attendis toute la journée pour les ranger, mais mes associés ne vinrent pas. Je dus donc procéder moi-même à cette délicate opération. Mais elles étaient solides, pas comme la pâte qui changeait à vue d'œil et commençait maintenant à fermenter.

Quand enfin mes confiseurs revinrent, ils s'aperçurent de l'état des choses, mais ne manifestèrent aucun étonnement. Mme de Milensky décida de rebouillir le tout en y ajoutant du vinaigre pour le rendre moins fade. Je ne sais pas si cette mesure a été efficace, car je n'osai plus y goûter.

Avant de continuer la fabrication, nous décidâmes de nous assurer nos réserves de bonbons « à facture ». Je me dis que ceux-là, au moins, resteraient dans un état fixe.

Nous fîmes donc une nouvelle expédition, cette fois à la recherche de marchands en gros de sucreries. Nous n'en trouvâmes aucun et fîmes nos provisions simplement à la Samaritaine.

Nous possédions à présent un assortiment de bonbons des plus tentants, bien plus, à vrai dire, que les nôtres. Nous avions des pipes en sucre, des grappes de raisin en pâte d'amande, des cigarettes en chocolat, des boulettes multicolores aux parfums variés. Mais si notre stock était rempli, ma bourse était vide et j'attendais avec impatience l'ouverture de la vente.

Malheureusement, le doute s'était installé dans mon esprit et je ne pouvais plus me dissimuler que la personnalité de Mme de Milensky était aussi décevante que ses bonbons. Trop souvent de mauvaise humeur, capricieuse et exigeante, elle n'apparaissait certes pas comme une associée facile.

D'autre part, j'imaginais mal des clients assez indulgents pour accepter nos fabrications grossières, si étranges d'aspect. Les prix excessifs fixés par Mme de Milensky n'arrangeraient pas les choses. Mais au point où nous étions arrivés, il ne nous restait qu'à tenter notre chance.

A présent qu'il y avait de quoi faire un étalage, il fallait décider où s'ouvrirait notre première vente. Or Mme de Milensky éludait la question, comme si l'affaire ne l'intéressait plus. Je m'adressai à Janos, sans plus de succès. Il faisait des gestes vagues et répétait : « On verra bien... » Le temps passait, détériorant mon moral et encore plus la marchandise.

Il fallait à tout prix prendre une décision, ce que je ne pouvais faire seule. Les apparitions de mes confiseurs devenant de plus en plus rares, je les invitai à dîner pour m'assurer une entrevue. Je proposai un certain soir quand mes enfants seraient sorties et que nous pourrions discuter de nos affaires à notre aise. Mme de Milensky accepta.

Je me réjouissais de l'occasion qui me permettrait de montrer mes talents de cuisinière, car, malgré tout, je me sentais diminuée par mon ignorance en confiserie.

Je composai mon menu avec soin et, faisant appel à mes dernières ressources, consacrai la journée à ce dîner.

Quand tout fut prêt, la table mise, les fleurs disposées avec art, les lumières ajustées, je soupirai avec satisfaction et attendis.

Le clocher de l'église voisine annonça tour à tour 9 heures, 10 heures, 11 heures... Mme de Milensky et Janos ne vinrent pas.

J'eus la naïveté de croire que le jour suivant un coup de téléphone m'apporterait une explication, peut-être même des excuses. Il n'en fut rien et c'est moi qui appelai Mme de Milensky.

— J'espère qu'il ne vous est rien arrivé de fâcheux ?

— Non, pourquoi ?

— Mais... je vous attendais à dîner...

— Dîner chez vous le jour de l'anniversaire de mon fils ? Il n'en était pas question !

— Vous aviez cependant accepté mon invitation.

Elle eut une intonation agacée :

— Je ne puis penser à tout...!

C'est ainsi que s'envolèrent mes dernières illusions. Mais pas les marchandises ! Qu'allais-je en faire ?

Un matin, alors que j'y pensais le moins, je vis arriver Janos.

— Je viens prendre le chaudron, dit-il dès le seuil de la porte.

— Le chaudron ? Vous ne revenez donc plus ?

Il fit un geste vague.

— Je ne sais pas.

— Et que dois-je faire avec tous ces bonbons ? Vous semblez oublier que nous étions associés !

— Moi, vous savez...

— Mais mettez-vous à ma place ! J'ai dépensé tout ce que j'avais, il ne me reste plus de quoi payer mon loyer !

Il fit une mine attristée.

— Ces bonbons sont très bons, fit-il enfin. Vous pouvez les vendre.

— Mais à qui ? Ce n'est pas si simple, vous le savez aussi bien que moi. Nous avions décidé de tout faire ensemble et voilà que vous me plantez là avec tous ces bonbons sur les bras !

— Parlez à Mme de Milensky.

— Et où la trouver ? Elle ne donne plus signe de vie !

Il restait là sans répondre. Je me souvins tout à coup que j'avais lu quelque part qu'il y avait une foire au Perray. J'en parlai à Janos.

— Allons-y dimanche matin, proposa-t-il.

Puis, se souvenant du but de sa visite, il courut à la cuisine pour prendre le chaudron et partit.

Je ne croyais qu'à moitié qu'il tiendrait parole et fus agréablement surprise en le voyant arriver le jour convenu.

Nous remplîmes une grande valise, en appuyant surtout sur les produits provenant de la Samaritaine. La pâte de poire n'était pas transportable, mais Janos fit semblant de ne pas s'en apercevoir. Je pris la table pliante, Janos se chargea de la valise et nous nous rendîmes à la gare Montparnasse qui était à deux pas.

Pendant que je faisais la queue devant le guichet, Janos arpentait le quai pour trouver notre train.

Je fus un peu étonnée de trouver notre wagon presque vide. Nous étions seuls dans notre compartiment, les bonbons à nos pieds.

La conversation avec Janos n'était pas facile car son français était très limité et pas toujours compréhensible. Je regardais distraitement le paysage défiler devant la vitre et attendais avec impatience d'être arrivée.

Enfin le train s'arrêta.

— Je crois qu'on y est, dis-je avec soulagement.

Je me penchai par la fenêtre. Mais c'était Houdan.

— Mais où allons-nous ? On ne devait pas passer par Houdan...!

Janos avait l'air perplexe.

— C'est pas ça, dit-il enfin, je crois qu'on s'est trompés de train.

— Ce n'est pas le train de Chartres ?

— Je l'avais cru. Mais maintenant je crois que c'est le train de Dreux.

Il y avait quelque chose d'olympien dans le calme de Janos. Je ne l'ai jamais vu énervé. Il constatait un fait : on s'était trompés de train, voilà tout. Il fallait descendre et retourner à Paris.

Quand à midi les bonbons revinrent dans ma salle à manger, Janos prit congé en disant :

— Ça ne fait rien, une autre fois on prendra le bon train.

Moi, je savais que cela avait été notre dernière expérience et que je ne reverrais plus ni Janos ni Mme de Milensky. Je m'en voulais d'avoir été si naïve. Il ne me restait qu'à en rire... Et j'en riais, mais je riais jaune...

Un jour, je reçus une grande enveloppe de la chambre de commerce remplie de formules ainsi qu'une sommation de verser 60 000 francs pour la caisse de vieillesse, l'assurance et je ne sais quoi encore. Je fis immédiatement une demande de radiation de patente pour cause de non-exercice du métier.

Ma carrière de marchande ambulante ayant ainsi pris fin, je m'employai à la liquidation de mon stock de confiserie.

Je racontai à ma crémière qu'il me restait quelques kilos de bonbons après une vente de charité et elle se chargea de les vendre. Mes enfants se montrèrent de grand secours et en vendirent pas mal à leurs amis. Macha se piqua au jeu et fit un commerce très efficace parmi ses camarades de lycée. Une amie à moi se rendit populaire en offrant des baguettes de coco dans son bureau.

Après deux semaines d'efforts conjugués, mon stock fut considérablement allégé. Mme de Milensky avait vu juste, la demande était excellente.

Seule la pâte de poire restait invendable, plus que ça, immangeable. Un jour, j'en remplis un vieux pot et le jetai à la poubelle.

Les bocaux de glucose ornèrent longtemps un rayon dans la salle de bains. Personne n'en voulait, même gratuitement. Un pharmacien les accepta finalement, s'étant laissé tenter par les bocaux qui pouvaient servir.

Mme de Steig, comme je l'ai dit plus haut, était une bonne amie à moi. Ne l'ayant pas revue depuis plusieurs mois, j'allai lui rendre visite un jour vers la fin de l'été.

— Qu'est devenue Mme de Milensky ? demandai-je en voyant qu'une jeune femme inconnue s'occupait du goûter. Elle n'est plus dans la mansarde avec son Tchèque ?

— Mon Dieu, non ! s'exclama Mme de Steig. Et je

n'ai aucune idée de ce qu'elle est devenue. C'était une personne... comment dire ? un peu étrange.

Mme de Steig ne disait jamais de mal des gens, mais je sentis que Mme de Milensky ne lui avait pas laissé un très bon souvenir.

— Il y a longtemps qu'elle vous a quittée ?

— Je n'en sais rien. En partant en juin chez ma sœur à Toulouse, je lui avais confié mon appartement. Elle devait aussi me faire suivre mon courrier. Or aucune lettre ne me parvenait et je ne savais que penser. A mon retour, j'appris qu'il y avait beau temps qu'elle s'était évaporée sans laisser d'adresse, sinon de traces ! Je découvris dans ma cuisine des indices d'une grande activité. On aurait dit qu'on avait cuit quelque chose à très grand feu, car mon réchaud était jauni et brûlé. Je me demande ce qu'elle a pu faire ?

Moi, je le savais bien !

— Mais c'est dans sa chambre que je fis la découverte la plus stupéfiante, reprit Mme de Steig. Imaginez-vous... Vous ne me croirez pas ! Et pourtant c'est un fait : il y avait sous le lit des caisses remplies de terre où çà et là perçaient quelques misérables champignons ! Avez-vous jamais entendu une chose pareille ?

— Mme de Milensky cultivait des champignons sous son lit ?

— Incroyable, n'est-ce pas ? Et elle n'a même pas pris la peine d'enlever les caisses en partant ! J'ai dû prier le concierge de venir m'aider. Vous vous rendez compte ! Une plantation de champignons sous le lit !

J'éclatai de rire. L'idée de ma cave était tout de même meilleure !

— Et Janos ? Il lui était dévoué comme un chien.

— N'empêche qu'il s'est sauvé peu de temps après. Il paraît qu'il s'est marié avec une Française et qu'il a quitté Paris.

— Tant mieux ! Je suis ravie de l'apprendre.

Ces bonbons fabriqués dans la cuisine de Mme de Steig m'intriguaient. Mes ex-associés les avaient-ils mieux réussis ? Où les avaient-ils vendus ?

Je l'appris de la façon la plus inattendue.

Je rencontrai un jour ma cousine que je n'avais pas revue depuis longtemps.

— On ne te voit plus nulle part, dit-elle. Tu aurais dû venir à la fête de nos petits cadets de Versailles. Par solidarité, tu sais, pour soutenir l'école.

— J'aurais dû, en effet. J'espère que la fête leur a rapporté quelque chose ? Il y avait un buffet ?

— Oui, bien sûr, avec notre vodka nationale, les concombres salés, les pirojki au chou, les tartines au caviar... Il y avait aussi de drôles de bonbons durs comme des cailloux. Je pense que les garçons les ont faits eux-mêmes.

Je partis d'un éclat de rire.

— Mais qu'est-ce qui te fait rire ? dit ma cousine avec reproche. Tout le monde n'est pas confiseur. Les invités ont été très indulgents et ont fait semblant de trouver très bonne cette curieuse confiserie. On la vendait très cher, ma foi, mais peu importe, on savait que c'était pour l'école !

Je terminerai mon récit sur les bonbons.

Ce ne fut certes pas ma dernière épreuve mais, en tout cas, mon dernier projet commercial. Je n'en entrepris pas d'autre.

Le temps se chargea de dénouer le nœud gordien que je ne réussis pas à trancher.

Comme un équipage qui a longtemps cahoté sur un mauvais parcours, nous sortîmes peu à peu sur une meilleure route et, en regardant en arrière, comprîmes que nous avions suivi la bonne.

Aucune de nous ne regretta jamais notre grand déménagement dans la capitale, même moi, qui pourtant avais eu à tirer le coche.

Les amis de Rabat, qui avaient si sévèrement critiqué mon départ, ont tous avec le temps suivi mon exemple. Même Mlle Philémonov... Avec la différence qu'ils avaient loupé l'occasion de faire des échanges d'appartements et se trouvèrent sans toit à Paris.

J'en conclus que, si la lumière de ma lanterne a pu être vacillante, mon instinct, par contre, ne m'a pas trahie.

Table des matières

Aubin Imprimeur
LIGUGÉ, POITIERS